Questo libro è di

_____

_____

0063490374
F 0006925
NOME E COGNOME
SEGNATURA
B

*A tutti i bambini
che volano sulle balene
e nuotano con le rondini verso la Libertà.*

Illustrazioni: Ilaria Matteini

www.giunti.it

© 2005 Giunti Editore S.p.A., Firenze - Milano
Prima edizione: settembre 2005

Ristampa	Anno
6 5 4 3 2 1 0	2008 2007 2006 2005

Stampato presso Giunti Industrie Grafiche S.p.A. – Stabilimento di Prato

Moony Witcher

Nina
e l'Occhio Segreto
di Atlantide

GIUNTI Junior

CAPITOLO PRIMO

La morte di LSL
e la bara di Andora

Quella gelida mattina di fine febbraio persino l'aria sembrava puzzare. La misteriosa esplosione, avvenuta la sera prima sull'Isola Clemente, aveva creato non pochi problemi. I cittadini si erano alzati di buon ora e, con i ricordi della grande festa di Carnevale in Piazza San Marco ancora vivi, camminavano per calli e campielli coprendosi la bocca con sciarpe o fazzoletti per evitare di respirare il gas che avvolgeva Venezia. In molti si chiedevano che cosa fosse successo sull'isola disabitata, ma nessuno sapeva ancora la verità.

I bambini erano andati a scuola, come sempre, anche se con una forte tosse, insistente ricordo di quella serata. Solo i quattro amici giudecchini di Nina De Nobili, nipote del grande alchimista russo Michajl Mesinskj, avevano uno strano sorriso stampato sulle labbra.

Dodo, Cesco, Roxy e Fiore erano gli unici studenti a non essere preoccupati per l'esplosione avvenuta in laguna, che aveva rappresentato la fine dei loro guai. La bambola di cera identica a Nina era saltata in aria improvvisamente, trasformandosi in una trappola micidiale per il Conte Karkon Ca' d'Oro e il sindaco LSL. Per i giovani alchimisti era stata davvero una grande vittoria contro il Male e non vedevano l'ora di festeggiare l'evento.

A Villa Espasia le finestre della camera di Nina erano spalancate nonostante il freddo, Ljuba canticchiava melodie russe mentre passava l'aspirapolvere sul tappeto, per nulla infastidita dall'odore pungente portato dal vento lagunare. Ma le faccende domestiche furono interrotte bruscamente dall'arrivo improvviso del professor José.

«*Hola*, dov'è Nina?» chiese l'insegnante spagnolo, con un'aria tutt'altro che rassicurante. Occhi segnati e capelli spettinati: sembrava non avesse chiuso occhio tutta la notte.

«Buongiorno professore. Nina è al piano di sotto. Sta studiando e mi ha detto di non disturbarla» rispose gentilmente la tata russa spegnendo l'aspirapolvere.

«Studiando? Senza di me? Io sono venuto appositamente!» sbottò irritato.

«Be', sappiamo che lei non sta ancora del tutto bene. In effetti ... stamane ha proprio un pessimo aspetto. Torni nella dependance e si metta a letto. Per pranzo le preparo un brodino».

Ljuba pensava di aver detto una cosa giusta, ma il professore reagì male. Uscì dalla cameretta sbattendo la porta blu, scese velocemente la scala a chiocciola, attraversò la Sala del Caminetto ed entrò nella Sala del Doge. Dritto davanti alla porta segreta del laboratorio della Villa, bussò con insistenza.

«Nina, so che sei lì dentro. Apri! Ho urgenza di parlarti!» gridò.

Ma la porta rimase chiusa. In compenso arrivarono Adone, abbaiando, e Platone, che con un salto sopra il tavolino fece traballare la lampada verde.

«Andate via bestiacce!» sbraitò il professore sempre più arrabbiato. Il grosso alano nero ringhiò mostrando i denti aguzzi e il gatto, pronto a balzare addosso a José, curvò la schiena drizzando il pelo rosso.

I due animali proprio non si aspettavano una reazione così burbera dell'insegnante spagnolo, non era mai stato così intrattabile. Ma non era più lo stesso da quando Nina e i suoi amici l'avevano liberato dalla schifosa pellicola viola con la quale Karkon l'aveva avvolto sperando di eliminarlo. Eppure il Pomodio, il frutto alchemico creato da Nina con il Chiccolium trovato nella foresta maya, aveva funzionato benissimo. Forse José era ancora turbato e sotto choc, per questo la giovane nipote del professor Misha lo aveva lasciato tranquillo per parecchi giorni.

L'insegnante spagnolo si spazientì e, non ricevendo risposta, se ne andò aggiustandosi nervosamente mantello e cappello. Ljuba si affacciò dalla scala a chiocciola e dall'alto urlò:

«Professore, aspetti. Non se ne vada…».

Non le diede retta, uscì dalla Villa brontolando e sbattendo forte il portone.

Nina non aveva potuto aprire la porta del laboratorio segreto per un semplicissimo motivo: si trovava nell'Acqueo Profundis con Max-10p1.

«Ce l'abbiamo fatta! Karkon e LSL sono morti. Devo immediatamente avvisare Eterea. Caro Max, mi manca il Quarto Arcano e poi i pensieri dei bambini saranno nuovamente liberi. Sono sicura che sarà tutto più facile adesso che quei due non ci sono più»; la ragazzina era davvero eccitata dalla prospettiva della fine di ogni lotta, ma… l'amico di metallo lo era ancor di più!

«Xì, xì, capixco la tua gioia. Ma ti xtavo xpiegando che l'allarme è xcattato improvvixamente proprio ieri xera e non xo capire coxa xia xuccexxo» disse Max mostrando il quadrante elettrico dell'Acqueo Profundis.

«Ma che t'importa del sistema d'allarme! Ti rendi conto che la salvezza di Xorax è vicina?» ribadì con insistenza Nina.

«Prima di cantar vittoria dobbiamo controllare xe tutto è in ordine. Xe xiamo al xicuro» replicò l'androide che, per il nervoso, non riusciva a fermare le orecchie a campana.

«E va bene. Mostrami il quadrante elettrico. Però poi voglio parlare con Eterea. È urgente».

Nina si mise davanti al quadrante e Max le spiegò che le

luci rosse si erano accese improvvisamente segnalando un'intrusione o un avvicinamento di qualcuno o qualcosa alle vetrate del laboratorio.

«Sarà stata l'esplosione!» esclamò Nina. «Il boato può aver provocato uno spostamento d'aria e anche un'onda subacquea nelle profondità della laguna. L'Isola Clemente non è poi così lontana da qui. Francamente non mi preoccupa questo episodio. Calmati Max!»

Il buon androide si sedette sullo sgabello e portò le mani sulla testa lucida: «Non capixci nulla! Xe il quadrante elettrico non funziona xignifica che non poxxo attivare il computer e metterti in contatto con Eterea»; la spiegazione di Max fece tremare Nina.

«Allora bisogna aggiustarlo subito!» ribatté la ragazzina.

«Certo, è quello che voglio fare. Forxe xono troppo anxioxo. Ora mangio un po' di marmellata di fragole» e così dicendo prese il barattolo e lo aprì.

Nina sorrise, gli schioccò un bacio sulla fronte metallica e aggiunse: «Mangia, mangia. Stai tranquillo, vedrai che riuscirai a trovare il guasto. Con Eterea ci parlerò oggi pomeriggio. Aspetto che arrivino i miei amici, così le daremo la notizia tutti insieme. Giusto?».

«Giuxto!» ripeté Max ingoiando due cucchiai di marmellata.

La giovane alchimista uscì dall'Acqueo Profundis, montò sul carrello veloce, attraversò il tunnel, raggiunse la scaletta e sbucò dalla botola del laboratorio della Villa. Se non aveva potuto ancora dare la clamorosa notizia a Eterea e al nonno, voleva almeno comunicarla al Systema Magicum Universi. Mise la mano con la stella rossa sul grosso Libro Parlante, ma la copertina non si alzò.

Riprovò ancora una volta. Niente. Il Libro non si apriva.

Fece un passo indietro, aggrottò la fronte e, preoccupata,

tirò fuori il Taldom Lux, se lo strinse al petto e sussurrò: «Ma cosa succede? Il Libro non vuol parlare!».

Seduta sullo sgabello, coi gomiti appoggiati sul tavolo degli esperimenti, si guardava intorno. Tutto era al suo posto: boccette, ampolle, alambicchi e mestoli di rame erano intatti. Anche la miscela di zaffiro e oro bolliva nel solito pentolone agganciato al caminetto sempre acceso. Incredula e sbigottita rimase a fissare il Systema Magicum Universi cercando una risposta.

L'orologio segnava le 10, 36 minuti e 7 secondi. Quella mattina di fine febbraio, iniziata con grande entusiasmo, non sembrava affatto proseguire nel migliore dei modi.

Fuori, nel Canale della Giudecca, tre grosse barche dei vigili del fuoco stavano rientrando dal soccorso in laguna. Neppure il comandante, atteso nell'Aula Grande del Tribunale di Venezia dalle autorità giudiziarie e dai consiglieri comunali, era in grado di dare una spiegazione di ciò che era accaduto sull'Isola Clemente. Quando entrò, tutti ammutolirono per ascoltarlo attentamente.

«A quanto ci risulta quell'isola era disabitata e probabilmente l'esplosione è avvenuta per cause accidentali. Forse una fuga di gas da una vecchia conduttura consumata dal tempo. Per fortuna non ci sono state vittime» raccontò, aggiungendo solo dei particolari che sembrarono assolutamente irrilevanti. «All'interno di una stranissima costruzione di onice nera abbiamo trovato solo delle grandi piume bruciacchiate e alcune ossa. Probabilmente si tratta di resti di qualche animale che viveva nell'isola. Nulla d'importante».

I giudici allargarono le braccia, mentre i dieci consiglieri comunali vestiti di viola rimasero impassibili in silenzio.

L'incendio all'Isola Clemente sembrava proprio un mistero, ma i seguaci di Loris Sibilo Loredan mentivano spudoratamente. Sapevano bene che proprio lì era stata trovata la statua del Leone Alato e avevano da sempre sentito parlare di quel rifugio tanto strano e maledetto.

Non dissero nulla: dovevano attenersi al segreto e alle disposizioni che aveva dato loro il Conte Karkon. E poi di eventi magici e inspiegabili ne erano già successi troppi!

Il presidente del Tribunale si alzò in piedi e il suo sguardo si puntò diretto sui consiglieri: «E del sindaco che notizie ci sono? È sempre ammalato? Non si è fatto sentire neppure oggi?».

Il più anziano dei consiglieri comunali si schiarì la voce e prese la parola: «Il sindaco LSL purtroppo non sta ancora bene. Ma presto, anzi prestissimo, tornerà a Palazzo Municipale. Non vi preoccupate. Certamente il Conte Karkon ci aiuterà a comprendere cosa stia succedendo in città. Vedrete che il misterioso incendio scoppiato nell'Isola Clemente avrà presto una spiegazione».

Giudici e vigili del fuoco rimasero senza parole mentre i dieci consiglieri si alzarono contemporaneamente e abbandonarono il Tribunale. Due di loro, a passo veloce, s'incamminarono verso il Palazzo Ca' d'Oro: non vedevano l'ora di sapere la verità e di controllare se LSL fosse effettivamente pronto a tornare in Comune. Chi di loro avrebbe potuto prevedere che al sindaco e al Conte fosse successo qualcosa di grave?

Bussarono e suonarono più volte, ma nessuno aprì. Il Palazzo sembrava deserto.

Venezia era dunque in balia della Magia?

Il dubbio attanagliava i consiglieri che non sapevano dare alcuna risposta. Girarono i tacchi e si avviarono verso il Comune.

Improvvisamente videro con la coda dell'occhio uno strano personaggio entrare velocemente nel Palazzo di Karkon. Tornarono indietro gridando all'ignoto individuo di fermarsi, ma il portone si chiuse inesorabile lasciandoli con un palmo di naso. Uno dei due alzò gli occhi e vide che tre finestre si erano illuminate di colpo. Quindi a Palazzo c'era qualcuno! E perché mai nessuno aveva risposto prima? Eppoi, chi era quello strano individuo che era riuscito ad entrare?

I due seguaci del Marchese Loris Sibilo Loredan si guardarono allibiti e decisero che avrebbero telefonato sperando che il Conte volesse dare una spiegazione plausibile.

Alle cinque del pomeriggio gli amici di Nina andarono in Villa e trovarono l'amica nella Sala del Doge. Era seduta per terra in mezzo a una montagna di libri.

«Che fai?» chiese Cesco.

«Cerco un perché!» fu la secca risposta della ragazzina che non alzò neppure gli occhi.

«Un perché?» dissero in coro gli altri.

«Sì. Cerco di capire perché il Systema Magicum Universi non parla più. Forse in questi libri di alchimia c'è la risposta» spiegò preoccupata.

«Come non risponde più? Proprio adesso che abbiamo sconfitto Karkon?» la reazione di Roxy fu come al solito energica.

«Già. Forse c'è qualcosa che non sappiamo. Però la stella che ho sul palmo della mano è sempre rossa e dunque non ci dovrebbero essere pericoli».

Nina mostrò il segno alchemico agli amici, che si sedettero accanto a lei e iniziarono a sfogliare i libri.

«Andi... di...diamo a pa... pa...parlare con Max» esordì Dodo ma Nina lo bloccò subito dicendo che l'androide era nervoso a causa dell'allarme scattato nell'Acqueo Profundis.

«Allarme? Allora c'è proprio qualche cosa che non va» disse Fiore aprendo un grosso volume impolverato di Tadino De Giorgis intitolato *Dolus*.

«Interessante questo libro, parla degli inganni» bisbigliò

la ragazzina sistemandosi i capelli corti e neri. Arrivata a pagina 35 si trovò di fronte a una cosa assai strana. L'intero foglio era occupato da un'enorme lettera d'argento dell'alfabeto della Sesta Luna: la D.

«D come *Dolus*, che in latino significa Inganno» esclamò immediatamente Fiore sfoggiando la sua cultura.

Appena la ragazzina finì di parlare la lettera d'argento si staccò dal foglio e volò verso la porta del laboratorio. Nina si alzò di scatto senza perdere di vista la grande D sospesa nell'aria. Poi prese la Sfera di Vetro che aveva in tasca, la mise sulla conca e la porta si aprì. I cinque giovani alchimisti entrarono e la lettera si posò sulla copertina del Systema Magicum Universi. Nina vi mise sopra la mano con la stella e a quel punto il Libro si aprì e finalmente parlò. La grande D entrò nel foglio liquido e una luce verde illuminò la stanza.

«Libro, che cosa succede?» chiese timorosa la bambina della Sesta Luna.

L'inganno è sotto i vostri occhi
non fate gli sciocchi.
Solo con l'Antimonio
si può vedere il Demonio.

«Antimonio?» ripeté Nina.

L'Alchitarocco Ram Activia ce l'aveva
e nello scettro di cristallo lo teneva.
L'Antimonio la conoscenza perfetta dà
e questo a voi adesso servirà.

«Ram Activia è stata sconfitta da Nol Avarus quando ha rapito la bambola esplosiva identica a me, durante la festa di Carnevale in Piazza San Marco. Non so dove sia finito lo scettro di cristallo» rispose agitata la ragazzina.

Il foglio liquido s'increspò e dopo pochi secondi emerse lo scettro di Ram Activia. Nina lo prese al volo, era trasparente e luminoso. All'interno si trovava l'Antimonio.

Gettalo nel pentolone con zaffiro e oro
e dopo 3 minuti e 4 secondi dite in coro:
"L'inganno vogliamo sapere
La verità non può tacere".

La giovane alchimista eseguì subito ciò che aveva detto il Libro e, trascorsi 3 minuti e 4 secondi, i ragazzini gridarono insieme la frase: "L'inganno vogliamo sapere. La verità non può tacere".

Dal pentolone uscì un lenzuolo bianco che volò a mezz'aria e rimase magicamente teso in mezzo alla stanza come un grande schermo.

La luce del laboratorio diventò bluastra e sul lenzuolo apparve una serie di immagini inquietanti.

I cinque ragazzini stavano assistendo a un film.

Con gli occhi spalancati videro cos'era successo nell'Isola Clemente la sera dell'esplosione.

La prima scena si svolgeva nell'ottava stanza della casa di onice nera. Seduto sul trono di legno antico c'era LSL, ancora sotto le sembianze del Serpente Piumato. Di fronte a lui apparve Nol Avarus, l'Alchitarocco Maligno che aveva sconfitto Ram Activia durante la festa di Carnevale.

Il vecchio gobbo stringeva la bambola di cera identica a Nina. Alle sue spalle, vicino alla porta, c'erano Karkon, Visciolo, Alvise e Barbessa. Il Serpente Piumato si alzò e puntò gli occhi sulla bambola, credendo che si trattasse proprio di Nina, per lanciarle il suo secondo sguardo. In un istante, la maledizione si trasformò in un boato. Karkon fece un cenno come per bloccare l'azione del Serpente perché si era accorto che quella bambola non era affatto Nina. Ma ormai lo sguardo era stato lanciato e un gas potente fuoriuscito dagli occhi di LSL entrò nella bambola facendola esplodere. I muri della stanza crollarono e una nuvola di fumo giallo si alzò verso il cielo.

I ragazzini guardavano esterrefatti la scena sul lenzuolo e videro chiaramente che sul pavimento dell'ottava stanza erano rimasti solo pochi resti di LSL, qualche piuma d'argento e un paio di ossa. Di Nol Avarus neppure una traccia: al suo posto, soltanto un mucchietto di cenere.

Nina esultò, ma nella penombra Cesco la zittì velocemente.

Sul lenzuolo apparve la seconda scena che mostrò Karkon e i suoi seguaci immersi nell'acqua della laguna. Attorno a loro galleggiavano i poveri oggetti parlanti di LSL: il vaso Quandomio Flurissante, la vaschetta Tarto Giallo, la ciotola Sallia Nana e la bottiglia Vintabro Verde.

Il Conte si agitava muovendo il mantello viola, mentre Visciolo e i due androidi annaspavano cercando di riemergere in superficie. Poi si vide chiaramente Karkon usare il Pandemon Mortalis e un lampo di fuoco partì dalla punta della spada malefica. L'impatto della scarica con l'acqua salata della laguna creò un'enorme bolla di ossigeno all'interno della quale i quattro nemici trovarono la salvezza, mentre i poveri oggetti parlanti rimasero in balia delle onde.

Il filmato era appena terminato quando il lenzuolo si piegò bruscamente, ritornando dentro il pentolone. Le luci del laboratorio si riaccesero lasciando a bocca aperta i ragazzini.

«Vivo! Karkon è vivo!» esclamò Nina appoggiandosi al tavolo degli esperimenti.

«Ci ha fregato ancora una volta! È pazzesco!» disse Cesco aggiustandosi gli occhiali.

«Allora… ci verrà a prendere» esclamò Roxy a pugni stretti guardando Nina.

«Ho pa… pa…paura» borbottava Dodo, che si mise seduto al solito posto, accanto alla Piramide dei Denti di Drago, fissando sgomento a terra.

«Credevo proprio di averlo eliminato per sempre. Ora capisco perché è scattato il sistema d'allarme dell'Acqueo Profundis: Karkon si sarà avvicinato alle vetrate mentre era dentro la bolla ossigenante»; appena Nina terminò di parlare tutti la guardarono allibiti. Un solo pensiero attraversò le loro menti: Karkon aveva scoperto il laboratorio sotto la laguna?

Senza perdere un secondo scesero dalla botola e corsero da Max, che era indaffaratissimo. Con pinze, martelli e strumenti laser stava aggiustando il quadro elettrico. Quando Nina raccontò che Karkon si era salvato, il buon androide girò velocemente le orecchie a campana, strabuzzò gli occhi, aprì le mani e… tutti gli attrezzi caddero sonoramente sul pavimento.

«Ci ha ingannati! E forxe ha xcoperto l'Acqueo Profundix» disse barcollando.

«Speriamo di no. Dobbiamo ripristinare il sistema d'allarme» affermò Cesco guardando lo schermo grande e il computer, che erano spenti.

Con l'ansia nel petto i cinque giovani amici diedero una mano a Max-10p1 e per ben due settimane cercarono una soluzione al problema. Fiore e Roxy studiarono i codici per l'attivazione del sistema d'allarme mentre Cesco, Dodo e Max controllarono l'intera rete di fili elettrici. Nina aveva tentato di chiedere aiuto al Systema Magicum Universi ma il Libro, ancora una volta, non parlava.

Il contatto con le energie della Sesta Luna si era interrotto e la giovane alchimista si sentiva depressa.

Non più lettere del nonno, non più dialoghi con Eterea.

La missione per salvare Xorax appariva sempre più complessa e impossibile. Nina aveva tentato di parlare anche con il professor José per chiedergli un consiglio, ma l'insegnante era indisponente e nervoso.

«Lascia perdere. Karkon è troppo forte e furbo. E io non so aiutarti. Da giorni ti dico che devi smetterla con questa storia» le aveva detto con insistenza José, e alla fine la bambina della Sesta Luna si era arresa. Non era più andata a trovarlo nella dependance della Villa, lasciandolo, a malincuore, in pace tra le sue scartoffie.

Anche a Palazzo Comunale c'era un gran fermento: da troppo tempo Karkon e LSL non si facevano più sentire e i consiglieri comunali erano alle prese con numerosi problemi. Ma il 21 marzo, primo giorno di primavera, arrivò una telefonata a uno dei consiglieri vestiti di viola. Era Karkon Ca' d'Oro!

«Due di voi vengano subito a Palazzo. Devo darvi una comunicazione importante!»

La telefonata fu telegrafica e in meno di mezz'ora i due consiglieri bussarono alla porta del Conte.

Karkon li ricevette nella Stanza dei Pianeti in presenza di Alvise, Barbessa e Visciolo. Sul pavimento, attorno alle pareti, c'erano almeno quaranta candele nere accese e al centro della stanza spiccava uno strano oggetto rettangolare coperto da un drappo viola.

L'atmosfera era tetra e non si sentiva volare una mosca.

«Egregio Conte, che piacere rivederla. Come mai non si è fatto più sentire? Avevamo urgenza di parlare con lei. È successo un incidente all'Isola Clemente...» il consigliere che per primo si era fatto avanti non terminò la frase. Karkon lo interruppe.

«So già tutto. In queste due settimane ho avuto cose molto importanti da sbrigare» rispose con voce profonda il perfido Conte.

«E il sindaco come sta?» chiesero allarmati i due consiglieri.

«È morto!» esclamò con freddezza Karkon.

«MORTO! Ma quando è successo?» i due si misero le mani nei capelli, guardando terrorizzati il Magister Magicum.

«È successo e basta!» tagliò corto Karkon che non poteva certo raccontare come era morto davvero.

Il Conte socchiuse gli occhi, che diventarono due spilli, e ripensò alla fine ingloriosa di LSL: folgorato da una stupida bambola di cera! Come poteva raccontare ai due consiglieri che LSL era in realtà il Serpente Piumato e che il gas provocato dal suo sguardo malefico aveva fatto esplodere la bambola identica alla giovane alchimista? Insomma, svelare queste circostanze significava ammettere che Loris Sibilo Loredan era l'inventore degli Alchitarocchi e che era saltato in aria a causa di una trappola da lui stesso creata: una magia per uccidere Nina! Se i veneziani avessero saputo queste cose si sarebbero certamente ribellati.

Non solo, ma lo stesso Karkon rischiava di essere messo sotto processo e avrebbe dovuto spiegare perché era con il sindaco-Serpente nell'Isola Clemente.

Certo, i consiglieri vestiti di viola sapevano che LSL era un uomo con strani poteri, ma non era certo il caso che conoscessero tutta la nefanda verità sul Marchese Loris Sibilo Loredan. Mentre Karkon era assorto nei suoi pensieri, uno dei due consiglieri fece un passo in avanti e chiese: «Conte, ma la morte del sindaco ha a che fare con l'incendio scoppiato all'Isola Clemente?».

«Zitto!» gridò il Conte che, muovendosi fino al centro della stanza, raggiunse lo strano oggetto coperto dal telo viola. Si avvicinò e con un gesto rapido tolse il drappo.

«UNA BARA!» gridarono i due consiglieri coprendosi gli occhi.

«Già, una bella bara di metallo. Lucida e splendente. Guardate attentamente cosa ho inciso sopra» il Conte allungò la mano sinistra, puntò l'indice e con l'unghia lunga segnò le lettere incise a fuoco:

LSL – Marchese Loris Sibilo Loredan – Sindaco di Venezia.

I consiglieri sbiancarono: «E adesso che cosa facciamo? Che cosa diciamo alla popolazione?».

«Non succederà nulla. Prenderò io il posto del Marchese» e così dicendo Karkon allargò il mantello, tirò fuori una pergamena e la lesse ad alta voce.

LE MIE ULTIME VOLONTÀ

Io, il sottoscritto Marchese Loris Sibilo Loredan, nel pieno delle mie facoltà mentali, lascio il posto di sindaco di Venezia al Conte Karkon Ca' d'Oro che garantirà serenità, libertà e giustizia.

In fede
LSL

«Ma è regolare questo documento?» azzardarono i due consiglieri.

Karkon si avvicinò minaccioso e brandendo il Pandemon Mortalis urlò: «Come osate dubitare di me? State attenti a ciò che dite e a ciò che fate! Capito?».

La coppia indietreggiò chinando il capo.

«Stampate migliaia di necrologi e tappezzate la città. Il funerale si farà tra due giorni. Tutti i veneziani dovranno partecipare».

«Mi consenta caro Conte, ma è possibile vedere per l'ultima volta il nostro povero sindaco? Si può aprire la bara?»

La richiesta del consigliere fece andare su tutte le furie il malefico Karkon.

«Ma non avete capito nulla! LSL è morto per una giusta causa. Che importanza ha vedere il suo corpo? La verità sul suo decesso non si può certo raccontare. Mi spiego?» affermò con decisione, alzando le braccia verso l'alto.

I consiglieri fecero di sì con la testa.

«Bene. E secondo voi potremmo svelare questo "segreto" alla popolazione veneziana?» chiese sbavando il Conte.

I consiglieri fecero di no con la testa.

«Perfetto. Vedo che avete capito. Dunque è chiaro che dovremo sfruttare a nostro vantaggio questa tragica situazione. Ai veneziani diremo che LSL è stato avvelenato» così dicendo Karkon si sedette sopra la bara, accavallò le gambe e guardò le facce stravolte dei due consiglieri.

«AVVELENATO?» gridarono con voce strozzata i due seguaci del sindaco che oramai sudavano freddo.

«Certo. Avvelenato. Ucciso. E potete immaginare a chi daremo la colpa» sibilò il Conte accarezzandosi il pizzetto.

«Nina De Nobili?» dissero i due guardando in faccia i gemelli e Visciolo che sorridevano.

«Esatto. Ed è la verità, solo che non possiamo dire "COME" l'ha effettivamente ucciso. Sarebbe sconveniente. Credetemi! Quella streghetta e i suoi amici la pagheranno cara. La loro fine è vicina».

Karkon si alzò, sfiorò la bara e, prima di congedare i consiglieri, li fulminò con lo sguardo dicendo:

«Mi raccomando, i necrologi devono essere affissi entro domani mattina».

Appena i due furono usciti dalla Stanza dei Pianeti al seguito di Visciolo, il Conte aprì la bara: naturalmente era vuota!

La risata satanica si levò sino al soffitto e anche Alvise e

Barbessa esultarono per il tranello escogitato dal loro Maestro. In effetti, in quella bara di metallo non ci poteva essere il cadavere di LSL, perché il sindaco era bruciato nell'incendio e di lui erano rimaste solo poche piume e qualche osso, miseri resti trovati dal comandante dei vigili del fuoco, che certo non immaginava l'importanza del suo reperto.

Ancora una volta il Conte aveva messo in scena una diabolica truffa per incastrare la bambina della Sesta Luna, unico ostacolo al suo piano: prendere il potere di Venezia e impossessarsi dei segreti di Xorax.

Passò il mantello viola sopra la scritta e sogghignando si rivolse ai due gemelli: «Non si nota per nulla che sotto a queste lettere ce n'erano delle altre. Vero?».

«Verissimo. Nessuno si accorgerà che questa bara conteneva il corpo della nostra amata Andora» rispose con fierezza Alvise.

Già, proprio Andora, l'androide karkoniano morto suicida alcuni mesi prima. La bara di metallo era stata trafugata da Karkon subito dopo l'esplosione, quando, avvolto dalla bolla ossigenante, aveva notato una cosa luccicare sul fondo marino. Con l'aiuto dei due gemelli e di Visciolo, il Conte aveva trasportato la bara con il corpo di Andora a Palazzo Ca' d'Oro.

Per oltre venti giorni aveva lavorato alacremente con l'intento di far resuscitare il sofisticato androide e per questo non aveva più aperto la porta ai consiglieri e tanto meno risposto al telefono. Un'altra idea diabolica era balzata nella mente di Karkon: non solo aveva risistemato i circuiti e il microchip di Andora, ma, cancellata la scritta "Andora, androide karkoniano" sopra la bara di metallo, al suo posto aveva inciso le iniziali del sindaco LSL.

Con quella bara aveva risolto un bel problema: annunciare che LSL era stato ucciso e organizzare un grande funerale. Una vera e propria azione malvagia che vedeva ancora una

volta al centro della sua strategia Nina e il gruppo dei ragazzini della Giudecca. Un piano perfetto.

D'altra parte Nina non poteva certo sospettare che la bara
di Andora fosse finita nelle mani del Conte. Il filmato visto
sul lenzuolo del laboratorio si era interrotto mostrando soltanto la salvezza di Karkon, dei due gemelli e di Visciolo. Nulla
di più.

Il mattino seguente, così come era successo con il "Pro-
clama contro la magia", sui muri di Venezia furono affissi migliaia di necrologi. Per i veneziani fu un vero e proprio choc,
anche perché sui manifesti era chiaramente scritto che LSL
era stato avvelenato!

I giudici avviarono subito un'inchiesta per individuare chi
avesse ucciso Loris Sibilo Loredan e in molti cominciarono a
pensare che Venezia era veramente in preda ad un cattivo
sortilegio.

LUTTO CITTADINO

Il caro e adorato Sindaco di Venezia
Marchese **LORIS SIBILO LOREDAN**
è stato ucciso. **AVVELENATO!**
A tutti i veneziani chiediamo collaborazione
per individuare i colpevoli.
I funerali si terranno domani alle ore 11,30 nella Basilica
di San Marco. Alla cerimonia il Conte Karkon Ca' d'Oro
leggerà un importante documento
scritto da LSL poco prima di morire.
Negozi, uffici e scuole rimarranno chiusi.

I 10 consiglieri comunali

Visciolo, di buon'ora, aveva portato uno dei necrologi al Conte, che appena lo ebbe letto si sfregò le mani e con aria baldanzosa si precipitò in Infermeria. Aveva una cosa assai importante da fare.

Immersa nella Vasca Rigenerante giaceva Andora, con gli occhi chiusi e il corpo immobile.

Alvise e Barbessa stavano cambiando l'ennesimo filtro dell'Acqua Vitae, una sostanza alchemica studiata per l'occasione. I circuiti elettrici e le parti meccaniche erano quasi completati: mancava solo il microchip nuovo di zecca che il Conte doveva inserire nel cervello del suo androide preferito.

Karkon svitò la testa di Andora, la rasò a zero e prima di iniziare a trapanare la scatola cranica prese tra le mani il volto della sua creatura artificiale. E allora disse, quasi con tenerezza: «Non ti preoccupare, tornerai più forte e intelligente di prima. Non mi importa se il legame con la vera zia di Nina è stato interrotto. Ho altre missioni per te».

Poi, preso un trapano elettrico, iniziò la perforazione. Dopo due ore il microchip, composto da Selenio Possente (l'ultimo preparato alchemico inventato dal Conte) fissato con lacci di Tensium e immerso in una sfera colma di Ombio, era inserito nel cervello di Andora.

Riavvitò la testa sul collo dell'androide e lo rimise dentro la Vasca Rigenerante, poi si girò verso i gemelli: «Controllate la temperatura dell'Acqua Vitae e tra un'ora fate un prelievo del sangue, voglio vedere se il Magma Zolfato è a livelli ottimali».

Alvise e Barbessa obbedirono senza fiatare. Andora sarebbe stata presto in piedi.

Mentre a Palazzo Ca' d'Oro tutto stava girando alla perfezione, a Villa Espasia tirava una brutta aria. Carlo il giardiniere e il professor José entrarono in cucina da Ljuba e diedero la notizia della morte di LSL.

«Che cosa? Il sindaco morto avvelenato?» esclamò la tata russa che dall'emozione rovesciò una terrina colma di crema pasticciera.

«Sì. È terribile! Chissà chi è stato. Ora saranno guai seri per tutti coloro che erano contro di lui» disse con una smorfia il professor José.

«Vorrà mica dire che se la prenderanno con Nina, i ragazzi e anche con lei professore?» si preoccupò Ljuba.

«Chissà… non so cosa pensare» rispose l'insegnante appoggiando il cappello a punta sul tavolo.

Ljuba si tolse il grembiule sporco di crema, prese il vassoio con la colazione pronta per Nina, salì la scala a chiocciola e commentò: «Non sarà un bel risveglio per la mia Ninotchka».

Quando la tata russa tirò le tende di velluto blu facendo entrare la luce nella cameretta, Nina si stropicciò gli occhi e si mise seduta sul letto. Appena la dolce Meringa le diede la notizia del sindaco la ragazzina sentì il sangue gelare. Indossò pantaloni larghi e una felpa a righe e, in un baleno, uscì dalla camera senza neppure assaggiare uno dei biscotti appena preparati dalla tata. Prima di entrare nella Stanza del Caminetto scorse il professor José al centro dell'atrio che la osservava in silenzio.

«Professore, se la prenderanno ancora con lei. Mi raccomando, non esca di casa!»

Nina era molto preoccupata anche per lui.

«Cara *muñeca*, io non ho paura» disse rimettendosi il cappello a punta.

«Davvero?» chiese sbalordita la ragazzina.

«Certo, io non temo ciò che già conosco» rispose con tono pacato l'insegnante spagnolo.

«In che senso?» Nina era sbalordita.

«Ho già subìto abbastanza dal Conte Karkon. Conosco la sua potenza. E non è certo un segreto che LSL mi ha accusato assieme a Dodo di magia. Se mai le guardie dovessero arrestarmi saprò cosa fare» e così dicendo José aprì la porta e uscì lasciando Nina senza parole.

La bambina della Sesta Luna non ebbe il tempo di riflettere su ciò che aveva detto l'insegnante e corse nel laboratorio, con il fiatone mise la mano destra sopra il Systema Magicum Universi e chiese:

«Libro, ti prego, rispondimi. La situazione è gravissima. Karkon è vivo e pericoloso, LSL è morto e dicono che è stato avvelenato. Ma non è vero. E tu lo sai. Ma tutti i veneziani cadranno in questo tranello. Io non riesco più a mettermi in contatto con Eterea. Che cosa devo fare?».

La copertina con inciso il Gughi d'oro si aprì lentamente, il foglio liquido si illuminò e finalmente il Libro rispose.

Da Max 10-p1 devi andare
e fuori dalle vetrate guardare.
Una cosa importante è sparita
ma altre quattro sono in pericolo di vita.

«Una è sparita e quattro hanno bisogno di me? Ma cosa sono?» chiese curiosa.

Il Libro non rispose più lasciando Nina in preda al panico. La giovane alchimista scese velocemente nell'Acqueo Profundis, trovò Max intento a provare il sistema d'allarme.

«Hello Nina, ancora un paio di giorni e tutto tornerà ok.

Molti xtrumenti funzionano alla perfezione ma devo ancora controllare la memoria del computer» disse allegramente l'androide.

La ragazzina andò dritta verso le vetrate senza ascoltare una parola, tirò i tendoni verdi e guardò fuori. Pesci, alghe, sassi e sabbia. Non vide nulla di strano. Ma, improvvisamente, fissò un punto preciso del fondo marino e urlò: «È scomparsa!».

Max si girò di colpo: «Chi? Coxa?».

«La bara di Andora non c'è più!» disse Nina appoggiando mani e naso sulla vetrata.

«ANDORA?» esclamò l'androide avvicinandosi alla nipote del professor Misha.

«È stato Karkon! Ne sono certa. Ma come ho fatto a non pensarci prima!» Nina era disperata.

Max barcollò, le ginocchia cigolarono e si sentì svenire. Si sedette per terra e i suoi occhi si riempirono di lacrime: «Andora. Mia amata Andora» ripeté in continuazione.

Nina lo abbracciò e cercò di consolarlo. Capiva che quello, per Max, era proprio un brutto colpo al cuore. La giovane alchimista guardò nuovamente il fondo marino pensando che il Conte avrebbe riattivato nuovamente l'androide karkoniano e questo rappresentava un nuovo pericolo. Andora conosceva perfettamente l'Acqueo Profundis, era al corrente dell'esistenza di Max e del contatto con Eterea. Andora sapeva troppe cose!

I pensieri galoppavano nella mente di Nina ma, a un tratto, vide qualcosa che si muoveva tra le alghe. Guardò meglio e…:

«Per tutte le cioccolate del mondo! Gli oggetti parlanti!» urlò scuotendo anche l'amico di metallo.

«Guarda Max, ci sono Quandomio Flurissante, Sallia Nana, Tarto Giallo e Vintabro Verde. Dobbiamo prenderli, non possiamo lasciarli lì!» disse, sempre più agitata.

«Xono pericoloxi?» chiese titubante Max.

«No. Anzi, sono gioviali e simpatici. LSL li usava per creare il Cumus Estraniante, ma ora che è morto non gli serviranno più. Manca il Vintabro Azzurro però a noi non interessa» spiegò la bambina della Sesta Luna.

Max l'assecondò e attivò il braccio meccanico che da un oblò dell'Acqueo Profundis raggiunse i poveri oggetti parlanti e, uno alla volta, li pescò tutti e quattro. Sembravano ormai spacciati: erano stati per 20 giorni a mollo e non sarebbe stata impresa facile farli tornare in vita.

Nina prese uno straccio e li asciugò uno a uno. Il vaso Quandomio era vuoto, la polvere rosa finissima si era sparsa sul fondo marino, la vaschetta Tarto Giallo non aveva più il sale trasparente e anche la ciotola Sallia Nana era ormai priva di grani lucenti. Solo la bottiglia di Vintabro Verde era intatta e con lei il suo contenuto alchemico.

Nina li appoggiò accanto al caminetto per farli scaldare un po', sperando che si riprendessero, ma nessuno parlava. Dopo alcuni minuti il calore della fiamma fece un buon effetto, la vaschetta Tarto Giallo iniziò a muovere le sue zampine e la ciotola Sallia Nana si mosse. La ragazzina si avvicinò lentamente e a bassa voce chiese: «Come state?».

«Benino» rispose Tarto Giallo.

«Mi sento stordita» affermò Sallia Nana mentre il vaso Quandomio iniziò a tremare e la bottiglia di Vintabro Verde a starnutire.

Max osservò attentamente quegli strani oggetti parlanti e chinandosi prese tra le mani la vaschetta Tarto Giallo.

«Xiete fortunati, Nina ha voluto xalvarvi» disse l'androide.

«Nina… ah sì, adesso ti riconosco, bambina. Sei venuta a trovarci all'Isola Clemente con i tuoi amici» il vaso Quandomio si era ricordato tutto.

«Sì, e sono stata molto contenta di conoscervi. Ma ora vi devo dire alcune cose che non sapete di me»; la giovane alchimista si sedette per terra tra loro e, accarezzandoli, raccontò cosa era successo nell'Isola Clemente e la fine che aveva fatto il Serpente Piumato.

«Il nostro tutore LSL è morto? Ma è terribile!» esordì la vaschetta Tarto Giallo.

«Capisco la vostra reazione ma dovete aiutarmi» disse Nina e chiese ai quattro oggetti parlanti se la sera dell'esplosione avessero visto Karkon mentre prendeva la bara di Andora. Gli oggetti risposero di sì, però tranquillizzarono la giovane amica poiché le assicurarono che dall'esterno le vetrate dell'Acqueo Profundis non si notavano per via delle alghe che coprivano perfettamente il laboratorio segreto. Dunque Karkon non si era accorto di niente!

Nina e Max tirarono un sospiro di sollievo anche se rimaneva l'incognita di Andora. Se Karkon fosse riuscito a riattivarla l'avrebbe certamente convinta a svelare l'esistenza dell'Acqueo Profundis.

Gli oggetti parlanti si addormentarono accanto al caminetto lasciando Max e la bambina della Sesta Luna con i loro problemi.

Anche a scuola la notizia dell'omicidio del sindaco fece scalpore e i primi a essere messi sotto controllo furono naturalmente Dodo, Cesco, Fiore e Roxy, già accusati in precedenza di aver avuto dei comportamenti anomali e di seguire le indicazioni di Nina De Nobili, considerata una pericolosa alchimista. Il preside riunì tutte le classi nell'Aula Magna e annunciò agli studenti che all'indomani la scuola sarebbe stata chiusa per lutto cittadino.

«Mi raccomando ragazzi, al funerale del sindaco siate disciplinati» esortò il preside, rivolgendo uno sguardo gelido verso i quattro amici giudecchini.

Dodo iniziò a tremare e si aggrappò alla felpa di Cesco, che invece rimase impassibile.

Secondo Fiore e Roxy era necessario parlare con Nina al più presto: la faccenda si stava mettendo male per loro.

Nel pomeriggio i cinque amici si ritrovarono nella Sala degli Aranci davanti a una buona tazza di tè preparato da Meringa e finalmente poterono commentare la notizia.

«Nina, secondo te dobbiamo andare ai funerali?» chiese Fiore gustando un pasticcino.

«Sì, sono curiosa di vedere con quale faccia Karkon si presenterà ai veneziani. Ma non è questo che mi preoccupa» rispose la ragazzina stringendo i denti.

I quattro amici si scambiarono una rapida occhiata e Cesco si alzò in piedi: «Cos'altro c'è?».

Nina abbassò lo sguardo e raccontò della scomparsa della bara di Andora. Roxy, dallo sgomento, sputò il te che stava bevendo, Fiore congiunse le mani come per pregare e Dodo, paonazzo, esclamò: «Pe... pe...pensate che sia stato Karkon?».

«Certo che è stato lui!» sbottò Nina, con il Taldom Lux stretto in una mano e gli occhi azzurri lucidissimi.

«Questa non ci voleva» replicò Fiore.

«Poi ho salvato anche i quattro oggetti parlanti. Ve li ricordate? Li abbiamo visti anche nel filmato» chiese Nina.

«Ah già, gli oggetti dell'Isola Clemente! Dove li hai trovati?» Fiore era curiosa.

«Erano adagiati sul fondo marino. Ora sono al sicuro, nell'Acqueo Profundis. Mi fanno proprio tenerezza» spiegò sorridendo la bambina della Sesta Luna.

«Ma li terrai con te?» chiese Roxy.

«Certo. Mica posso buttarli. Potrebbero essere utili» continuò Nina, che voleva allentare la tensione raccontando degli oggetti parlanti. Fu Cesco a riportare il discorso sulla bara di Andora e sul funerale di LSL.

Il ragazzino mise le mani in tasca e con aria decisa disse:

«Va bene, il Conte vuole la guerra. E noi lo affronteremo ancora una volta. Ci vediamo domani mattina davanti alla Basilica di San Marco. Ai funerali scopriremo tante cose. Non possiamo nasconderci altrimenti tutti i sospetti che già pesano sulle nostre spalle diventeranno una certezza. E le guardie ci arresteranno senza pensarci un attimo»

Il discorso del ragazzino con gli occhiali non fece una piega e i quattro tirarono fuori il Rubino dell'Amicizia Duratura per mostrarlo a Nina in segno di forza.

«Andiamo dal Libro. Forse ci aiuterà» esclamò Nina prendendo per mano Cesco, che la guardava con dolcezza.

Quando entrarono nella Sala del Doge trovarono una sorpresa: accanto alla porta del laboratorio c'era un libro rotondo.

«Che forma strana» disse Nina raccogliendolo.

«Già, non ho mai visto un libro rotondo» affermò Roxy toccando la copertina di cartoncino rosso.

«*Limpidus*, di Tadino De Giorgis» lesse il titolo.

Il libro saltò dalle mani di Nina e rotolò sul pavimento, poi si aprì di scatto. I ragazzini si piegarono su di lui per guardarlo.

Le pagine erano in realtà dei cerchi di carta, le parole erano scritte intorno alla circonferenza e formavano una specie di spirale che terminava al centro. Leggerlo era un po' complicato.

Cesco iniziò da una frase ma si accorse che non aveva senso: *asor emircal*.

Nina rilesse con attenzione e vide che tutte le pagine erano identiche e ripetevano in continuazione le due parole incomprensibili.

«Asor emircal?» anche Fiore era in difficoltà perché non riusciva a tradurre quello strano linguaggio.

Dodo puntò il dito e lesse all'incontrario:

«L-a-c-r-i-m-e r-o-s-a».

«Lacrime rosa! Bravo Dodo. Bravissimo» esultò Nina abbracciando l'amico dai capelli rossi.

«Ma che significa?» chiese Cesco alzandosi in piedi.

La bambina della Sesta Luna aprì la porta del laboratorio e disse: «Ora lo chiediamo al Systema Magicum Universi».

Non ebbe neppure il tempo di posare la mano sulla copertina che il Libro si aprì da solo. Un fascio di luce rosa si proiettò verso l'alto: in pochi secondi, sul soffitto, si formarono decine di piccole gocce. Il foglio s'increspò e il Libro parlò.

Raccogliete le lacrime rosa
e lasciatele 3 minuti in posa.
Ai funerali il prezioso liquido servirà
e al momento giusto Nina lo userà.

«Ecco, giusto, le lacrime rosa. A che servono?» chiese la nipotina di nonno Misha.

Ma il Libro si richiuse e non diede più alcuna spiegazione. Nina allargò le braccia e guardando gli amici disse: «Ultimamente il Systema Magicum Universi mi fa impazzire!».

Dodo sorrise ed estrasse dallo scaffale una boccetta di vetro, Fiore alzò lo sguardo: le gocce rosa che erano rimaste attaccate al soffitto erano bellissime!

Cesco intanto aveva preso lo sgabello, ci era salito sopra e con un mestolo di rame stava raccogliendo le lacrime. Nina aprì il barattolo contenente i tappi di Sughero Certis e ne prese uno. Le lacrime rosa erano pronte all'uso, anche se nessuno dei cinque giovani alchimisti sapeva a cosa servissero.

Intanto il Nemico Numero Uno si stava occupando di un'altra seria faccenda. Era impegnato in un dialogo assai importante con uno strano personaggio che da un po' di tempo frequentava assiduamente il suo Palazzo.

«Ci pensi bene. Io posso fare molto per lei. Non si pentirà» disse il Conte all'uomo che lo ascoltava in piedi al centro del Laboratorio K. «Vede egregio signore, io ho molto potere. Conosco i segreti dell'Alchimia del Buio e nessuno potrà mai sconfiggermi. D'altronde lei lo dovrebbe sapere. So che il nostro primo incontro non è stato piacevole per lei. D'altra parte si ricorderà, le circostanze non erano a suo favore».

Karkon parlava con estrema calma finché il suo interlocutore alzò per un momento lo sguardo e iniziò: «Caro Conte, ricordo perfettamente. Ma ora non rifarei più lo stesso sbaglio: ho capito che l'Alchimia del Buio è la strada giusta».

E queste tremende parole furono pronunciate con ferma decisione.

«Venga, le faccio vedere una cosa» continuò il Magister Magicum, facendo strada all'ignaro signore verso l'Infermeria.

«Guardi lì dentro» gli disse indicando la Vasca Rigenerante.

L'uomo impallidì vedendo Andora completamente pelata e immersa nell'Acqua Vitae e sconvolto dall'emozione chiese di sedersi.

Il Conte gli andò vicino sussurrando: «Vivrà, la mia androide preferita tornerà più forte di prima. Non abbia timore. Ora vada. Non voglio che si trattenga a Palazzo troppo tempo, ciò potrebbe destare sospetti. Ci vediamo domani mattina ai funerali. Mi raccomando, mantenga le distanze, nessuno deve sapere che noi ci parliamo».

L'uomo annuì e a quel punto Karkon gli consegnò una bottiglia contenente un liquido denso e verde, simile a olio d'oliva. Poi a bassa voce gli disse: «È Velenosia» e gli spiegò dove doveva portarla, un luogo che lo strano personaggio conosceva benissimo.

«Quando avrà fatto quello che le ho chiesto potrò avere piena fiducia in lei. Solo allora ascolterò i suoi segreti e le insegnerò pozioni alchemiche nuovissime» concluse Karkon e il suo volto mostruoso s'illuminò di una luce inquietante.

Mentre il misterioso personaggio, intimorito, stava per uscire dall'Infermeria, l'androide aprì un occhio e lo guardò senza che lui se ne accorgesse. Andora era dunque rinata. Era viva! Presto anche Karkon lo avrebbe scoperto con grande soddisfazione.

CAPITOLO SECONDO
La scomparsa di José

Alle 11,30 del mattino seguente la Basilica di San Marco era già stracolma di gente: c'erano i giudici e il presidente del Tribunale, i dieci consiglieri vestiti di viola, tutti gli impiegati comunali, professionisti, commercianti e le scolaresche veneziane accompagnate dagli insegnanti.

Corone di fiori e mazzi di rose e gladioli addobbavano la chiesa e la gente attendeva in silenzio l'arrivo della salma del sindaco.

Il corteo funebre raggiunse la chiesa con qualche minuto di ritardo. La bara di metallo, coperta dalla bandiera di Venezia con il simbolo del Leone Alato, era portata a spalla da sei guardie in alta uniforme. Apriva la processione Karkon Ca' d'Oro, col volto segnato da un'espressione serissima.

L'omelia del parroco della Basilica durò pochi minuti, poi, davanti alla folla, prese la parola il Conte, che elogiò la figura di Loris Sibilo Loredan, le sue doti umane e la grande capacità politica nella gestione della città. Finito il discorso tirò fuori il falso documento che portava la firma di LSL e lo declamò: la gente iniziò a mormorare.

«Sì, cari cittadini, il sindaco è stato ucciso. Avvelenato. E io sono stato designato proprio dal Marchese e sono felice di sedere temporaneamente al suo posto. Poi, il 3 giugno, ci saranno le elezioni e voi, l-i-b-e-r-a-m-e-n-t-e, sceglierete il nuovo sindaco, – la voce di Karkon era profonda e convincente – ma ora vi chiedo collaborazione. Dovete aiutare i giudici a trovare chi ha ucciso LSL. Chi ha usato la Velenosia, il potente liquido mortale».

Nina e i suoi amici erano vicini a una delle colonne della Basilica e, sentito il discorso del Conte, si guardarono attoniti.

Karkon si avvicinò alla bara e tolse la bandiera mostrando a tutti la bella incisione che aveva fatto.

«Ma è la bara di Andora!» la voce di Nina rimbombò come un tuono.

«Chi osa interrompermi?» gridò a sua volta il Conte.

Cesco cercò di trascinare via Nina, ma la ragazzina diede uno strattone e si precipitò verso l'altare. In tasca aveva la boccetta con le lacrime rosa; non sapeva se sarebbero servite subito, ma era pronta a usarle.

Quando Karkon la vide arrivare le puntò il dito contro:

«Tu? Hai anche il coraggio di venire qui! Odiavi LSL, e lo sappiamo tutti. Sei una strega! Usi la Magia! Sei un pericolo per Venezia!».

Due guardie fecero per bloccare la ragazzina che divincolandosi inciampò su un gradino cadendo rovinosamente. Per salvare la boccetta di vetro la tirò fuori dalla tasca, ma le scivolò di mano e volò come un proiettile frantumandosi proprio sopra la scritta della bara di metallo.

Il liquido alchemico si sparse in un batter d'occhio e corrose le incisioni fatte da Karkon. Il nome del sindaco scomparve e al suo posto emerse come per magia un altro nome: ANDORA.

Le scolaresche iniziarono a ridere, la gente gridò contro il Conte mentre le guardie comunali e i consiglieri tentavano di bloccare Nina e i suoi quattro amici che si erano nascosti dentro i confessionali.

Uno dei consiglieri salì sopra una panca gettando a terra il professor José che, attonito, stava assistendo alla scena. Il consigliere iniziò a urlare cercando di calmare la folla. Ma non ci riuscì.

I veneziani uscirono dalla Basilica sconvolti e costernati. La bara fu nuovamente coperta con la bandiera di Venezia e in fretta e furia le sei guardie in alta uniforme la posero nella barca funebre e la portarono al cimitero, nell'Isola di San Michele. Furono molti allora i cittadini che iniziarono a pensare che la morte del sindaco nascondesse una verità assai misteriosa. E soprattutto non si capiva come mai sulla bara fosse scomparso il nome di LSL e apparso quello di una donna: Andora. Nessuno aveva mai sentito parlare di lei.

Le guardie e i consiglieri intimarono a tutti di tornare a casa e annunciarono che nel pomeriggio sarebbero iniziate le perquisizioni per trovare la bottiglia di Velenosia.

Quando la Basilica di San Marco fu finalmente deserta i cinque ragazzini uscirono in punta di piedi dai confessionali. Dodo era in preda a una crisi di nervi e Roxy iniziò a scuoterlo, lo afferrò per le spalle: «Basta. È finita! Non ci hanno presi. Smettila di frignare!».

Nina allora prese l'amico e lo avvolse in un abbraccio affettuoso, poi si voltò severa verso Roxy: «Sei sempre la solita. Non sai capire quando uno ha bisogno di carezze!».

La ragazzina bionda e forzuta fece il broncio. Fiore, dandole le spalle, concluse: «Ben ti sta!».

Fuori dalla Basilica videro che non c'era anima viva, di corsa raggiunsero l'imbarcadero e salirono sul battello diretto alla Giudecca. Ognuno tornò velocemente a casa sua: la paura che le guardie avessero già un mandato d'arresto per loro li portava a desiderare più che mai di stare accanto ai loro genitori.

Appena Nina ebbe attraversato il ponte di ferro che portava alla Villa, gridò il nome del professor José, sperando che l'insegnante fosse già rientrato dalla cerimonia funebre. Ma nella dependance non trovò nessuno.

Per terra, accanto alla sedia a dondolo, vide alcuni foglietti bruciacchiati. Li raccolse. Solo su uno c'era scritta una parola che però non si leggeva bene per via delle bruciature: "A...TTO" e sotto la firma di José.

Mise il foglietto in tasca e si guardò intorno. Libri, quaderni, indumenti e oggetti personali erano tutti al loro posto. Attese qualche minuto, ma il professore non arrivò. Corse alla Villa e chiese a Carlo Bernotti e a Ljuba se lo avessero visto, ma nessuno dei due ne sapeva nulla.

«Sarà andato a fare una passeggiata. Era molto scosso per il funerale. E poi, da un paio di giorni ho notato che esce senza dire dove va e rientra tardi» spiegò il giardiniere.

La sera scese veloce e la bambina della Sesta Luna si ritirò in camera sua senza mangiare. Non aveva appetito. Sotto il piumone turchese, con accanto il gatto Platone che faceva le fusa, fissava il soffitto e pensava a cosa fare. Se da un lato LSL era stato eliminato, dall'altro Karkon era più forte che mai. Oltretutto ora sedeva sulla poltrona di sindaco! E poi c'era l'incognita di Andora e quel maledetto guasto del quadrante elettrico dell'Acqueo Profundis!

Il sonno la rapì velocemente, anche se i suoi pensieri continuarono a frullarle in testa.

Alle 8 del mattino la giovane alchimista fu svegliata da Ljuba: «Ninotchka, guarda cos'è arrivato!» disse la tata russa porgendole una lettera proveniente da Mosca.

«Mamma e papà mi hanno scritto! Vediamo cosa dicono!!!» Nina era euforica.

> Mockba, Centro ricerche Ferk,
> via Dostoevskij 16
>
> Cara Nina,
> come ti avevamo annunciato ci stiamo preparando per la missione spaziale. Siamo molto preoccupati perché le difficoltà sono parecchie. Comunque per noi è un onore portare a termine la ricerca di vita extraterrestre. Il lancio della navetta era previsto per il 30 marzo ma i tecnici e gli scienziati del Ferk hanno deciso di rinviare la partenza. Probabilmente la missione inizierà a metà aprile.
> Ti vogliamo un mondo di bene e ti promettiamo che alla fine di questo viaggio spaziale torneremo a Venezia e vivremo tutti insieme.
> Cercheremo di telefonarti, ma come sai siamo sottoposti a rigidissimi controlli e non ci permettono di avere contatti con parenti e amici. Sono le regole del Ferk, che tu conosci bene.
> Ti mandiamo un grosso bacione
> Salutaci Ljuba, il professor José e i tuoi simpaticissimi amici.
>
> Con tanto amore
> Mamma e papà

Nina si stropicciò gli occhi lucidi e Ljuba le diede un bacio sulla fronte: «Vedrai che torneranno presto» la confortò la dolce Meringa pettinandole i capelli.

«Certo, e poi staremo sempre insieme. L'hanno scritto e quindi vuol dire che è vero» rispose la ragazzina ripiegando la lettera.

Ljuba le accarezzò il viso e uscì dalla cameretta seguita da Adone e Platone. Nina indossò la salopette color senape e una sgargiante felpa arancione. Si guardò allo specchio e promise a se stessa di battere Karkon. Ora era pronta a scendere nell'Acqueo Profundis dove Max stava ultimando i lavori.

Il vaso Quandomio stava ronfando beatamente mentre la vaschetta Tarto Giallo camminava curiosando tra i sacchi di pietre preziose. Appena la timida ciotola Sallia Nana vide la ragazzina si spostò accanto al caminetto.

«Ciao Sallia, hai riposato bene?» chiese Nina accarezzandola.

«Sì. È bello stare qui. Non ci sono scorpioni e serpenti come nell'Isola Clemente» rispose traballando.

La bottiglia di Vintabro Verde sbadigliò e diede un colpetto al vaso Quandomio Flurissante che si svegliò di colpo.

«Salve Nina, possiamo aiutarti?» disse il vaso.

«Aiutarmi? Dipende. Sapete aggiustare un quadro elettrico?» chiese sorridendo la giovane alchimista.

«Quadro che?» esclamò Tarto Giallo alzando una zampetta.

«Nulla, scherzavo. So bene che voi servivate a LSL solo per creare il Cumus Estraniante» ribatté la ragazzina.

«Non possiamo fare nulla per te?» chiese Vintabro.

«Non lo so. Ci penso e poi ve lo dico» Nina si girò e andò verso Max che con una pinza stringeva un bullone.

«Fatto! Ora provo ad accendere il computer» disse l'androide premendo un bottone.

Lo schermo gigante si illuminò e le lucette verdi del sistema elettrico si accesero.

«Bravo Max! Ce l'hai fatta!» esultò la ragazzina.

Gli oggetti parlanti rimasero zitti e osservarono tutto con molta curiosità. Max si mise subito alla tastiera e digitò velocemente il messaggio che Nina gli dettava per la Grande Madre Alchimista: «Sono Nina 5523312, ho bisogno di parlarti con urgenza. Qui le cose vanno male».

Lo schermo gigante diventò luminosissimo e apparve il volto di Eterea.

Buongiorno Nina 5523312,
so già quello che vuoi dirmi.
Capisco la tua angoscia ma sono certa
che la forza dell'Alchimia della Luce ti guiderà.
Non dimenticare la missione.
Xorax ha bisogno del tuo aiuto.
Le cose peggioreranno,
ma solo se avrai la forza
di andare avanti
potrai vincere la lotta contro Karkon.
Usa gli oggetti parlanti e chiedi consiglio
al Systema Magicum Universi.
Ora prendi la Piuma del Gughi e dentro la sfera
troverai il Punginganno, un ago sottile.
Di più non posso dire.

Eterea scomparve e lo schermo si spense.

Nina guardò prima Max e poi gli oggetti parlanti.

«Devi uxarli. Ma Eterea non ti ha detto come» disse l'androide incrociando le braccia.

Quandomio dondolò: «Devo dire che non avevo mai visto una cosa simile nella mia vita. Una donna di luce che parla è davvero strano».

Nina si avvicinò e accarezzò gli oggetti, poi tirò fuori dalla tasca centrale della salopette la Piuma d'Oro e la sfregò velocemente.

Immediatamente apparve la sfera verde smeraldo di Xorax. L'immagine era nitida: in mezzo alle Fustalle, le grandi foglie della Sesta Luna, c'era un piccolo ago. Nina lo prese con delicatezza, infilando la mano nella sfera, che, immediatamente, scomparve tra mille scintille brillanti. La giovane alchimista rimise in tasca la Piuma e il Punginganno e si rivolse con voce amorevole agli oggetti parlanti: «Dovete fidarvi di me». Poi prese uno scatolone e li mise dentro dicendo: «Non preoccupatevi, non vi succederà nulla. Vi porto in un altro laboratorio».

Nina uscì lasciando Max a contemplare la laguna seduto sullo sgabello.

Quando fu davanti al Libro Parlante tirò fuori dallo scatolone i quattro oggetti e li posò sul tavolo degli esperimenti, poi mise la mano destra sul Systema Magicum Universi e fece la domanda.

«Libro, Eterea mi ha detto di usare questi oggetti parlanti. Mi puoi aiutare?».

Interessanti sono gli oggetti che san parlare
e ora con molta calma ti dirò cosa fare.
Il vaso Quandomio Flurissante
devi gettare dentro di me all'istante.

Nina prese il vaso che si ribellò e tentò di scappare. Lo gettò in fretta dentro il foglio liquido che lo ingoiò.

Ora prendi con delicatezza la piccola vaschetta
e il Tarto Giallo getta dentro di me in fretta.

Nina eseguì anche se la vaschetta di marmo mosse le quattro zampine urlando disperata. Il Tarto Giallo finì in fondo al Libro.

Adesso tocca alla bottiglia di Vintabro Verde
e non aver paura poiché son certo che non morde.

La bottiglia dondolò facendo muovere la preziosa sostanza che aveva all'interno, la giovane alchimista la gettò dentro il Libro senza esitazione.

L'ultimo oggetto è la piccola Sallia Nana
vedrai come sarà contenta questa ciotola strana.

La ciotolina tremava dalla paura: ricevette un bacio di conforto e seguì i suoi compagni dentro il foglio liquido.
A quel punto Nina fissò il Libro in attesa che succedesse qualche cosa. A uno a uno gli oggetti parlanti emersero dal fondo galleggiando sul foglio liquido. Nina li prese e, posandoli con attenzione sul tavolo degli esperimenti, osservò le loro condizioni. Stavano bene? In effetti non sembravano cambiati anche se stavano immobili. Il Libro parlò ancora.

Non toccarli più e lasciali riposare
vedrai che poi si daran da fare.
Ora prendi il Punginganno
e apri il libro sull'Inganno.

Poi torna da me senza paura
per continuare l'avventura.

Nina si lanciò fuori dal laboratorio per recarsi nella grande libreria della Sala del Doge. Cercò nuovamente *Dolus*, il libro di Tadino De Giorgis che parlava degli inganni e nel quale Fiore aveva trovato la grande D. Senza perdere tempo lo afferrò e ritornò immediatamente nel laboratorio, appoggiò il volume sul tavolo e tirò fuori il Punginganno, l'ago sottile che le aveva dato Eterea. Guardò l'orologio: erano le 10, 45 minuti e 8 secondi.

«Libro, sono pronta» disse la giovane alchimista.

A pagina 430 c'è una sorpresa
che dev'essere subito presa.

Nina sfogliò il libro di De Giorgis e arrivò alla pagina:
«Per tutte le cioccolate del mondo! È bellissima» esclamò davanti a una margherita di carta, spuntata dal foglio con i petali bianchi e lucidi.

È la Fiorgherita e infilzarla dovrai
con il Punginganno che in tasca hai.

«Infilzarla?» chiese allarmata la ragazzina.

Fallo ora e mi ringrazierai.

Nina afferrò delicatamente l'ago e lo infilò al centro della

Fiorgherita. I petali di carta si moltiplicarono a dismisura e, staccandosi dal fiore, rimasero sospesi nell'aria riempiendo tutto il laboratorio. Il Libro parlò ancora una volta:

Intingi il Punginganno nella Graffite Viola
e pronuncia tre volte "Fiorgherita Vola".
Infine apri la porta e poi la finestra
e attenta a non essere maldestra.
Il tiepido vento di primavera
porterà i petali alla gente che spera.

La giovane alchimista era sbalordita, ma eseguì alla lettera gli ordini del Systema Magicum Universi. Intinse l'ago nella Graffite Viola, che ormai conosceva bene perché l'aveva usata tante volte per scrivere i Numeri Buoni contro i Numeromagi karkoniani. Poi si concentrò e gridò per tre volte: «Fiorgherita Vola! Fiorgherita Vola! Fiorgherita Vola!».

Il Punginganno scivolò dalle sue mani e iniziò a scrivere su ogni petalo che galleggiava nell'aria una brevissima frase:

"Da portare sulla tomba di LSL".

Leggendola, Nina rimase a bocca aperta, mentre il Punginganno scriveva passando sulle migliaia e migliaia di petali di carta. Alla fine l'ago si posò sul tavolo e la ragazzina uscì dal laboratorio seguita da una nuvola di petali: si diresse verso la Sala del Caminetto per aprire una finestra, attraversando la Sala del Doge, che ne era priva.

Appena entrò un refolo di vento, i piccoli pezzi di carta volarono via salendo verso il cielo. Ogni petalo con il messaggio andò a posarsi sui davanzali delle case veneziane in attesa di essere scoperto.

La piccola alchimista si fermò e si guardò intorno: per fortuna nessuno aveva visto quello spettacolo portentoso.

Ljuba era uscita a fare la spesa assieme ad Adone e Platone. Chiuse la finestra e tornò in laboratorio.

Il Libro Parlante era sempre aperto e gli oggetti non avevano ancora dato segni di vita.

«Libro, quando i cittadini leggeranno i petali andranno in cimitero? Perché?»

La bara di Andora
vuota è ancora.
Quando i cittadini in cimitero andranno
finalmente la truffa scopriranno.
Karkon la colpa di tutto a te darà
ma l'Alchimia della Luce ti aiuterà.

«Allora ci devo andare anch'io sulla tomba di LSL?» chiese timorosa.

Domani mattina andare dovrai
e assieme ai tuoi amici attenta sarai.
Ma il Caput Beneficus indosserai
per superare i nuovi guai.

«Caput Beneficus? Che cos'è?» domandò Nina.

Un casco veramente geniale
ti salverà dall'Alchimia del Male.
Serve il Mercurio Mutevole
solo così non sarai debole.

Dieci grammi bastano di sicuro
per ottenere l'effetto duraturo.
Nel pentolone la polverina getterai
e dieci minuti esatti attenderai.

«Libro, ma solo io indosserò il Caput Beneficus?» chiese la giovane alchimista, preoccupata per la sorte dei suoi amici.

Uno solo ne farai
ma cinque alla fine ne avrai.

«Non capisco, spiegati meglio» insisté la ragazzina.

Comincia a lavorare
e smettila di domandare.
I quattro apprendisti alchimisti
avranno il casco per coprirsi.

Il Systema Magicum Universi si chiuse di colpo e a Nina non restò che mettersi al lavoro. Per prima cosa cominciò a creare la formula del Mercurio Mutevole, che aveva trovato nel Quaderno Nero.

«Dunque, il Mercurio Mutevole è composto da Mercurio Puro e Terra Verde della Sesta Luna. Questa formula modifica i liquidi facendoli diventare solidi» lesse ad alta voce.

Guardò tra le boccette del laboratorio e dentro un contenitore di porcellana gialla trovò la Terra Verde di Xorax, mentre lì accanto vide una sottilissima bottiglietta con il Mercurio Puro. In un baleno gettò le due sostanze dentro il pentolone contenente zaffiro e oro, guardò l'orologio e mescolò per dieci minuti esatti. Il fuoco del caminetto si abbassò e dal pentolone uscirono due ali gialle che sostenevano un casco trasparente. Nina fece per prenderlo ma le ali lo trasportarono sopra il libro *Dolus*. Il casco ingoiò il volume e come d'incanto si quadruplicò.

Sul tavolo degli esperimenti ne apparvero cinque. Solo allora le ali gialle ritornarono dentro il pentolone e le fiamme del caminetto ripresero ad ardere come prima.

«Per tutte le cioccolate del mondo! Che magnifica alchimia!» esclamò sfiorando i caschi con le mani.

Il Systema Magicum Universi si riaprì e cominciò a parlare.

Fatti sono i caschi trasparenti
e i tuoi amici saran contenti.
Ora il Punginganno chiudi nel secondo cassetto
e aspetta di usarlo per un altro effetto.

Il Libro si chiuse e Nina rimase a guardare i caschi e gli oggetti parlanti che ancora non si era risvegliati.

Improvvisamente sopra il Systema Magicum Universi si formò una piccola nuvoletta verde, che la giovane alchimista sfiorò con le mani: in cima c'era una busta!

La prese e l'aprì subito. Una lettera del nonno.

Xorax, Mirabilis Fantasio,
Sala Azzurra dei Gran Consulti

SUL CORAGGIO

Moja djèvocka,
sei vicina alla conclusione, non fermarti proprio adesso.
Il Male ti circonderà, ti ferirà, ti vorrà sconfiggere. Se la
prenderà con persone che ami ma tu sei dalla parte del Bene.
L'Alchimia della Luce cancellerà il Buio perché tu sei la
Bambina della Sesta Luna e l'intera esistenza dell'Universo
Alchemico è nelle tue mani. Presto comincerai la ricerca del
Quarto Arcano, il più complesso e misterioso degli elementi
della natura: l'Acqua.
Sono certo che lo troverai e Xorax sarà più luminosa che
mai: i pensieri dei bambini finalmente saranno liberi.
Però non basta Sapere. Non basta Studiare. Non basta
Riflettere. Per raggiungere l'obiettivo c'è bisogno di un'altra
cosa: il Coraggio.
Problemi e ostacoli si superano se la forza delle idee si mo-
stra senza paura. Bisogna avere coraggio per dire la Ve-
rità a chi vuole nasconderla.
Cuore e nervi, respiro e sorriso, amore e amicizia trovano la
strada della Vita solo attraverso il Coraggio.
Riempi il tuo sangue di alchimista di una sana audacia: sii
coraggiosa e spezza le catene della Magia Oscura.
Ti voglio bene

1004104

Nonno Misha

Nina strinse al cuore la lettera e sentì scorrere nelle vene una forza potente: l'amore del nonno era talmente grande che nulla avrebbe potuto fermare la giovane alchimista.

L'orologio del laboratorio segnava le 12, 3 minuti e 45 secondi. Mise nel secondo cassetto l'ago Punginganno e nel chinarsi perse dalla tasca della salopette il foglietto bruciacchiato che aveva trovato nella dependance con la firma del professore spagnolo.

«José!» esclamò di colpo la giovane alchimista, che non aveva avuto più notizie dell'insegnante. Corse fuori dal laboratorio e quando arrivò nell'atrio vide entrare dalla porta la tata russa e Carlo Bernotti, carichi di borse della spesa. Adone scodinzolava tra le gambe del giardiniere, mentre il gatto cercava di infilare la testa in una delle sporte con il pesce che Ljuba aveva appena acquistato.

«Sapete dov'è il professor José?» chiese Nina avvicinandosi.

«No. Non ha neppure dormito nella dependance. È da ieri che non si fa vedere» rispose il giardiniere.

«Chissà dove va. Magari ha trovato una fidanzata» disse sorridendo Ljuba.

«Sono preoccupata, con tutte le guardie che ci sono in giro non vorrei che gli fosse successo qualche cosa» esclamò Nina.

«Aspettiamo ancora un po', poi lo andiamo a cercare» aggiunse Carlo.

«Ma non può sparire senza lasciare traccia. Anche se…be' io ho trovato un biglietto nella dependance» esordì Nina tirando fuori il foglio bruciacchiato.

Carlo tentò di leggere ma poi disse: «È rovinato, non si capisce nulla di ciò che c'è scritto. Sarà una delle solite follie che combina il professore. Signorina Nina, non stia in ansia, vedrà che José presto tornerà a casa» il giardiniere sorrise lasciando perplessa la ragazzina.

Ljuba andò in cucina e iniziò a borbottare.

«Che cosa c'è?» chiese Nina mettendo a posto la frutta.

«Questa bottiglia chi l'ha messa sul tavolo? Sembra olio di oliva. Io non l'ho mica comperata» spiegò la tata russa.

«Non so. Mettila nella dispensa. Che problema c'è?» Nina alzò le spalle e andò a preparare la tavola per il pranzo.

Ljuba guardò la bottiglia e la lasciò sul tavolo.

Appena i tre iniziarono a mangiare, qualcuno suonò il campanello della Villa. Nina corse ad aprire sperando che si trattasse del professor José, ma non era così. Mogi mogi entrarono Dodo, Fiore, Roxy e Cesco.

«Ci hanno tenuto tutta la mattina nella Sala dei Professori. Non ci vogliono mettere più in classe con i nostri compagni» spiegò con gli occhi lucidi Fiore.

«Perché? Che avete combinato?» Nina domandò mentre li faceva accomodare nella Sala degli Aranci mentre Ljuba preparava altre quattro porzioni di pastasciutta.

«Guarda che ci hanno visto tutti, ieri ai funerali del sindaco. Le guardie ci inseguivano e tu hai interrotto il discorso di Karkon. Il preside non ha mica gli occhi foderati di prosciutto! Anche lui ha notato che la scritta sulla bara è cambiata. Ormai pensano che siamo dei maghi. E che magari LSL l'abbiamo ucciso noi!» Cesco era furioso e non riusciva a stare fermo.

«Questa storia del falso funerale finirà domani» rispose con decisione la bambina della Sesta Luna.

«Domani? E perché?» Roxy guardò Nina e piegò la testa da un lato.

«Sui davanzali di tutte le case è arrivato un petalo di Fiorgherita e...»

Dodo la interruppe: «Fio..fio..fiorghe...rita?».

«Sì, è un fiore magico che è uscito dal libro *Dolus* di Tadino De Giorgis, spiegò in fretta Nina.

«Quello dove ho trovato la grande D» ribattè Fiore.

«Esatto. Be', insomma, dicevo, su questi petali il Punginganno ha scritto che tutti devono andare domani sulla tomba di LSL» raccontò agitata la ragazzina.

«Punginganno? Un altro strumento alchemico?» chiese Cesco sempre più curioso.

«Sì, è un ago che mi ha dato stamattina Eterea...» ma Nina fu nuovamente interrotta.

«Ma se hai parlato con Eterea vuol dire che lo schermo e il computer adesso funzionano!» affermò Fiore.

«Sì, è tutto ok. Comunque domani ci andremo anche noi al cimitero. E dovremmo usare il Caput Beneficus, così mi ha detto di fare il Libro – la giovane alchimista guardò le facce dei suoi amici e rise. – Si tratta di un casco trasparente. Ne ho ancora cinque, ma non so perché dovremmo indossarli».

«Andiamo bene! Se non lo sai tu, figurati se lo sappiamo noi!» replicò Roxy.

D'altra parte Nina aveva detto tutto quello che sapeva per tranquillizzarli. Dopo aver mangiato la pastasciutta, il gruppo si salutò dandosi appuntamento per la mattina seguente.

Alle 9 in punto si ritrovarono all'imbarcadero della Giudecca e salirono sul battello che portava all'Isola di San Michele, il cimitero veneziano. La bambina della Sesta Luna consegnò i caschi e, con grande imbarazzo, ognuno di loro li nascose sotto i giubbotti tra gli sguardi divertiti dei passeggeri del battello. I ragazzini notarono un grande via vai di persone, e tutte stringevano in mano il petalo di Fiorgherita. Nina era contenta, la missione andava avanti come previsto. Mise la mano in tasca, strinse il Taldom Lux e chiudendo gli occhi si fece coraggio ricordando la lettera del nonno. Sapeva che presto avrebbe incontrato il Conte Karkon. Anche lui, come i consiglieri vestiti di viola, aveva senza dubbio ricevuto il petalo di Fiorgherita.

Ed era proprio così.

A Palazzo Ca' d'Oro la sveglia l'aveva data un postino: alle sei precise si era presentato davanti al portone e aveva ripetutamente suonato il campanello. Visciolo, che non aveva fatto in tempo a vestirsi del tutto, gli aveva aperto con indosso un lercio pigiama nero.

Un pacco ben sigillato proveniva da Mosca; sui quattro lati c'erano due scritte, una in lingua russa e l'altra in italiano: *Urgente.* Il gobbo lo portò subito a Karkon che si era appena svegliato. Il Conte lo aprì, sapeva già cosa conteneva: Vintabro Azzurro, il liquido alchemico che Vladimir l'ingannatore aveva trovato nella tundra siberiana. Ma ora non serviva più. LSL era morto e l'ingrediente per creare il Cumus Estraniante era ormai inutile.

«Vai in Infermeria e controlla che Andora stia bene. Fatti aiutare dai due gemelli, io arrivo tra un po'» disse Karkon infilandosi il mantello viola. Uscì in fretta e scese al piano di sotto con il pacco in mano. Entrò nel Laboratorio K, lo appoggiò in un angolo, si mise alla tastiera del computer e contattò l'androide russo.

«Vladimir! Il Vintabro è arrivato troppo tardi. Il Serpente Piumato è morto tragicamente. Ora presta attenzione, devi agire subito. Riprendi i contatti con il Ferk e cerca di intrufolarti tra i dipendenti. Bisogna bloccare al più presto i genitori di Nina».

L'androide rispose subito: «Mio Signore, devo ucciderli?».

«No. Per il momento è sufficiente che non entrino in contatto con la figlia. Spiali e bloccali!»

Il Conte spense il computer e tornò in camera sua per prendere il Pandemon Mortalis che aveva lasciato sul tavolo.

Il sole era sorto da poco e Karkon aprì la finestra per prendere una boccata d'aria fresca: sul davanzale vide una cosa insolita, un petalo di carta. Lo prese e lesse la scritta: «Da portare sulla tomba di LSL».

Immediatamente andò su tutte le furie e si precipitò in Infermeria prendendo a calci Visciolo così, tanto per sfogarsi. Alvise e Barbessa erano terrorizzati e, dopo aver cambiato il filtro dell'Acqua Vitae ad Andora, uscirono dalla stanza correndo. L'androide karkoniano aveva sempre gli occhi chiusi. Ma fingeva! Non voleva ancora mostrare che si era risvegliata dalla morte. Andora aveva capito tutto quello che stava succedendo, aveva persino riconosciuto lo strano individuo che ormai viveva a Palazzo per essere istruito dal Conte. Una persona intelligente e preparata e per questo molto pericolosa.

Andora pensava e ripensava a cosa avrebbe potuto fare, non si era mossa di un millimetro e se ne stava a mollo nella Vasca Rigenerante in attesa di agire senza destare sospetti. Il microchip nuovo di zecca inserito nel suo cervello funzionava alla perfezione, ma Karkon non aveva fatto i conti con la sua Memoria Remota. L'androide si ricordava molto bene ciò che aveva fatto nel passato, quanto era stata cattiva con Nina. Nella mente aveva ancora le immagini del buon Max-10p1 che l'aveva curata con amore e comprensione. Ma non ce l'aveva fatta a reggere il dolore della malvagità che aveva provocato a Nina e alla sua famiglia, non era riuscita a superare questo grande problema. Così si era suicidata. Spenta! Ora se ne stava lì, dentro la Vasca Rigenerante di Karkon con un solo pensiero in testa: aiutare Nina e farsi perdonare!

Il Magister Magicum era verde di rabbia, stringeva in mano il petalo di Fiorgherita mentre inseriva degli spinotti sotto le unghie dei piedi di Andora per controllarle i riflessi.

Il trillo insistente del telefono lo disturbò. Uno dopo l'altro chiamarono i dieci consiglieri che chiedevano spiegazioni sull'insolito petalo ricevuto.

«Chi può essere stato? Ora siamo nei guai. I veneziani andranno tutti sulla tomba di LSL e vorranno la verità sul funerale» disse uno dei consiglieri più agitati.

«È stata Nina! È chiaro! Mandate subito le guardie in Villa. Arrestatela! Arrestate tutti i suoi amici!» urlò come un forsennato il Conte.

«Eseguiamo subito il suo ordine. Ma la bottiglia di Velenosia? Non dovevamo incolpare la streghetta dell'omicidio di LSL?» chiese l'ingenuo consigliere.

«La bottiglia di Velenosia è già al suo posto. La troverete in cucina» spiegò brontolando Karkon.

«In cucina? E chi l'ha portata in Villa?» il consigliere era sempre più confuso.

«Ma che importa chi è stato? Vuole nome e cognome?» il Conte si stava arrabbiando moltissimo.

«No, no, per carità. Mando subito le guardie. Poi noi ci troviamo al cimitero: non vorrei che la folla creasse troppi problemi» e così dicendo il consigliere abbassò la cornetta.

Mentre Nina e i suoi amici stavano raggiungendo la tomba di LSL assieme a un folto gruppo di veneziani provvisti del petalo di Fiorgherita, in Villa si consumò una vera e propria tragedia. Carlo Bernotti stava spostando un grosso mobile nella Sala dell'Angolo delle Rose perché Ljuba, proprio quella mattina, si era messa in testa di fare grandi pulizie. Quando suonarono alla porta la tata russa si precipitò, poiché sperava fosse José. Quando aprì, si trovò di fronte quattro guardie che la fecero indietreggiare con una spinta.

«Abbiamo l'ordine di perquisire la casa. Dov'è la cucina?» disse con tono minaccioso la prima guardia.

«È da quella parte» indicò la tata, tremando di paura.

«Cos'è questa?» chiese la seconda guardia tenendo in mano una bottiglietta trovata sul tavolo della cucina.

«Una bottiglia d'olio d'oliva» rispose timidamente Ljuba.

«Olio d'oliva? Vediamo» la terza guardia tolse il tappo, annusò e subito dopo esclamò: «Ah! È Velenosia! Il liquido verde che ha ucciso il sindaco LSL!».

«Velenosia? Ma non è possibile…e poi quella bottiglia l'ho trovata sul tavolo e…» cercò di giustificarsi la dolce Meringa.

«Basta! Stai zitta, vecchia. Sei in arresto!» gridò la prima guardia sputacchiandole addosso.

Ljuba scoppiò in un pianto disperato, le urla preoccuparono Carlo che uscì dalla Sala dell'Angolo delle Rose e quando vide la povera Ljuba in manette circondata dalle guardie, si tirò su le maniche della camicia e con voce possente disse: «Lasciatela stare!».

La seconda guardia gli diede uno spintone e il giardiniere reagì sferrando un pugno e poi un altro e un altro ancora. La lite stava degenerando e così anche Carlo si ritrovò con le manette ai polsi.

«È una congiura. Noi non c'entriamo nulla con l'avvelenamento del sindaco» gridò Ljuba che dallo spavento era diventata completamente bianca in volto.

«Noi degli assassini? Ma siete pazzi? Avete sbagliato indirizzo» replicò divincolandosi il giardiniere.

«Non è forse questa Villa Espasia?» chiese ironicamente la terza guardia.

«Sì» risposero i due malcapitati.

«E non è forse qui che abita Nina De Nobili, la streghetta?» domandò con aria strafottente la quarta guardia.

«Sì, ma non è una streghetta. Nina è la nipote del professor Michajl Mesinskj, uno dei più grandi alchimisti del mondo» aggiunse con orgoglio la tata russa.

«Già, già. Alchimista! Un'alchimista pericolosissima! E dov'è adesso la ragazzina?» chiese la seconda guardia sbirciando nelle stanze.

«È uscita» Ljuba sperò tanto che Nina non rientrasse proprio in quel momento altrimenti l'avrebbero arrestàta all'istante.

«Bene. Ora portiamo in carcere voi due, poi torneremo a

prendere la streghetta» e così dicendo la terza guardia spinse fuori dalla porta la tata in lacrime e il giardiniere con il viso scuro dalla rabbia.

Adone e Platone stavano giocando vicino alla grande magnolia e quando videro trascinare via Ljuba e Carlo rincorsero le guardie, che reagirono gettando pietre e sassi addosso ai due animali.

Platone fu colpito alla testa e cadde privo di sensi. Allora il grosso alano nero con un balzo assalì la seconda guardia che teneva Ljuba. L'uomo barcollò e, con una grossa catena, cominciò a sferrare colpi contro il cane. Adone aprì la bocca e tirò fuori i denti strappandogli un lembo della divisa.

La guardia lo colpì un'altra volta e chiuse il cancello di ferro lasciando i due animali soli e feriti nel parco della Villa.

I due innocenti furono fatti salire con la forza sulla barca a strisce nere e bianche del carcere dei Piombi, già pronta nel canale che costeggiava Villa Espasia. La prima guardia mise in moto la barca e a gran velocità passò sotto il ponte di ferro sbucando nel Canale della Giudecca. In pochi minuti Carlo e Ljuba si ritrovarono dentro una cella umida e buia nel settore "Assassini" del carcere dei Piombi.

Una delle sentinelle levò le manette ad entrambi. La dolce Meringa si sedette su una branda e ricominciò a piangere disperata. Carlo le andò accanto e le asciugò le lacrime con un fazzoletto: «Vedrai che ci libereranno. Siamo innocenti e la verità verrà a galla».

La tata russa farfugliò poche parole e con gli occhi gonfi e rossi scosse la testa: pensava che ora Nina era sola, i genitori erano lontani e le zie spagnole pure.

«Solo il professor José può aiutare Ninotchka» disse singhiozzando. ·

«Già. Mi auguro che si rifaccia vivo e si prenda cura della signorina» aggiunse il giardiniere.

«Il caro Misha ha avuto tanti problemi per via dei suoi esperimenti di alchimia, ma non avrei mai immaginato che anche Nina finisse nei guai. Forse è colpa mia. Dovevo stare più attenta. Dovevo essere più severa» Ljuba non si dava pace e, stesa sulla branda vecchia e sporca, continuava a piangere.

«Pensi... che sia stata Nina a usare la bottiglia di Velenosia?» chiese turbato il buon giardiniere.

«No. Non credo. La nipote del professor Misha non potrebbe mai far nulla di male. È quel maledetto di Karkon che ce l'ha a morte con lei» disse la tata russa.

«Già. Il Conte è una persona perfida. Per non parlare dei suoi bambini orfani» aggiunse il giardiniere.

In quel momento la porta a sbarre della cella cigolò ed entrarono due guardie:

«Domani vi farà visita il Conte Karkon» annunciarono seccamente.

«Lui?» esclamò Ljuba alzandosi dalla branda.

Le due guardie non risposero e se ne andarono richiudendo a chiave la porta.

Carlo afferrò con le mani grosse e callose le sbarre e urlò: «Siamo innocenti. Fateci uscire!».

Il grido si diffuse per i corridoi tortuosi dei Piombi e si confuse con il rumore delle catene e i lamenti degli altri carcerati.

CAPITOLO TERZO

Due Alchitarocchi tra le tombe

«Guarda là in fondo, dopo quelle lapidi, c'è un mare di gente. Dev'essere lì la tomba di LSL» esclamò Cesco e andò avanti, seguito da Dodo, Roxy e Fiore. Nina era rimasta indietro, senza dire niente a nessuno aveva deciso di andare a vedere la tomba del nonno. Sapeva perfettamente che sotto terra c'era solo il suo corpo e che la vera essenza vitale di Michajl Mesinskj era in realtà sulla Sesta Luna, ma voleva controllare se c'erano fiori freschi. Quando fu davanti alla tomba guardò con occhi tristi la foto del nonno, s'inginocchiò e l'accarezzò. Poi chiuse gli occhi e pensò intensamente alle lettere che aveva ricevuto da quando il professor Misha non era più sulla Terra. Le venne in mente anche quell'inquietante episodio accaduto mesi prima, quando, in compagnia di mamma Vera e papà Giacomo, era venuta in cimitero e aveva visto la faccia mostruosa di Karkon al posto della foto del nonno.

Mentre era assorta nei suoi pensieri sentì una mano sulla testa. Si girò e: «KARKON!».

«Sei venuta a portare i fiorellini al tuo amato nonnino?» disse con voce stridula il Conte, che le stava accanto come un corvo.

«Non toccarmi! Mi fai ribrezzo!» gridò Nina alzandosi immediatamente in piedi.

Karkon la prese per un braccio e fece cenno a una guardia di avvicinarsi: «Arrestatela! È una strega!».

Nina morse la mano rugosa del Conte che per il dolore lasciò la presa. La giovane alchimista si mise a correre tra le tombe gridando: «Aiuto, mi vogliono arrestare!».

La folla, riunita vicino alla tomba di LSL, udì le urla della ragazzina e tutti si girarono per vedere cosa stava succedendo. Cesco corse incontro a Nina e la prese per mano, Dodo infilò il casco trasparente pensando che servisse subito e si aggrappò a un angioletto di marmo.

Fiore e Roxy salirono in cima a una vecchia fontana senz'acqua e gridarono: «Il funerale del sindaco è una truffa. Karkon vi inganna tutti».

Uomini e donne si guardarono sbigottiti e quando Nina arrivò con Cesco accanto alla tomba di LSL i bambini presenti iniziarono ad applaudire. Nina sentì il Taldom vibrare, ma non poteva certo usarlo davanti a tutti. Lo scettro magico, nascosto nella tasca della salopette, agì ugualmente. Dagli occhi di goasil partì un raggio azzurro che finì dritto sulla lapide del sindaco. La terra iniziò a tremare e la bara di metallo schizzò verso l'alto come se fosse stata espulsa da una forza misteriosa.

«Ohhhhh… ma è una magia!» esclamarono le migliaia di persone guardandosi intorno senza capire da dove proveniva la luce azzurra.

Il raggio del Taldom avvolse la tomba di LSL e improvvisamente i petali di Fiorgherita che la gente aveva in mano volarono sopra la bara coprendola completamente. Il fascio di luce azzurra si diresse verso l'alto e i petali appiccicati al metallo furono talmente attratti dall'energia creata dal Taldom da sollevare, lentamente, il coperchio della bara fino a portarlo a cinque metri d'altezza.

«Ohhhhh… ma è vuota!» esclamarono i veneziani ormai completamente sconvolti da ciò che stavano vedendo.

«Sì, vuota. Il sindaco è morto ma il suo corpo non c'è più. LSL non è stato avvelenato ma…» Nina stava per dire la verità quando una guardia le tappò la bocca e la spinse a terra brutalmente.

«Calma, calma. Cari cittadini, mi spiace molto per questo inconveniente, – disse arrivando di corsa il Conte Karkon – ma avete avuto la prova concreta: Nina De Nobili esegue magie! Ed è lei ad aver organizzato tutta questa confusione. Lei ha trafugato la salma di LSL. Lei è colpevole».

«Sì, è un'assassina!» gridò una guardia facendosi avanti.

«Ohhhh... ma è solo una ragazzina» esclamò la folla.

«Io ho la prova che a uccidere il sindaco LSL è stata Nina, con la complicità dei suoi amici Cesco, Dodo, Fiore e Roxy. Abbiamo già arrestato la tata e Carlo Bernotti, il giardiniere. Nella cucina di Villa Espasia abbiamo trovato la bottiglia di Velenosia, il liquido mortale che ha ucciso il nostro amato sindaco» la guardia mostrò a tutti la bottiglia come fosse un trofeo.

Karkon gonfiò il petto e con aria pienamente soddisfatta indicò gli amici di Nina: «Arrestateli!».

Dodo, abbracciato all'angioletto di marmo e con in testa il casco trasparente, piangeva disperato. Roxy e Fiore, che erano sempre in cima alla fontana, iniziarono a dare calci alle guardie che tentavano di afferrarle. Cesco si tuffò dentro una fossa appena scavata sperando di non essere visto.

Nina gridò ancora una volta: «È tutta colpa di ...» non riuscì a finire la frase perché Karkon impugnò il Pandemon Mortalis. La bambina della Sesta Luna vide che la stella della mano era diventata nera. Doveva assolutamente difendersi. Prima di indossare il casco urlò: «Caput Beneficus».

Fiore, Roxy e Cesco capirono al volo e infilarono l'oggetto trasparente mentre il Conte e le guardie guardavano Nina senza capire nulla di ciò che aveva detto.

«Ora basta piccola strega. Ti faccio vedere io» esclamò Karkon e alzò il Pandemon dal quale uscì un fumo viola narcotizzante. Uomini, donne, bambini e anziani, consiglieri

comunali e guardie crollarono a terra addormentati. Solo Nina e i suoi amici rimasero svegli. Il casco funzionava a meraviglia e permetteva loro di respirare aria pura.

La giovane alchimista a quel punto estrasse il Taldom.

Ora che la gente era addormenta poteva usarlo!

Schiacciò tre volte gli occhi di goasil e dal becco del Gughi partì una fiammata esplosiva che colpì i grossi piedi di Karkon. Il Conte iniziò a saltellare per il dolore passando da una tomba all'altra, rovesciando vasi di fiori e lapidi.

Fu allora che il Magister Magicum alzò lo sguardo al cielo e, urlando come un ossesso, attivò un Alchitaroccò: Lec Turris. In mezzo alle tombe ormai devastate apparve una Torre, alta poco più di tre metri, spezzata a metà.

Intorno le girava una piccola sfera scura, il Pianeta Nero. Era un Alchitarocco Maligno con potenzialità alta.

Il cimitero sembrava diventato un campo di battaglia e i veneziani, completamente narcotizzati, non poterono vedere la lotta magico-alchemica in corso.

Nina, con la faccia sporca di terra, frugò nelle tasche cercando disperatamente il mazzo degli Alchitarocchi rimasti. Lo trovò!

In fretta estrasse la carta Sia Justitia e la lanciò in aria.

Di fronte alla Torre si materializzò una donna anziana con i capelli raccolti, corporatura robusta e grandi occhi neri. Avanzò nel suo bellissimo vestito verde brillante mostrando una bilancia d'oro. Attorno alla sua testa girava una sfera luminosa: il Pianeta Bianco.

Karkon allargò il mantello viola e incitò la Torre: «Distruggi tutto!». Ma Sia Justitia sollevò verso il cielo la bilancia d'oro che attirò i raggi del sole: un fascio di luce gialla intensa si formò in pochi secondi. Dal centro della bilancia partì il raggio della giustizia che colpì al petto il Magister Magicum. Karkon non riuscì a sparare con il Pandemon e stramazzò a terra privo di sensi. Nina urlò ma Sia Justitia alzò una mano facendole segno di stare lontana.

La lotta tra i due Alchitarocchi era iniziata!

Lec Turris avanzò pesantemente strisciando sulle tombe, alcune cedettero e le tre lastre di marmo con incisi i nomi dei defunti si frantumarono in mille pezzi. La Torre era a un paio di metri da Sia Justitia, che in tasca possedeva una piccola scatola contenente il Piombo dal quale estraeva l'energia spirituale in caso di necessità.

Improvvisamente dalla cima della Torre spezzata si sbriciolarono numerosi mattoni che caddero sopra Fiore e Roxy ferendole alle braccia. La donna anziana reagì prontamente facendo dondolare la bilancia: un vento caldo sollevò una nuvola di polvere. La parte alta di Lec Turris si piegò leggermente in avanti e dalla fessura centrale fuoriuscì un cilindro colmo di Argento Ambiguo, la sostanza alchemica che forma i componenti dei meccanismi incantati. Sia Justitia mise la mano in tasca e tirò fuori la scatoletta di Piombo, poi disse: «Tu sei una torre in rovina. Crolla davanti a me così potrai farti ricostruire bella e sana».

Lec Turris lanciò uno spruzzo di Argento Ambiguo che corrose la bilancia dell'Alchitarocco Benigno. La donna, a quel punto, lanciò il Piombo che finì dentro il cilindro della Torre. Un lampo di fuoco illuminò Lec Turris e sette saette salirono in cielo, nero come la pece. Sul cimitero calarono le tenebre mentre il rintocco delle campane scandì l'ora: erano soltanto le 10,30 del mattino.

Un mattino buio, senza sole.

Dodo tentò di gridare ma il casco attutiva le sue parole, Fiore e Roxy si tennero per mano mentre Cesco, da solo nella fossa, si sentì in trappola e non riuscì a risalire in superficie.

Sia Justitia spiccò il volo lanciando contro Lec Turris la bilancia d'oro, le sette saette scesero dal cielo come razzi colpendo definitivamente la Torre malefica che crollò in una frazione di secondo. Dell'Alchitarocco Maligno rimase soltanto un cumulo di polvere. Il Pianeta Bianco di Sia Justitia ingoiò il Pianeta Nero e un cerchio fluorescente avvolse l'intero cimitero.

L'anziana donna si girò verso Nina e disse: «Il mio compito è terminato. Il giusto danno ho provocato. Sta a te affrontare il futuro. Ancora una carta magica hai a disposizione e sono certa che la vittoria sarà tua».

Sia Justitia abbracciò la ragazzina che la guardava ammirata: «Tieni, quest'oggetto ti servirà».

Nina prese dalle mani della donna un sottile bastoncino di rame che terminava con un ricciolo d'oro.

«Che cos'è?» chiese la giovane alchimista.

«È la Scriptante. Se giri il ricciolo d'oro verso sinistra spunterà un pennino di madreperla. Non serve inchiostro. È una penna magica che userai solo sott'acqua» spiegò l'anziana donna.

«Sott'acqua?» ripeté Nina.

«Sì. Ma io non posso spiegarti di più. Capirai e scriverai» Sia Justitia accarezzò il volto della ragazzina, poi mise le braccia lungo i fianchi, alzò la testa verso l'alto e volò scomparendo nel nulla.

Il cielo tornò lentamente azzurro, la bambina della Sesta Luna mise in tasca la Scriptante e corse verso l'uscita, mentre Karkon si stava riprendendo lentamente. L'uomo alzò gli occhi e in ginocchio, davanti ai resti di Lec Turris, scosse la testa. Sbavava di rabbia e l'odio per Nina era cresciuto a dismisura.

Fiore scese dalla fontana e prese Dodo per un braccio staccandolo dall'angioletto mentre Roxy si accucciò sul bordo della fossa per dare una mano a Cesco, che risalì con fatica.

«Scappiamo!» disse Nina gettando via il casco. I cinque ragazzini corsero a gambe levate per paura che il Conte sparasse ancora con il suo maledetto Pandemon. Appena furono giunti sull'imbarcadero salirono sul battello: finalmente potevano sedersi aspettando di arrivare alla Giudecca.

L'effetto del narcotico stava per finire e la gente rimasta in cimitero iniziò a risvegliarsi. Il Conte, per non dare alcuna spiegazione ai veneziani, si coprì con il mantello viola e scomparve in una nuvola di zolfo giurando nuova vendetta.

Quando il battello approdò all'imbarcadero di San Marco, Nina decise di scendere trascinando con sé i quattro amici.

«Ma non andiamo a Villa Espasia?» chiesero Fiore e Roxy che erano rimaste leggermente ferite dal crollo dei mattoni della Torre.

«No. Dobbiamo liberare Ljuba e Carlo. La guardia ha detto chiaramente che sono stati arrestati» spiegò Nina camminando di buon passo verso il carcere dei Piombi.

«Ok. Ma come faremo?» Cesco temeva il peggio.

«Non lo so. Ma dobbiamo tentare» rispose seccamente la bambina della Sesta Luna.

Quando furono vicino a Palazzo Ducale, a pochi passi dal portone del carcere, videro ben nove sentinelle di guardia.

«Impossibile! Non possiamo distrarle tutte» concluse Roxy.

Aveva ragione.

«Dobbiamo nasconderci, altrimenti quelli ci arrestano subito» Fiore era terrorizzata.

Nina fu presa dallo sconforto: non poteva accettare che la tata russa e il giardiniere fossero stati sbattuti in cella ingiustamente. Provò un senso d'angoscia. Si sentì sola, benché accanto avesse i suoi adorabili e coraggiosi amici. Al solo pensiero che Ljuba e Carlo non fossero più in Villa si sentiva mancare le forze.

Cesco appoggiò le mani sulle spalle della bambina della Sesta Luna e guardandola dritta negli occhi disse: «Li libereremo. Te lo giuro. Però bisogna studiare un piano per farli evadere. Torniamo in Villa, vedrai che una soluzione la troveremo».

Nina abbassò lo sguardo e annuì. Poi prese il cellulare e telefonò al Ferk di Mosca. All'operatore del centralino si rivolse in russo e chiese di poter parlare con i suoi genitori. Voleva spiegare cos'era successo alla povera Meringa e sperava tanto che mamma e papà tornassero a Venezia. Ma l'operatore, che rispose con una strana voce metallica, le comunicò che non era possibile passare la telefonata ai due scienziati perché erano in una zona protetta e inaccessibile del Centro ricerche sulla vita extraterrestre.

Mentiva! L'operatore era in realtà Vladimir l'Ingannatore!

Era riuscito a entrare al Ferk e a occupare il posto del vero

centralinista. Con fare sbrigativo disse a Nina di aver preso nota della comunicazione e promise che appena possibile avrebbe avvisato i due scienziati.

La giovane alchimista, presa dallo sconforto, appoggiò la testa sulla spalla di Cesco e pianse. Il ragazzino l'abbracciò forte sussurrandole parole dolci per calmarla.

Lo strano comportamento dei cinque fu notato da una delle sentinelle che, purtroppo, li riconobbe: «Prendiamoli! Sono i ragazzini della Giudecca!» gridò alle altre guardie.

«Via! Scappiamo!» urlò Nina correndo come una lepre verso l'imbarcadero.

Presero al volo il battello che aveva già mollato le cime e con il cuore in gola si abbracciarono tutti insieme.

«Ora ci ver... ver...ranno a pren... pren...dere» riuscì a dire Dodo nonostante il fiatone.

«Non vi preoccupate, ci barricheremo in Villa» rispose Nina con affanno.

La caccia ai cinque giovani alchimisti era dunque iniziata.

Intanto altre dieci guardie prelevarono dalla "Bottega della Bauta" i genitori di Dodo e Cesco e poi andarono a casa di Fiore e Roxy e portarono anche le loro mamme e i loro papà in Tribunale per interrogarli.

Nella Grande Aula del Palazzo di Giustizia di Venezia c'erano due giudici, il presidente del Tribunale, i dieci consiglieri comunali, il Conte Karkon e un gruppo di insegnanti e commercianti, appena arrivati dalla brutta esperienza vissuta al cimitero.

I genitori dei ragazzini furono messi sotto torchio. Dopo quattro ore il Conte sbottò: «I vostri figli sono dei teppisti! Dei maghi da strapazzo! E voi siete colpevoli quanto loro. Avete permesso che frequentassero Nina De Nobili, una vera strega bugiarda e pericolosa. Dovete dire tutto ciò che sapete su questa mocciosa!».

I genitori si ribellarono alle dure parole di Karkon, ma dovettero calmarsi: le guardie erano pronte a mettere le manette pure a loro e certo questo non sarebbe stato di aiuto ai loro figli!

Il presidente del Tribunale picchiò il martelletto sul tavolo: «Silenzio, o faccio sgombrare l'aula!».

Karkon lo guardò storto ma si rese conto che non poteva esagerare, così andò a sedersi accanto ai dieci consiglieri vestiti di viola. A quel punto, dal fondo dell'Aula, un insegnante alzò la mano e chiese di parlare. Il presidente glielo concesse.

«Egregio presidente, egregi giudici, qui si stanno interrogando dei genitori che, ovviamente, nascondono la verità sui loro figli. E noi insegnanti li conosciamo bene questi ragazzini. Da quando frequentano Nina De Nobili hanno cambiato i loro comportamenti. Sono indisciplinati! Dodo, poi, più degli altri! Inoltre desidero avere spiegazioni su ciò che è successo poco fa al cimitero. Improvvisamente tutti i cittadini presenti si sono accasciati a terra privi di sensi. Io compreso. E quando ci siamo ripresi, Nina e i suoi amici erano scomparsi. Dove sono andati nessuno lo sa! Ma ciò che non mi spiego è che anche il Conte Karkon non c'era più. E poi, che fine ha fatto il corpo del sindaco? La bara era vuota e c'era sempre inciso il nome Andora! Ma chi è questa signora?».

I consiglieri rumoreggiarono e il Conte si rialzò allargando il mantello: «Io non sono scomparso! Naturalmente stavo inseguendo quei mocciosi, ma li ho persi di vista. Certamente sono loro la causa dell'evento misterioso che ha fatto addormentare i cittadini. Usano la Magia! Hanno trafugato il corpo del nostro povero sindaco e hanno scritto quello stupido nome sulla bara. Non esiste e non è mai esistita una donna di nome Andora!».

La versione dei fatti di Karkon convinse tutti, giudici compresi. A quel punto, il presidente batté nuovamente il martelletto e sentenziò: «L'interrogatorio dei genitori di Dodo, Cesco, Roxy e Fiore continuerà domani pomeriggio, a porte chiuse! Ordino che Villa Espasia sia messa sotto sequestro! Le guardie avranno il compito di scovare dove si nascondono i cinque ragazzini. Ljuba e Carlo Bernotti rimarranno in cella con l'accusa di possesso di Velenosia. Domani mattina il Conte Karkon li incontrerà ai Piombi».

I consiglieri sorrisero soddisfatti e Karkon uscì dall'aula tra gli applausi. Le mamme dei ragazzini scoppiarono a piangere. Solo il padre di Dodo si alzò in piedi e urlò: «Sia... sia... siamo ge...gente per be... be...bene. I no... no...nostri figli non hanno fa... fa... fat...to nulla di ma... ma...male».

Una guardia gli diede uno spintone e lo zittì, nessuno dei presenti era disposto ad alzare un dito per difendere le nuove vittime di Karkon.

Erano solo le 2 del pomeriggio ed erano già accaduti tanti avvenimenti fuori dal comune. Ma non era finita qui.

Mentre i genitori dei ragazzi erano sotto sorveglianza in attesa che l'interrogatorio ricominciasse il giorno dopo, i cinque giovani alchimisti arrivarono davanti a Villa Espasia. Appena ebbero aperto il cancello, videro Platone steso a terra, svenuto e con una vistosa ferita sulla testa, mentre Adone, accucciato sotto la grande magnolia, guaiva leccandosi una zampa.

Fiore prese in braccio il gatto, Nina corse dal cane e lo accarezzò teneramente: «Cosa vi hanno fatto! Maledetti!».

Dodo iniziò ad agitarsi e Cesco, dalla rabbia, pigliò a calci una grossa pietra.

La bambina della Sesta Luna chiamò con tutte le sue forze il professor José, sperando che fosse tornato nella dependance e potesse aiutarla. Ma non arrivò alcuna risposta. José non c'era. Era scomparso.

«L'hanno arrestato! Sono sicura. L'avranno messo in cella

con Ljuba e Carlo» esclamò mentre il cuore le batteva fortissimo.

«Calma, stai calma. Ora dobbiamo pensare a Platone e Adone. Forza, portiamoli dentro. Dobbiamo curarli» Roxy era davvero preoccupata per la sorte dei due animali.

Appena aprirono la porta Nina, scoppiò in un pianto disperato. La Villa tanto amata da nonno Misha era deserta. La buona tata russa non c'era più, la cucina era vuota e nessuna pentola bolliva sul fuoco.

«La bottiglia!» esclamò di colpo.

«Che bottiglia?» chiesero gli altri.

«C'era una bottiglia d'olio d'oliva sul tavolo... ma forse non era proprio olio» la bambina della Sesta Luna sembrava impazzita.

«Ma che dici? Di che olio parli?» chiese Fiore, sgomenta, con il povero Platone tra le braccia: non capiva cosa stesse dicendo la sua amica.

«Velenosia! Ecco cos'era! Hanno incastrato Ljuba e Carlo per prendere me! Per prendere tutti noi! Capite?» Nina era fuori di sé.

Cesco le accarezzò i capelli nel tentativo di consolarla e lei chiuse dolcemente gli occhi. Ma quell'attimo di dolcezza fu rovinato da alcuni rumori provenienti dall'esterno. Si udirono delle voci. Fiore guardò fuori dalla finestra e vide che stava arrivando un gruppo di guardie: «Sono venuti a prenderci!» gridò voltandosi verso gli altri.

«Nascondiamoci nel laboratorio. Lì non ci troveranno di sicuro» la soluzione di Nina sembrò la più logica.

Dodo, Roxy e Cesco presero il cane che zoppicava e insieme a Fiore, che stringeva Platone, seguirono la giovane alchimista. In quel momento squillò il telefono. Nina si fermò di colpo e fu tentata di rispondere: magari erano i suoi genitori che finalmente l'avevano chiamata! Diede uno sguardo ai due animali e ai suoi amici e decise di non farlo. Non c'era proprio tempo. Le guardie erano a pochi metri dalla Villa.

Al di là della cornetta non ci potevano certo essere i genitori della giovane alchimista, perché Vladimir ormai li aveva sotto sorveglianza. L'androide russo stava preparando un piano per bloccarli definitivamente seguendo le richieste del Conte. A telefonare con insistenza a Villa Espasia erano invece le zie spagnole, Carmen e Andora, che provarono e riprovarono a chiamare senza però avere alcuna risposta.

Appena i cinque ragazzini furono dentro il laboratorio si sedettero per terra sfiniti. Adone continuò a lamentarsi per la ferita sulla zampa mentre Platone non dava segni di vita.

Nina prese la pomata blu del nonno e la spalmò sia sulla zampa del cane sia sulla testa sanguinante del gatto. «Per il momento metto questa pomata miracolosa. Ora chiedo al Libro come posso curarli velocemente» mormorò con gli occhi lucidi. Posata la mano con la stella sul Systema Magicum Universi, subito il Libro si aprì e il foglio liquido si illuminò di verde.

«Libro, Adone e Platone sono stati feriti dalle guardie. Stanno male. Dimmi, come posso curarli?».

Darò subito una soluzione
per guarire Adone
Ma per il gatto
dovrai agire con tatto.

«Va bene» rispose ansiosa la ragazzina.

Al grosso alano nero
serve l'Unguento Cero.

«E come si fa?» Nina era pronta a crearlo.

Prendi la ciotola parlante
e riempila di cera colante.
Poi versaci sopra del carbone
e mescola piano con attenzione.

Solo in quel momento i quattro ragazzini videro gli oggetti parlanti sul tavolo degli esperimenti. Immobili, sembravano addormentati. Da quando Nina li aveva tirati fuori dal foglio liquido, erano rimasti silenziosi.

Roxy prese la ciotola Sallia Nana e la diede a Nina. La bambina della Sesta Luna accese una candela e la colò dentro la ciotola, poi afferrò due pezzi di carbone e mescolò il tutto. Sallia Nana fece un balzo scuotendo l'Unguento Cero che si era formato al suo interno.

«Oh finalmente, mi sono svegliata. Mi sento bene con questa crema nera che mi hai messo dentro» disse con voce sottile la piccola ciotola.

Dodo sorrise e Fiore guardò l'oggetto con tenerezza.

Nina infilò le dita nell'Unguento Cero e ne mise un bel po' sulla zampa ferita. Adone mostrò i denti. La crema alchemica bruciava e per questo Cesco gli grattava la testa, cercando di calmarlo.

«Libro, e per il gatto cosa devo fare?» chiese subito Nina.

Per guarire il gatto rosso
serve certo il Talco Mosso.

«Talco Mosso? Mai sentito!» rispose incredula la ragazzina.

La formula adesso ascolta
te la dirò solo una volta.
Mescola due etti di Panna Ridente,
con un pizzico di Anice Sapiente.
Aggiungi sei gocce di Sangue Mortis
e tre cucchiai di Sale Fortis.
Per 2 ore e 3 secondi bollirà
e alla fine la formula si creerà.
Dentro la vaschetta parlante
metterai la sostanza rigenerante.
Così Tarto Giallo e Talco Mosso
aiuterà a salvare il gatto rosso.

Il Libro si chiuse e Nina si girò versò gli amici. «Questa formula è assai stravagante. Per farla serve il Sangue Mortis, un veleno che voi conoscete benissimo!» disse la giovane alchimista guardando la faccia stravolta di Dodo.

«Infatti, è la pozione che porta alla Morte Apparente. E noi l'abbiamo bevuta quando eravamo nella terra dei Maya» affermò Roxy, con un'espressione disgustata.

«Poi è necessario usare anche il Sale Fortis, che rende immobili! Questo francamente non lo capisco, infatti il povero Platone è già immobile! È svenuto!» aggiunse Fiore sbarrando gli occhi.

«Infatti, nemmeno io capisco perché bisogna usarlo; – disse Nina – d'altra parte le formule alchemiche non sono sempre comprensibili. E lo sai bene. Comunque la Panna Ridente è dentro quel vaso, là in alto, e so per certo che serve per guarire dai traumi, – spiegò indicando l'ultima mensola – mentre l'Anice Sapiente è in quel barattolo, e serve a dare la verità alle parole».

«Già, già, ricordo. L'Anice Sapiente l'hai usato anche per creare la pozione dell'Amicizia Duratura che ci hai fatto bere quando ci siamo conosciuti» rammentò Roxy.

«Esatto» rispose prontamente Nina, accarezzando Platone ancora privo di sensi.

Dodo prese il barattolo di Anice Sapiente, Fiore afferrò il vaso con la Panna Ridente, Roxy aveva già in mano il contenitore con il Sale Fortis mentre Cesco pigliò la bottiglia del Sangue Mortis. Con precisione Nina versò gli ingredienti nel pentolone e mescolò lentamente. Dopo 2 ore e 3 secondi il Talco Mosso era pronto.

La bambina della Sesta Luna si avvicinò alla vaschetta Tarto Giallo. Non muoveva una zampa! Appena ebbe rovesciato la nuova pozione alchemica, la vaschetta iniziò a muoversi. Prima stese una zampina, poi due, tre e quattro.

«Bene. Mi sento proprio bene!» disse Tarto Giallo camminando sul tavolo degli esperimenti. «Ma Nina, cosa mi hai messo dentro?» chiese la vaschetta.

«È Talco Mosso. Una medicina per Platone, il mio gatto rosso. Sai, sta molto male. L'hanno picchiato» spiegò la ragazzina sotto gli occhi increduli di Roxy.

«Picchiato?» domandò spaventata la vaschetta.

«Sì. Sono state le guardie per ordine di Karkon. Sai, lui era molto amico di LSL. Lo sapevi?» chiese Nina mentre prendeva un pizzico di Talco Mosso.

«Karkon? Be', sì... lui e il nostro tutore erano amici. Mi spiace che le guardie siano così cattive. Povero gatto» esclamò Tarto Giallo facendo una vocina triste.

Nina si avvicinò a Platone e sparse il Talco Mosso sulla testa ferita. Il gatto però non si mosse. La ragazzina ne gettò ancora un pizzico e finalmente il micio aprì un occhio e miagolò.

La ferita era scomparsa. Adone, guarito perfettamente, alzò il muso e con una leccata a Platone gli fece drizzare i baffi. Dodo applaudì, Fiore diede un bacio ai due animali e Roxy guardò soddisfatta Nina. Anche Tarto Giallo e Sallia Nana si complimentarono con la giovane alchimista che finalmente sorrise. Cesco le andò vicino, l'abbracciò e le diede un lungo bacio sulla guancia. La bambina della Sesta Luna diventò paonazza mentre tutti si misero a ridere e Roxy sussurrò: «È... l'amore... l'amore...».

Nina lanciò un'occhiataccia all'amica, e Cesco con una smorfia si levò gli occhiali facendo finta di nulla. Tarto e Sallia sghignazzavano, mentre Adone e Platone si strusciavano sulle gambe di Nina. Il momento era imbarazzante e buffo, ma nel laboratorio del professor Misha non si poteva certo stare tranquilli nemmeno per un secondo.

Il Libro si aprì e i ragazzi fecero immediatamente silenzio.

Un vaso e una bottiglia
attendono la sveglia.
Due sostanze bisogna fare
per farli nuovamente parlare.

Nina si riprese subito dal bacio di Cesco, guardò il vaso Quandomio e la bottiglia di Vintabro Verde, poi si avvicinò al Systema Magicum Universi:

«Libro, quali sostanze?» chiese in fretta.

Riempi il vaso di Polvere di Rubino
e sentirai come parlerà benino
Il Quandomio Flurissante
sarà un amico importante

E la bottiglia di Vintabro Verde
il suo liquido non perde.
Basta scuoterla tre volte
e urlerà molto forte.

Dodo, senza pensarci un attimo, prese la Polvere di Rubino e la diede a Nina che la versò dentro il vaso.

Quandomio Flurissante ebbe un sussulto e starnutì: «Etcciù! Buongiorno a tutti. Che razza di polvere mi avete messo?» chiese, rivelando un'inaspettata voce possente.

«Polvere di Rubino. La mangia anche Ondula, la farfalla della Sesta Luna» rispose d'impeto Nina.

«Ondula? Polvere di Rubino? Non conosco. Comunque mi sento bene» affermò il vaso dondolando.

Nina afferrò la bottiglia e con forza la scosse per tre volte.

«Ehi! Ehi! Piano. Sono fragile!» gridò Vintabro Verde.

«Scusa… ma il Libro mi ha detto di fare così» Nina la riappoggiò sul tavolo con delicatezza.

«Allora? Che facciamo?» gridò ancora la bottiglia.

Cesco andò vicino agli oggetti: «Per ora voi state tranquilli».

Ma la vaschetta Tarto Giallo zampettando andò verso Nina: «Avete bisogno di aiuto, vero?».

«Sì. Ma non preoccupatevi. Quando sarà il momento ve lo chiederemo» rispose la giovane alchimista.

«Ma voi vivete qui?» chiese Sallia Nana guardandosi intorno.

«Ora sì. Siamo costretti a stare qui dentro perché se usciamo ci arrestano» spiegò Roxy incrociando le braccia.

«Ma è terribile!» aggiunse Quandomio.

«Di che cosa siete accusati?» chiese curiosa la vaschetta.

«Di aver avvelenato LSL» affermò Nina, mentre accarezzava Adone e Platone.

«Avete assassinato il nostro tutore?» urlò Vintabro Verde.

«No, no. Calmatevi. Le cose non stanno così» esclamò Cesco scuotendo la testa.

Nina prese in mano la vaschetta che si agitava e raccontò la vera storia. Gli oggetti rimasero in silenzio per un po' e poi, avvicinandosi alla bambina della Sesta Luna giurarono che l'avrebbero aiutata a salvare Xorax.

L'orologio del laboratorio segnava le 20, 34 minuti e 7 secondi. La fame cominciava a farsi sentire e i cinque ragazzini non avevano proprio nulla da mangiare.

Cesco ebbe un'idea: «Se usciamo dal laboratorio e raggiungiamo la cucina strisciando per terra, le guardie non ci potranno vedere da fuori».

«Però non dobbiamo fare neppure un rumore» aggiunse Roxy.

«Ma non possiamo accendere le luci e con il buio non vedremo nulla» precisò Fiore.

Dodo tirò fuori dalla tasca la sua inseparabile torcia: «Po… po… po…rto questa!».

Cesco strinse la mano all'amico: «Bravo Dodo».

«E va bene, mi avete convinta. Proviamo!» disse Nina, mettendo la Sfera di Vetro sulla conca della porta.

Il gatto e il cane si alzarono di scatto pronti a uscire anche loro. Cesco li fermò: «No, rimanete qui con gli oggetti parlanti. Porteremo la pappa anche a voi due».

Quatti quatti, i cinque ragazzini si misero a gattoni e si diressero verso la cucina in fila indiana.

Dodo era davanti e illuminava pavimento e muri con la torcia. Dalle alte finestre gotiche velate filtrava una lieve luce proveniente dai lampioni del parco. L'atmosfera non era tranquillizzante. Fiore finì addosso al trespolo sul quale era appoggiato un preziosissimo vaso cinese e per un pelo non lo fece cadere a terra.

«Sssssss… ma che fai? Stai attenta!» bisbigliò Roxy girandosi verso la maldestra ragazzina.

Quando arrivarono in cucina, Cesco alzò un braccio e con la mano aprì lentamente il frigorifero: c'era di tutto! Formaggi, confezioni di prosciutto, salame, olive, maionese, uova, aranciata, pomodori, insalata, barrette di cioccolata fondente e una terrina colma di macedonia.

«Alleluia! Che cuccagna!» esclamò il giovane occhialuto.

«Piano. Fai attenzione. Prendi una cosa alla volta e metti tutto qui dentro» disse Roxy porgendogli due sporte.

«La macedonia la prendo io» Fiore allungò le mani e afferrò la terrina.

Nina, sempre camminando a gattoni, aprì la dispensa e mise dentro a una borsa di plastica scatolette per Platone e per Adone, un pacco di croccantini al pollo e del riso soffiato.

Dodo afferrò una confezione sigillata con 6 bottiglie d'acqua e due pacchi di biscotti.

Dopo alcuni minuti, carichi come dei muli, i cinque amici uscirono dalla cucina. Dodo teneva sempre la torcia e con fatica trascinava le bottiglie d'acqua. A un certo punto Nina in-

ciampò sul grande tappeto persiano dell'atrio facendo rotolare alcune scatolette che andarono a sbattere direttamente contro un mobile. Nello stesso istante Dodo starnutì.

I rumori insospettirono le guardie che immediatamente puntarono due grossi fari alle finestre della Villa.

«Hai sentito anche tu?» chiese la prima guardia.

«Sì. Ma è strano. La Villa è deserta. La governante e il giardiniere sono in carcere. Nina e la sua banda non li abbiamo visti. Da quando siamo arrivati noi non è entrato nessuno!» rispose la seconda guardia.

«Comunque è meglio controllare. Punta meglio i fari e guardiamo» la prima guardia si avvicinò alle finestre.

I ragazzini presi dal panico, rimasero immobili in fila indiana, accucciati per terra sul tappeto dell'atrio.

Il fascio di luce entrò illuminando oggetti, muri e porte.

«No. Non c'è nessuno!» concluse la seconda guardia spegnendo i fari. «Sarà stato qualche topo».

I cinque amici tirarono un sospiro di sollievo e, trasportando il cibo, raggiunsero in fretta il laboratorio.

Erano pronti a trascorrere la prima notte da soli.

CAPITOLO QUARTO

Il boia dei Piombi
e l'Enigma
della Prima Torre

Alle sette del mattino, davanti al portone del carcere dei Piombi le sentinelle si misero sull'attenti. Era arrivato Karkon Ca' d'Oro in compagnia di un uomo dall'aspetto terrificante.

Il boia! Aveva un cappuccio grigio calato sulla faccia, con tre buchi dai quali si intravedevano solo gli occhi e le labbra. Era di corporatura esile, con mani magre e affusolate che non sembravano per niente quelle di un macellaio di uomini. Indossava un mantello nero sotto il quale nascondeva un'ascia con il manico d'avorio e con una lamina lucente e affilatissima.

Appena i due furono entrati, le sentinelle seguirono con lo sguardo l'uomo incappucciato: era da secoli che ai Piombi non faceva il suo ingresso il "Carnefice".

Prima di scendere le scale Karkon si bloccò:

«Allora, siamo d'accordo. Lei intervenga quando lo ritiene opportuno. Parli lentamente e non si faccia intenerire da pianti o suppliche!».

«Certo!» rispose il boia abbassando la testa.

«Questa è una prova importante. Se riesce a superarla allora diventeremo grandi amici. Lei è proprio un buon allievo. In questi giorni ha imparato già molto. E sono piuttosto soddisfatto. Mi raccomando, adesso tenga i nervi saldi. Dobbiamo far dire la verità a quei due vecchi» il Conte parlava a bassa voce e il suo sguardo era pungente e severo. Il boia era in realtà il suo misterioso allievo, ormai completamente plagiato dall'Alchimia del Buio.

Inforcarono il corridoio umido e sporco, girarono a destra, seguendo il cartello che indicava la giusta direzione verso le "Celle per gli assassini". La luce delle torce si faceva sempre più fioca e le ombre dei due maligni personaggi scorrevano come macchie nere sui muri scrostati e colmi di ragnatele.

I carcerati alla vista dei due uomini coperti dai mantelli iniziarono a mugugnare. Un boia incappucciato non lo avevano mai visto prima!

«Signore, temo che riconoscano la mia voce» disse il boia rivolgendosi a Karkon.

«Non credo. Quella grassa vecchia e il rimbambito di giardiniere mai immaginerebbero che sotto quel cappuccio si nasconde proprio lei» la risposta del Conte rassicurò l'inquietante personaggio che avanzò in modo spedito verso la cella dei due innocenti.

Appena Carlo Bernotti vide Karkon e l'uomo incappucciato diede uno scossone a Ljuba che stava riposando sulla branda.

«Egregi signori, come vi sentite in gattabuia?» esordì il Conte guardandoli attraverso le sbarre della cella.

«KARKON!» urlò Ljuba mettendosi le mani tra i capelli.

«IL BOIA!» esclamò terrorizzato il giardiniere.

«Esatto! Vi presento il boia dei Piombi. Il Carnefice che da tempo non esegue decapitazioni. Ma, se parlerete e direte tutta la verità su Nina De Nobili non vi succederà nulla. Vero?» disse Karkon girandosi verso il boia.

«Nulla! Tornerete a casa sani e salvi. Ma se non fate i bravi... allora... VI TAGLIERÒ LA TESTA!». L'uomo incappucciato sollevò il mantello, mostrò l'ascia e fece un gesto molto eloquente. Il Conte si divertì parecchio per la scenetta fatta dal nuovo allievo e rise mostrando i suoi denti marci.

«Nina è una brava bambina» la voce di Ljuba tremava per lo spavento.

«FALSO! È una strega pericolosissima!» gridò Karkon scuotendo le sbarre.

«Noi non sappiamo nulla della bottiglia di Velenosia. Lo giuro!» assicurò implorante il giardiniere, quasi in ginocchio.

«Diteci dove si nasconde la piccola maga! O saranno guai seri!» gli intimò il boia, gli occhi illuminati come fossero infuocati. Ljuba osservò le labbra e notò che quell'individuo aveva la barba, nonostante il cappuccio coprisse la faccia interamente. Per un attimo le sembrò di riconoscere persino la voce, ma era talmente spaventata che non le venne in mente a chi appartenesse. Eppoi, di boia, lei non ne aveva mai conosciuti.

«In Villa non c'è. E sono spariti anche i suoi amichetti della Giudecca. Diteci dov'è andata! Ve lo ordino!» la voce di Karkon si sparse per tutti i corridoi del carcere.

Ljuba e Carlo, tenendosi per mano, rimasero in silenzio.

«E dei genitori di quei mocciosi che pensate? Sono anche loro coinvolti in questa storia?» chiese il boia aggiustandosi il cappuccio.

«Li conosciamo bene, sono tutte persone educate e oneste» rispose il giardiniere avvicinandosi alle sbarre.

«Oneste? Vedremo! Oggi pomeriggio saranno interrogati nuovamente» disse Karkon allargando il mantello viola.

«Interrogati? Ma anche loro sono qui? In carcere?» chiese Carlo congiungendo le mani.

«No! Per ora sono in Tribunale. Poi si vedrà! Ma se voi ci aiutate a capire la verità e a trovare Nina potrei decidere di lasciarli liberi» affermò il Conte toccandosi il pizzetto.

«Anche se lo sapessi non ve lo direi! Siete malvagi!»

Ljuba trovò il coraggio di rispondere così e Karkon non glielo perdonò.

Tirò fuori il Pandemon Mortalis e lanciò due lingue di fuoco che attraversarono le sbarre e colpirono le gambe della povera tata russa, che cadde a terra.

Il giardiniere si chinò per aiutarla, ma Karkon sparò un'altra volta ferendolo a un braccio.

«Questo è solo l'inizio! Torneremo qui ogni giorno fino a che non parlerete. E se alla fine non ci sarete di aiuto, be', allora...» il Conte fece l'identico gesto che aveva fatto poco prima il boia: il taglio della testa!

Ljuba e Carlo rimasero inginocchiati a terra, impauriti, doloranti e pieni di rabbia.

Il boia e il Conte se ne andarono percorrendo a passo spedito lo stretto corridoio che portava all'uscita. Una guardia prese le grosse chiavi e aprì la cella, mise sul tavolaccio bucato dalle termiti due ciotole colme di brodaglia e pezzi di pane secco: «Mangiate... se avete coraggio!».

La tata russa scoppiò a piangere mentre si toccava le gambe ustionate. Carlo allora si strappò le maniche della camicia e con una bendò le ferite di Ljuba, con l'altra si fasciò il braccio che grondava sangue.

«Non ce la faremo mai a sopravvivere in queste condizioni» disse la dolce Meringa soffiandosi il naso.

«Bisogna resistere. Bisogna farlo per Nina» affermò con voce salda il giardiniere.

E proprio Nina, in quel preciso momento, pensava a loro. Appoggiata sul tavolo degli esperimenti stava riflettendo su come avrebbe potuto liberarli. La notte nel laboratorio era trascorsa discretamente: dopo aver mangiato pane, formaggio e cioccolata, i ragazzini si erano addormentati sistemandosi alla meglio.

Dodo e Fiore, vicino al caminetto, stavano ancora nel mondo dei sogni, mentre Roxy era sveglia da un pezzo e accarezzava Platone e Adone, intenti a leccare due ciotole colme

di latte. Cesco, invece, era seduto sullo sgabello e chiacchie-
rava con il vaso Quandomio.

Nina si avvicinò al Systema Magicum Universi, vi posò la
mano con la stella e il Libro si aprì subito.

«Libro, aiutami a liberare Ljuba e Carlo».

Nulla si può fare
per poterli liberare.

«Come nulla?» chiese arrabbiandosi la ragazzina.

Anche i genitori dei tuoi amici
stanno vivendo momenti infelici.

A questa risposta, Cesco e Roxy reagirono male: «I nostri
genitori? Sono in carcere?». Nina li guardò amareggiata e
chiese spiegazioni al Libro.

«Sono in prigione?»

In Tribunale stanno
e difendersi dovranno.
Anche per loro non posso dare aiuto
e non pensare che sia un rifiuto.
Altre cose devi affrontare
calmati e la testa fai funzionare.

«Che cosa? Vuoi che stia calma? Ma come fai a chiedermi
questo?» iniziò a gridare Nina.

Disperarsi proprio non va bene
perché ti porterà a nuove pene.
L'ultima lettera del nonno devi ricordare
solo se hai Coraggio puoi lottare.

Nina ripensò alle parole di nonno Misha e guardando i suoi amici allargò le braccia e disse:

«Vorrei tanto poter fare qualche cosa per i vostri genitori, per Meringa e il giardiniere. Ma ora non posso. Il Libro mi dice che non è il momento. Mi capite? Mi perdonate?».

Roxy abbassò la testa e non rispose. Cesco la fissò e pronunciò un timido "Sì". Fiore e Dodo, che si erano svegliati, si alzarono e le strinsero la mano.

Il Libro si chiuse lasciando i ragazzini tristi e confusi.

Gli oggetti parlanti non fiatarono, così come Platone e Adone che si misero a cuccia.

«Nina, pensi che Karkon farà del male a mia mamma?» disse Fiore, con gli occhi lucidi.

«Non lo so. Spero tanto di no» la giovane alchimista abbracciò forte la sua amica e Dodo scoppiò a piangere.

Roxy, che faceva sempre la dura, si girò verso il muro e scoppiò in mille singhiozzi.

«Possibile che non ci sia nulla da fare? Eterea avrà pure una soluzione da darci! D'altra parte noi stiamo correndo gravi rischi per poter salvare la Sesta Luna e dunque i Maghi Buoni di Xorax dovrebbero darci una mano» sbottò Cesco, convinto delle sue ragioni.

Nina, sconsolata, gli rispose: «Possiamo anche provare a contattare Eterea ma credo che a questo punto dovremmo arrangiarci da soli. La Grande Madre Alchimista mi ha avvisato che per il Quarto Arcano la strada sarebbe stata molto difficile e poi il nonno...».

Cesco la interruppe: «Già, il professor Misha saprebbe cosa fare. Ma non capisco perché non manda un'altra lettera».

«Potremmo diventare invisibili e liberare i nostri genitori» propose Roxy tirando su il naso.

«E in questo modo potremmo anche aiutare Ljuba e Carlo» aggiunse Fiore.

Ma la bambina della Sesta Luna alzò le spalle: «Se il Libro ha detto che non si può fare nulla, io ci credo. Altrimenti ci avrebbe dato una soluzione. Lo ha sempre fatto!».

Le ore passarono lente e i ragazzini si sentivano inutili e soli. Fuori dalla Villa le guardie continuavano a piantonare e, ogni sei ore, si davano il cambio. La vigilanza era perfetta!

L'aria di primavera soffiava sottile e tiepida, sugli alberi spuntavano le prime foglie verdi, le rose erano pronte a sbocciare e i ciuffi d'erba selvatica spiccavano tra le pietre e i sassi del viale. La bella stagione invitava a uscire all'aperto, ma i cinque giovani alchimisti non potevano certo andare a giocare nel parco, nei loro cuori c'era tanta tristezza che tingeva il cielo azzurro rendendolo torvo e grigio ai loro occhi.

Prigionieri. Segregati. Questa era la loro condizione. Una situazione che doveva al più presto cambiare per il bene di tutti.

Alle tre del pomeriggio Karkon era rientrato a Palazzo Ca' d'Oro con il suo nuovo allievo che si era subito tolto gli abiti da boia. Il Conte entrò nel Laboratorio K e fece accomodare l'allievo su una sgangherata sedia. Tirò fuori il suo nuovo Quaderno Rosso e leggendo con calma disse: «Formule, magie potenti, sostanze e liquidi, incantesimi mortali. Possibile che nulla riesca a intrappolare quella stupida bambina!».

«Io posso farlo!» esclamò l'allievo.

«Voi potete? Pensate davvero di essere più bravo e potente di me?» lo interruppe Karkon alterato.

«Fatemi provare. Posso creare una sostanza invincibile» spiegò tenendo bassa la voce il giovane uomo.

«Invincibile? Solo l'Alchimia del Buio è infallibile!» ribatté con arroganza il Conte.

«Creerò l'Accia Peciosa. E poi vedrete» rispose l'allievo alzandosi dalla sedia.

«Accia Peciosa? E a cosa serve?» chiese il Magister Magicum fissandolo negli occhi.

«Questa sostanza sarà veramente importante per la cattura di Nina. È una gelatina immobilizzante» svelò l'allievo dandosi delle arie.

«Una gelatina immobilizzante! Geniale! Ma quando e dove la vuol usare?» Karkon diventò curioso.

«È composta da Acciaio Brunato e Pece Formicola. La composizione sembra simile alla pellicola viola che lei, egregio Conte, ha già usato. Vero?» il giovane si sentiva sempre più sicuro di sé.

«Esatto! Vedo che è rimasta impressa nella sua memoria» rispose il perfido mago accarezzando il taccuino.

«Bello quel Quaderno Rosso. Capisco che lei, egregio Conte, abbia dovuto riscrivere i suoi segreti dato che gli Appunti sono nelle mani di Nina».

Karkon alzò gli occhi dalle pagine e fissò l'uomo: «Già. È stata proprio una sciagura che Nina sia riuscita a capire la mia alchimia. Numeromagia e Meccageometria non erano certo facili. E lei lo sa bene. Vero?».

«Sì. Ma presto fermeremo quella mocciosa!» rispose l'allievo che con il volto tirato disse: «Se riuscirò a creare questa formula lei mi darà quello che desidero?».

«Certo. Tutto quello che vuole. Il patto che lei ha firmato lo diceva chiaramente. E poi lei ora vive qui con me. È diventato un allievo preziosissimo. Ho bisogno del suo aiuto. Ma caro amico mio, non cerchi di fregarmi. Altrimenti la sciolgo nell'acido!» rispose Karkon digrignando i denti marci.

«Si fidi di me. Quando le avrò dimostrato che sono un alchimista potentissimo lei mi farà diventare ricco e allora io potrò raccontarle tante cose su Nina» le parole dello strano personaggio allarmarono il Conte.

«E perché non me le dice subito. Sa bene che bisogna incastrare la nipote del professor Misha al più presto. Perché mi nasconde cose utili alla sua cattura?» Karkon impugnò il Pandemon e lo puntò sul nuovo allievo.

«Calma, calma. Si rilassi. Mi faccia creare l'Accia Peciosa e poi continueremo la discussione» lo frenò l'uomo, che si sedette all'istante.

Karkon mise in tasca il Pandemon e il Quaderno Rosso, ma prima di uscire dal laboratorio disse: «Tornerò domani. E mi auguro che lei abbia realizzato la formula».

Il Conte se ne andò a passo veloce ed entrò in Infermeria per controllare Andora.

Trovò Alvise e Barbessa indaffarati: «Signore, tutto procede bene, il Magma Zolfato è a posto, i circuiti sono in ordine ma non capiamo come mai Andora non si svegli».

L'androide era immobile. Udiva tutto e capiva perfettamente ogni cosa. Avrebbe tanto voluto sferrare un pugno al Conte ma si trattenne. La sua tattica era perfetta e presto Karkon l'avrebbe vista all'opera senza sospettare nulla.

Il Magister Magicum appoggiò la mano sul volto di Andora e con le dita le sollevò le palpebre: «Manca poco. Ha solo bisogno di riposo. La Vasca Rigenerante è un tocca sana». E così dicendo diede una pacchetta sulla testa pelata dell'androide e rivolgendosi ai due gemelli con la K disse: «Con Andora e la nuova formula che sta creando il giovane allievo penso proprio che leveremo di torno per sempre la piccola streghetta».

«Nuova formula?» chiese Barbessa.

«Sì, l'Accia Peciosa. Lasciate l'allievo tranquillo a lavorare. Voi pensate ad Andora» e così dicendo se ne andò in Refettorio.

Visciolo aveva preparato una tisana alla Menta Amara e la stava servendo al capo delle guardie che attendeva di parlare con Karkon. Ma non erano certo belle le notizie che doveva dare. «Conte...ehm.. oppure preferisce che la chiami sindaco?» chiese sorseggiando l'insolita bevanda.

«Mi chiami pure Conte, sindaco lo sono solo in via temporanea. Anche se lo diventerò in modo definitivo molto presto» rispose ridacchiando.

«Bene, signor Conte, purtroppo di Nina De Nobili non c'era traccia! Stiamo sorvegliando notte e giorno Villa Espasia ma la ragazzina non è mai rientrata» spiegò alzandosi in piedi.

Karkon prese la tazza colma di tisana bollente e gliela gettò in faccia: «Siete degli incapaci! Possibile che non riusciate a trovare una mocciosa?».

L'uomo impallidì e, con il volto grondante di tisana, si mise sull'attenti senza fiatare.

«Dovete trovarla! È un ordine!» gridò il Conte andandosene infuriato. Uscì dal Palazzo in preda all'ira e si avviò verso il Tribunale.

Quando entrò nell'Aula vide che i dieci consiglieri comunali e i giudici erano già pronti a mettere nuovamente sotto torchio i genitori dei quattro ragazzini della Giudecca. L'interrogatorio durò per più di cinque ore e dopo i continui pianti delle madri e la disperazione dei padri, il presidente del Tribunale stabilì che potevano tornare a casa. Ma a un patto: che trovassero al più presto i figli e li consegnassero immediatamente alle guardie!

Karkon aveva suggerito al giudice l'idea di liberare i genitori perché, così facendo, i ragazzini sarebbero tornati a casa. Solo in questo modo potevano essere acciuffati senza problemi. La madre di Fiore era quella che stava peggio, continuava a svenire e non voleva più mangiare, il padre di Cesco ebbe un collasso e stette a letto per giorni e giorni. Il dolore per la scomparsa dei figli e per il loro ignaro destino stava distruggendo le quattro famiglie. Una cosa sola era di buon auspicio: tutti i bambini veneziani e soprattutto i compagni di classe di Cesco, Dodo, Roxy e Fiore avevano iniziato a odiare Karkon! Parecchi cominciarono a chiedersi chi mai fosse stata Andora: il nome di questa donna "sconosciuta" inciso sulla bara di LSL non era certo passato inosservato.

Inoltre i sospetti sul falso orfanotrofio di Palazzo Ca' d'Oro si fecero sempre più forti. A scuola moltissimi studenti iniziarono a scrivere temi sulla magia e sulla libertà.

I professori si allarmarono a tal punto che informarono lo stesso Karkon, il quale, però, non si degnò neppure di dar udienza al preside. Il Conte sottovalutava l'importanza dei pensieri dei bambini e, forse, questo era stato un bene.

I ragazzini veneziani iniziarono una Rivoluzione Silenziosa contro il Male, in attesa che Nina e compagni ritornassero a farsi vivi. Solo con la forza del pensiero riuscivano a combattere la perfidia di Karkon Ca' d'Oro e dei suoi seguaci. La Rivoluzione Silenziosa era il primo importante segno che i tre Arcani conquistati da Nina stavano già funzionando. Ma per liberare totalmente i pensieri dei bambini e salvare Xorax serviva il quarto: l'Arcano più difficile da scovare.

Erano passate da poco le otto di sera, il Conte era rientrato a Palazzo con la certezza di avere in pugno Nina e la sua banda, in un paio di giorni. Alvise e Barbessa stavano sbirciando ciò che faceva il nuovo allievo del Magister Magicum nel Laboratorio K.

«Secondo te ce la farà a realizzare l'Accia Peciosa?» chiese Barbessa al suo gemello.

«Non lo so. Mi sembra bravo. Speriamo che con il suo aiuto e con la rinascita di Andora la situazione migliori» rispose Alvise guardando lo strano personaggio che stava mescolando le sostanze alchemiche.

«Se Irene, Gastilo e Sabina fossero ancora vivi non ci sarebbe stato bisogno neppure di lui» aggiunse Barbessa con una punta d'invidia e di amarezza.

«Già. Ma abbiamo bisogno delle sue conoscenze magiche. E quando Andora si sveglierà saremo talmente forti che nessuno riuscirà più a fermarci» disse Alvise abbracciando la sorella.

«Mi mancano molto i nostri tre amici. Irene, poi, era proprio simpatica» continuò Barbessa, commossa.

«Hanno fatto una fine orribile. Polverizzati dal Kabitus Morbante! Pazzesco! Sono morti per colpa di Nina» disse Alvise pestando i pugni sul muro dalla rabbia.

Un rumore li distolse: i gemelli udirono dei passi, si girarono e videro arrivare il Conte.

«Che fate qui? Spioni! Sciò, sciò, tornate a controllare Andora» Karkon diede due pedate ai giovani androidi che in fretta risalirono le scale.

Il Conte si fermò davanti alla Stanza della Voce. Il ricordo dell'ultima lotta del monaco contro Nina lo riempì di nuova rabbia. Nemmeno con il Kabitus Morbante, la polvere verde infettante, aveva bloccato la streghetta. Gli occhi s'illuminarono d'odio: «Se nessuno riuscirà a scovare Nina, allora sarà la Voce a portarla da me! E stavolta non dovrà fallire!».

Il monaco era dunque pronto ad agire ancora una volta. La Voce poteva entrare nei sogni di Nina senza bisogno di sapere dove la ragazzina si trovava. Con la forza del pensiero e dell'illusione mentale il monaco aveva dunque la possibilità di trascinarla nell'Alchimia del Buio e strapparla per sempre dal mondo di suo nonno Misha.

Karkon decise di non entrare nel laboratorio K, il misterioso allievo stava lavorando tranquillo, aprì dunque la porta della Stanza della Voce e s'infilò dentro.

Un nuovo e terrificante piano stava per compiersi.

In quell'istante, nel laboratorio segreto, Nina e i suoi amici erano piuttosto indaffarati. Tra piatti di plastica sporchi e avanzi di cibo, il laboratorio della Villa sembrava ormai un luogo invivibile. Roxy iniziò a fare pulizie, Fiore mise in ordine la frutta e biscotti mentre Dodo si affrettò a preparare dei panini con le ultime due confezioni di prosciutto. Le scorte alimentari stavano finendo.

Nina e Cesco scesero nell'Acqueo Profundis, sperando che Max risollevasse loro il morale. Ma anche il buon androide era alquanto depresso. Il pensiero che Andora fosse ancora nelle mani di Karkon lo rendeva nervoso e intrattabile. L'atmosfera era dunque tristissima e Nina non sapeva proprio che cosa fare. Tutto faceva pensare che la liberazione di Ljuba e Carlo e la ricerca dell'ultimo Arcano fossero ancora molto lontane.

La notte arrivò in fretta e i cinque ragazzini si sistemarono per terra accanto al caminetto. Dodo spense le candele, ma, appena chiusero gli occhi, il Systema Magicum Universi s'illuminò e dal foglio liquido uscì un grande mattone sul quale erano impresse parole scritte nel linguaggio di Xorax. Quando il mattone si posò sul tavolo degli esperimenti i ragazzini si avvicinarono e lessero insieme:

La traduzione fu immediata, Cesco ripeté ad alta voce:

«Le cifre non guardare, solo le lettere devi contare. Dentro il Vaso non andare, lì ci va solo il Male».

I ragazzini rimasero come dei baccalà. Immobili e confusi.

«Ma che significa?» disse Fiore guardando il mattone.

«Nina, tu hai capito?» chiese Cesco grattandosi in testa.

«No. Non ci capisco niente» rispose la giovane alchimista rileggendo le frasi.

Gli oggetti parlanti, senza alcun motivo, iniziarono a ripetere ossessivamente le parole scritte sul mattone.

Nina si avvicinò al tavolo degli esperimenti e li guardò esterrefatta: «Ma voi sapete cosa significa?».

Gli oggetti ripeterono ancora le stesse frasi ma non diedero spiegazioni. La situazione era veramente strana. Gli oggetti parlanti sembravano impazziti.

Roxy, dal nervoso, prese per il collo la bottiglia di Vintabro Verde e scuotendola urlò: «Ma che significano queste frasi scritte sul mattone? Perché non bisogna guardare le cifre ma soltanto le lettere? E poi, dov'è il Vaso del Male?».

Cesco le strappò di mano la bottiglia: «Ferma! Se dicono così un significato ci sarà».

«E co... co...come fa... fa... fa...facciamo a scoprirlo?» chiese Dodo rannicchiandosi vicino alla Piramide dei Denti di Drago. Nina mise la mano sul foglio liquido e interpellò il Systema Magicum Universi.

«Libro, che significato hanno le frasi scritte sul mattone?» chiese, nella speranza di una risposta immediata.

L'enigma tu sola risolverai
e son certo che ce la farai
Un vaso di vetro viola dovrai usare
ma a tre stanze attenta dovrai stare

«Tre stanze?» ripeté Nina.

Nigredo, Rubedo e Albedo.

«Che cosa sono?» domandò sbalordita la ragazzina.

Sono tre ingressi a mondi diversi. Ognuno è pericoloso.

«Capisco. Ma io in quale stanza devo entrare?»

Nulla di più ti posso dire
perché stavolta il rischio è di morire.
È una prova dura quella che ti aspetta
fatti forza e non avere fretta.
Io sono il tuo Libro Parlante
e ti ordino di dormire all'istante.

Il Systema Magicum Universi si chiuse lasciando Nina piena di dubbi e domande. Cesco si avvicinò e disse: «Una prova dove rischi di morire. Questo ha detto il Libro».

«Sì. E da quello che capisco sarò da sola. Voi non ci sarete» rispose la giovane alchimista abbassando la testa.

«Io ci sa... sa...sarò» esclamò subito Dodo.

«Certo, non ti lasceremo sola» dissero Roxy e Fiore.

«Grazie, amici. Ma credo proprio che dovrò cavarmela senza di voi. Vorrei capire in quale stanza dovrò entrare. Nigredo, Rubedo e Albedo... non ho mai letto nulla su questi mondi alchemici» Nina era molto preoccupata e prese una decisione. «Il Libro mi ha ordinato di dormire ma io devo sapere. Devo capire. Andiamo nella Sala del Doge e cerchiamo tra i libri di Birian Birov e Tadino De Giorgis se ci sono spiegazioni» così dicendo mise la sfera di vetro nella conca e aprì la porta del laboratorio.

Con le candele in mano i cinque amici uscirono in punta di piedi. Nella Sala del Doge non c'erano finestre e quindi non correvano il rischio che le guardie li scoprissero. Ma bisognava fare attenzione: ogni minimo rumore sarebbe stato fatale. Adone e Platone rimasero sulla porta del laboratorio a guardare la scena. Appena gli amici iniziarono a sfogliare i libri, gli oggetti parlanti che erano rimasti sopra il tavolo degli esperimenti ricominciarono a ripetere ad alta voce la frase scritta sul mattone.

«Ssss… sssss. Zitti! State zitti! Altrimenti arrivano le guardie» sussurrò Nina ma la vaschetta, la ciotola, il vaso e la bottiglia continuarono imperterriti.

«Rientriamo in laboratorio. Non si può restare qui. È troppo pericoloso» Fiore era agitata.

«Sì… sì… dobbiamo farli smettere. Quegli oggetti sono proprio antipatici» aggiunse con rabbia Roxy.

Nina guardò rassegnata Cesco e Dodo. In pochi secondi rientrarono nel laboratorio mentre gli oggetti continuavano a parlare come se niente fosse.

L'orologio segnava ormai le 22,39 minuti e 40 secondi, gli oggetti parlanti non la smettevano e i cinque ragazzini erano disperati. Nina guardò sulle mensole e afferrò due pezzi di Sughero Certis, poi si tappò le orecchie. Anche gli altri fecero lo stesso e solo due ore dopo riuscirono a prendere sonno. La bambina della Sesta Luna si addormentò così come aveva ordinato il Libro. Con il pensiero fisso sulla misteriosa prova che doveva superare chiuse gli occhi sperando di vincere anche questa sfida.

Ma l'incubo della Voce della Persuasione tornò nei suoi sogni. Il piano di Karkon si stava attuando.

La coltre rossa avvolse la mente della giovane alchimista, appisolata con fatica sotto il tavolo degli esperimenti, accanto ai suoi amici che, ovviamente, non si resero conto di ciò che le stava succedendo.

La ragazzina si ritrovò davanti al solito inquietante castello delle tre Torri. Questa volta non udì musiche né rumori. Il silenzio regnava sovrano.

Il grande portone si aprì cigolando e davanti a Nina apparvero cinque lucciole. Volavano nell'atrio buio e tetro del castello emanando flebili luci dai loro corpi. Come piccole lanterne volanti segnarono il percorso che Nina doveva fare. La ragazzina le seguì, andò dritta verso la scala che portava alla Prima Torre. Salì i gradini di marmo rosso e vide le lucciole formare un cerchio nell'aria: sospese come lampadine si fermarono davanti a una porta che si aprì improvvisamente. Il cerchio luminoso riprese a girare vorticosamente e al suo interno apparve una linea arancione fluorescente. Il respiro di Nina si fece più affannoso, guardò la stella che aveva sulla mano: nerissima. Il pericolo era vicino!

Controllò nelle tasche e sentì di avere il bastoncino Verus che i Maghi Buoni di Xorax le avevano inviato: «Perfetto. Appena vedrò il monaco glielo getterò addosso, così lo annienterò!» pensò fissando le lucciole.

La linea arancione si mosse come un'onda e lentamente diventò sempre più grande fino a riempire il cerchio luminoso. Le lucciole scomparvero, la massa fluorescente rimase sospesa nell'aria e iniziò a pulsare come se fosse materia viva.

Una forza misteriosa attirò Nina che, senza accorgersene, si ritrovò dentro al cerchio. Ingoiata da una magia!

Sentì la mente scoppiare e un fischio potentissimo irruppe nelle sue orecchie. Quando riaprì gli occhi si trovò al centro della Prima Torre. Una stanza enorme, con le pareti arancioni e molli. Il soffitto era composto da strane travi di legno nelle quali erano conficcati migliaia di chiodi arrugginiti. Le finestre erano piccole e di forma quadrata, incorniciate da bordi di vetro giallo e verde. Nessun pavimento: Nina camminava sul nulla. Già, i piedi si appoggiavano sopra il...VUOTO PIENO!

Non c'era vento, non c'erano profumi, non c'erano candele. La giovane alchimista era entrata nella Torre più misteriosa del castello della Voce.

Dal fondo della stanza vide arrivare il monaco.

Con il solito cappuccio abbassato e la tunica lunga fino a coprirgli i piedi, la strana creatura karkoniana avanzò lentamente. In mano aveva un vaso di vetro viola, piuttosto grande.

Quando la Voce arrivò a pochi passi da Nina si udì un leggero crepitio proveniente dal soffitto. La ragazzina guardò in alto e vide che i chiodi si stavano allungando. Sembravano sottili tubicini di ferro arrugginito che, scendendo, diventavano sbarre appuntite. La stanza si era trasformata in una gabbia. La bambina della Sesta Luna guardò preoccupata il vaso di vetro viola.

"Ora dovrò stare attenta a quel vaso" pensò mentre i suoi occhi azzurri osservavano tutto con attenzione. Senza perdere la concentrazione continuò a fissare la Voce che le stava venendo incontro.

Il monaco posò il vaso viola sul pavimento di Vuoto Pieno, alzò in fretta il braccio sinistro e i chiodi magici smisero di scendere dalle travi obbedendo al comando.

«Carissima Nina, speravi forse di non incontrarmi più?» disse la Voce, ironica.

«Già. Ma sconfiggerti non è facile, me ne rendo conto. Nella Stanza del Palazzo di Karkon però ti ho dato una bella lezione. Neppure il Kabitus Morbante è riuscito a fermarmi. Ricordi?» rispose Nina, cercando di non far capire al monaco che era terrorizzata mentre, con gesti lentissimi, cercava di estrarre il bastoncino Verus.

«Sconfiggermi? Ma è impossibile! Non te ne sei già resa conto? Credevi di avermi pietrificato usando il Sikkim Qadim, ma il coltello di Oside mi ha fermato solo per pochi minuti. Adesso è giunta l'ora della tua Ultima Scelta» la Voce si levò dall'inesistente pavimento e galleggiò nell'aria.

«Ultima Scelta?» chiese Nina seguendo i movimenti del monaco e aspettando il momento giusto per lanciare il bastoncino alchemico che avrebbe annientato il nemico.

«Sì. L'ultima. E non puoi sbagliare. O entri nel mio mondo e accetti le regole dell'Alchimia del Buio, oppure morirai e la tua anima vagherà per sempre come un fantasma in questo castello inesistente» la spiegazione della Voce spaventò la giovane alchimista.

«Sai bene che non accetterò mai di stare dalla tua parte. L'alchimia di Karkon è perfida. È il Male» disse ad alta voce Nina.

«Vedremo. Sono certo che cambierai idea» e così dicendo il monaco afferrò il vaso e aggiunse: «Dovrai usarlo, questo. Non potrai farne a meno. È un aiuto che ti do. Non è una trappola. Io so quello di cui hai bisogno... hai bisogno di ME!».

«NO! MAI!» gridò Nina fissando il maledetto monaco e il vaso di vetro viola.

«Ora dovrai fare l'Ultima Scelta e affrontare una prova» la Voce si girò dando le spalle a Nina e gesticolando in modo sinistro. La ragazzina tirò fuori il bastoncino bianco e lo lanciò contro il monaco.

La Voce si girò di scatto urlando: «Nigredo! Rubedo! Albedo!».

Il bastoncino Verus fu deviato da un'energia sprigionata dal vaso che lo inghiottì.

«Ora non puoi più colpirmi!» disse il monaco tenendo stretto il vaso.

«Maledetto! Maledetto!» Nina tentò di scagliarsi contro la

Voce, ma si rese conto che i suoi piedi erano bloccati dal Vuoto Pieno.

«Calmati. Io non voglio farti del male. Ti sto aiutando a prendere la strada della Verità Alchemica» il monaco parlava con tono suadente e la giovane nipote del professor Misha sentiva la testa girare come una trottola.

«Dicevo che ora devi affrontare una prova. Preparati» la Voce si spostò verso sinistra e si mise accanto alle piccole finestre quadrate.

«Una prova?» chiese Nina sempre più curiosa.

«Sì… e il vaso ti servirà» rispose il monaco rigirandosi lentamente.

«Dentro quel vaso ora c'è il mio bastoncino Verus e cos'altro?» la ragazzina era in difficoltà, non riusciva a capire cosa doveva fare.

«È il Vaso della Verità. Solo se infilerai la testa potrai sentire le risposte che ti mancano: Albedo, Rubedo e Nigredo sono le parole alchemiche che non conosci» spiegò la Voce avvicinandosi lentamente a Nina.

«Non ti credo! E poi che cosa significano queste tre parole alchemiche?» la bambina della Sesta Luna sentiva una strana attrazione per quel vaso, ma capiva che non doveva cedere alla Voce. Anche se ricordava perfettamente che il Systema Magicum Universi ne aveva parlato, volle sentire la spiegazione del monaco.

«Albedo, Rubedo, Nigredo sono a te sconosciute. E io so perché» ribatté la Voce.

«Perché?» chiese curiosa la ragazzina.

«Perché solo chi vuole sapere la Verità Alchemica le studia. E tuo nonno Misha non era certo in grado di conoscerle» il tono della Voce diventò morbido e convincente.

«No, no. Tu dici solo bugie. Mio nonno sapeva tutto dell'alchimia» fu la reazione di Nina.

«Sbagli. Te lo assicuro. Prima di agire pensa al tuo destino. Pensa che io sono ciò di cui tu hai bisogno» e così dicendo il monaco scomparve dentro il Vuoto Pieno, lasciando il Vaso della Verità accanto alla ragazzina.

I chiodi ricominciarono a scendere dalle travi e in pochi secondi le punte arrugginite furono a meno di venti centimetri dalla testa di Nina. La ragazzina non poteva più muoversi.

D'improvviso apparve davanti a lei una grande scatola di cartone. Fu tentata di allungare le mani per vedere cosa conteneva, ma non fece in tempo a muovere un braccio che la scatola si aprì. Un getto d'acqua viola travolse la ragazzina.

«Ma è acqua che non bagna!» pensò confusa, mentre si toccava gli abiti. Cercò di camminare, ma i piedi erano sempre bloccati, poi, di colpo, una grande lavagna luminosa le si presentò davanti. Sopra c'era scritta una serie di numeri, ogni riga ne conteneva due. Sulla prima c'erano il 5 e il 10, nella seconda il 40 e l'80, nella terza il 4 e l'8, nella quarta il 6 e il 12 e nella quinta il 9 e il 18.

Di fianco alla lavagna c'era una porta, con un meccanismo di apertura simile alla serratura di una cassaforte. Nina allungò le mani e raggiunse lo strano marchingegno, ma la posizione era assai scomoda: con i piedi bloccati poteva sporgersi un po' in avanti e arrivare proprio per un miracolo alla serratura. Cercò di aprire, ma si accorse che bisognava trovare una combinazione.

«Una combinazione! Ma quale?» disse ad alta voce. Poi riguardò la lavagna e la sequenza di numeri. "Dunque 5 e 10, 40 e 80, 4 e 8, 6 e 12, 9 e 18. Sembrano tutte coppie di numeri che si raddoppiano. Insomma i primi numeri moltiplicati per 2 danno il numero seguente. Infatti 5 per 2 fa 10, 40 per 2 fa 80, e così via" pensò la ragazzina.

Nina allora girò il meccanismo facendogli fare 2 scatti. Ma la porta non si aprì. Non era quella la combinazione. Allora provò a girare prima cinque volte a destra e dieci volte a sinistra. Ma nulla. La serratura non si sbloccava.

Più errori faceva e più i chiodi arrugginiti scendevano dal soffitto. Le punte acuminate erano proprio all'altezza della sua testa e lei non poteva far altro che accucciarsi sempre più, tentando di aprire quella maledetta serratura e restando con i piedi bloccati allo stesso posto. Insomma, la situazione non era certo facile e il timore di ferirsi con i chiodi cresceva a ogni attimo.

Provò ancora, ma più ragionava con i numeri e maggiore era il pericolo. Con le gambe piegate e con le mani sulla serratura non sapeva cosa fare.

«Numeri, matematica… forse devo usare i Numeromagi, – si disse bisbigliando – però le strisce trovate nello Zero Nebbioso non le ho con me».

I chiodi scendevano provocandole ansia e terrore e ancora non riusciva a trovare la risposta dello strano e complicato indovinello.

Disperata, cercò di concentrarsi al massimo e fortunatamente l'intuito le venne in aiuto. Ricordò che gli oggetti parlanti avevano ripetuto in modo ossessivo: «Le cifre non guardare, conta le lettere». Una frase all'apparenza sciocca e priva di logica ma…

«Per tutte le cioccolate del mondo! Gli oggetti avevano ragione. Forse non è la matematica che devo usare ma contare le lettere. Le lettere dei numeri: c-i-n-q-u-e è composto da 6 lettere, d-i-e-c-i è composto da 5 lettere…»

Nina aveva forse capito l'indovinello della Prima Torre?

Afferrò la serratura e girò facendo sei scatti e poi cinque, (il 5 e il 10 erano fatti), poi ancora otto scatti e subito dopo sette (40 e 80). E così via.

Quando arrivò al numero 18 e fece fare gli ultimi otto scatti la porta si aprì e i chiodi finalmente si fermarono.

"Ancora un errore e sarei morta infilzata!" pensò, grondando di sudore. La bambina della Sesta Luna si ritrovò così davanti a tre stanze: la prima aveva le pareti grigie e nere e sul pavimento era incastonata una lastra di piombo con incisa la parola "Nigredo". La seconda stanza era di colore rosso e sulla parete di fronte spiccava una targa di stagno con scritto "Rubedo". La terza era una sala con le pareti completamente bianche e dal soffitto scendeva una catena d'argento alla quale era appesa una sfera d'oro con inciso "Albedo".

Nina le osservò tutte e tre chiedendosi in quale doveva entrare. Il vaso di vetro viola della Voce, dov'era finito il bastoncino Verus, si levò dal pavimento inesistente e si posò davanti alla ragazzina. La tentazione di infilare la mano dentro e riprendere il bastoncino fu fortissima, ma Nina sapeva bene che usare il vaso significava accettare l'Alchimia del Buio. Dalla bocca del vaso si sprigionò un fascio di luce violetta e riapparve la Voce.

«La prima parte dell'enigma hai superato. Ora prendi il vaso ed entra in una di queste stanze. Finalmente scoprirai la Verità dell'Alchimia. Ascolta le mie parole… io sono ciò di cui tu hai bisogno» il monaco allargò le braccia e tenendo il cappuccio abbassato urlò: «VAI! ADESSO!».

La Voce entrò come un'onda violenta dentro le orecchie di Nina e le vibrazioni scossero tutto il suo corpo. La ragazzina non riusciva più a controllare i movimenti: prese il vaso e si diresse contro la sua volontà verso la Stanza Nigredo. Chiuse gli occhi e cercò di non cedere alla forza della Voce. Irrigidì tutti i muscoli e riuscì a cambiare direzione. Barcollando si ritrovò davanti alla Stanza Rubedo. Il Vaso della Verità iniziò a diventare caldo, bollente. Nina avrebbe voluto mollarlo a terra ma non riusciva a staccare le mani, e le sue dita bruciavano come fossero state dentro le fiamme.

La giovane alchimista urlò dal dolore e si gettò sul pavimento di Vuoto Pieno. Rotolò verso destra e finì proprio sulla soglia della Stanza Albedo.

Non ce la faceva più. La forza della Voce la trascinò dentro la camera bianca. La ragazzina si ritrovò dentro una nuvola di vapore. Le mani non le bruciavano più, il vaso di vetro viola aveva smesso di scottare. Nina alzò gli occhi e vide la sfera d'oro appesa alla catena d'argento che girava come un pianeta. La sfiorò e quel tocco leggero bastò: le pareti scomparvero, così come il vapore. Nina si ritrovò dentro un bosco: erba verde e profumata, alberi grandi e bellissimi, fiori colorati e spruzzati di fresca rugiada.

«Fantastico! Ma dove sono finita?» esclamò sorpresa, sempre con il vaso stretto tra le mani.

Raggi di sole illuminavano lievemente la vegetazione e piccole farfalle volteggiavano allegre mentre il canto degli usignoli si spargeva per tutto il bosco. Nina vide qualcosa muoversi dietro un cespuglio, con timore si avvicinò e scostò le foglie.

«Buongiorno. È proprio un Buon Giorno sai?» le disse una splendida volpe bianca.

«Oh! Una volpe che parla?» la giovane alchimista allargò le braccia e sorrise.

«Mi chiamo Ma. Sì, sì, il mio nome è Volpe Ma. Tu sei Nina, vero?» continuò il buffo animale, agitando la morbida coda.

«Volpe Ma? Ma che nome è Ma?» chiese ridendo la giovane alchimista.

«Ma è un bel nome! Non ti piace?» rispose la volpe dondolando la testa.

«Be', sì, insomma... come mai sai chi sono io? Mi aspettavi?

Sei amica della Voce?» Nina era dubbiosa, d'altra parte il monaco le aveva detto che l'avrebbe fatta entrare nel mondo dell'Alchimia del Buio. Era entrata nella Stanza Albedo contro la sua volontà e quel bosco e quella volpe erano certamente delle trappole per trascinarla verso il Male.

«So chi sei perché è ovvio. Io so tutto…o quasi. E io non ho amici. Quindi non preoccuparti, il monaco che ti perseguita non lo frequento» la spiegazione della volpe fu molto chiara, anche se Nina rimase scettica.

«E come mai mi trovo qui? Dove siamo?» chiese la ragazzina guardandosi attorno.

«Sei qui perché hai superato l'indovinello della serratura. Sei stata brava. Sei entrata nell'Albedo e hai fatto la scelta più giusta. Ora sei salva» la volpe mosse in fretta la bocca e guardò Nina con i suoi grandi occhi rosa.

«Salva? Allora posso tornare dai miei amici. Posso svegliarmi e tornare alla realtà» Nina chiuse gli occhi in attesa di ritrovarsi nel laboratorio della Villa. Ma non accadde nulla.

«Tornare alla realtà? E perché mai? Si sta così bene qui» disse la volpe bianca saltellando in avanti.

«Ehi, fermati, dove stai andando?» Nina la rincorse, però Ma correva più veloce di lei.

«Forza raggiungimi. Ti condurrò in un bel posto» la Volpe Ma con quattro salti attraversò un fiumiciattolo senza problemi.

Nina guardò la stella sulla mano: era ancora nera!

«No, non ti seguo. Non mi fido di te» disse restando ferma.

La Volpe Ma scomparve tra gli alberi e dopo pochi secondi Nina udì un grido straziante. D'istinto corse verso il fiumiciattolo, lo attraversò e vide che la volpe era stata aggredita da quattro millepiedi giganti.

«Aiutami! Ti prego! Questi sono Sprotti» gridò Ma.

Pelosi, con due denti aguzzi, senza occhi e con il naso a

patata, i grigi millepiedi stavano mordendo la povera volpe bianca. Nina raccolse una manciata di sassi e li lanciò contro gli Sprotti. Ne colpì uno. Ma gli altri tre continuarono ad affondare i denti sulla pancia e sul muso di Ma. Il candido pelo della volpe era diventato rosso del sangue che fuoriusciva dalle ferite.

«Usa il Vaso della Verità. Usa l'alchimia. Aiutami» urlò la bestiola che ormai stava soccombendo.

Nina non perse un secondo, infilò la mano con la stella dentro il vaso viola e tirò fuori il bastoncino Verus: era l'unica cosa che poteva fare per salvare Ma.

Senza pensarci un attimo lo lanciò colpendo gli Sprotti che bruciarono all'istante.

Una fumata viola e degli Sprotti rimase solo una grande puzza di marcio e qualche dente sparso per terra. Il cielo azzurro diventò arancione, gli alberi e le foglie si rinsecchirono, i petali dei fiori caddero uno a uno e al posto delle farfalle apparvero decine di corvi.

Nina guardò la volpe. Era in piedi, più sana che mai. Con le orecchie dritte e la coda alta annusava soddisfatta la puzza lasciata dagli Sprotti.

Nina era allibita. Non capiva che cosa stesse succedendo. Ma il bastoncino Verus non aveva fatto null'altro che mostrare la vera natura di quell'animale e di quel luogo.

La volpe balzò avanti e, quando fu a pochi centimetri dalla ragazzina, aprì la bocca.

«Sono la Volpe Ma... e sei caduta in un altro tranello. Il tuo buon cuore ti ha tradito. Ora non hai più armi contro la Voce. Il bastoncino Verus l'hai usato per salvare me. Sciocca! Sciocca bambina!» l'animale avvicinò il muso al viso di Nina. Gli occhi rosa diventarono rosso fuoco e il pelo bianco iniziò a diventare ispido e nero.

«Maledetta!» riuscì a dire Nina prima di mettersi a correre

come una forsennata. Il bosco era diventato una palude e la ragazzina cercava di non cadere nelle sabbie mobili e nelle pozze d'acqua infetta.

«Sono la Volpe Ma… Ma… Malvagia! Ora lo sai!» sbraitò la bestiaccia che si stava via via trasformando in un mostro.

Nina correva e piangeva, voleva tanto svegliarsi da quell'incubo ma non ci riusciva. Era preda della Voce. Entrata nel suo Mondo, non sapeva più come uscirne. Afferrò un ramo lo tenne in pugno. Inseguita dalla Volpe Malvagia, cercava una via d'uscita. Nel girarsi indietro per guardare se il mostro la stava raggiungendo finì dentro una buca. Solo la testa rimase fuori, all'altezza del terreno.

Si divincolò, cercò di sollevare le braccia ma lo spazio della buca non glielo consentiva.

La Volpe Malvagia era davanti a lei.

Ferma.

Seduta.

Con gli occhi indiavolati e la bava alla bocca.

«Scansati!» esordì il monaco che si materializzò accanto alla mostruosa creatura.

La Voce ce l'aveva fatta! Nina era inerme e nulla e nessuno poteva più aiutarla.

«Ecco dunque arrivata la tua ora. È la tua Ultima Scelta. O morire o accettare l'Alchimia del Buio!» disse il monaco spingendo indietro la volpe.

Nina guardò la Voce e abbassando lo sguardo rispose: «D'accordo. Fammi uscire da questa buca. Accetto le tue condizioni».

Il monaco prese il vaso di vetro viola ed esultò: «Finalmente! Karkon sarà fiero di me. Ora dovrai mettere la tua testa dentro questo vaso. Solo così i tuoi pensieri alchemici saranno imprigionati».

Nina sentì la terra sciogliersi e lentamente il suo corpo fu nuovamente libero. Ma non appena la Voce della Persuasione le diede una mano per uscire dal buco, la ragazzina alzò il grosso ramo che aveva ancora in pugno e colpì il monaco.

La Volpe Malvagia fece per aggredirla, ma Nina riuscì a colpirla alle zampe posteriori facendola cadere all'indietro. Con un gesto rapido prese il vaso e lo infilò in testa alla Voce. Il monaco venne risucchiato come se il suo corpo fosse fatto d'aria.

Nina richiuse con sassi e terra il malefico contenitore di vetro e la Volpe Malvagia si sbriciolò come fosse di carta.

Un vento gelido spazzò via il paesaggio.

«Un'illusione! Il Mondo della Voce era dunque solo un'illusione!» esclamò la nipote del professor Misha, che finalmente aveva sconfitto il monaco karkoniano.

La bambina della Sesta Luna chiuse gli occhi e stringendo il vaso pensò ai suoi genitori, ai suoi amici, a Ljuba e Carlo.

«Voglio tornare alla Villa. Voglio svegliarmi» pensò intensamente e il suo pensiero la portò via dal Mondo Buio. Via, da quel luogo dove illusione e realtà si erano mescolate per servire il Male.

CAPITOLO QUINTO

I sette denti
del Drago Cinese

Uno, due, tre colpi di tosse. Occhi sbarrati e respiro ansimante. Nina alzò la testa dal pavimento del laboratorio e, nel buio, andò a sbattere contro il tavolo degli esperimenti.

Era l'alba e nessuno dei suoi amici si era ancora svegliato. Tutti avevano ancora nelle orecchie i pezzi di Sughero Certis ma per fortuna gli oggetti parlanti, dopo ore e ore passate a ripetere la frase enigmatica, avevano finalmente preso sonno.

Adone scodinzolò felice e Platone si fece le unghie su un pezzo di legno mentre Nina si riprendeva lentamente dal terribile incubo nel quale aveva sconfitto il monaco.

Appena la ragazzina si alzò in piedi, vide accanto a sé il Vaso della Verità che conteneva la Voce della Persuasione. Lo prese tra le mani e si assicurò che il tappo fosse sicuro. Guardò dentro e dal vetro viola si vedeva chiaramente una macchia nera in movimento. Era ciò che era rimasto della Voce: la sua essenza malefica.

Platone annusò il vaso e drizzò i baffi, Adone diede una leccata che quasi fece cadere il pre-

ziosissimo oggetto. Nina accarezzò i due animali e disse: «Ve lo affido. Sarete i guardiani del Vaso della Verità. Mi raccomando, nessuno lo deve toccare».

Il gatto alzò la coda e il cane una zampa. Nina sorrise e, per sbaglio, urtò i piedi di Cesco che era steso accanto a Dodo.

«Nina... sei già sveglia? Ma che ore sono?» farfugliò Cesco stiracchiandosi.

«Sono le 6, 10 minuti e 45 secondi» rispose veloce la giovane alchimista guardando l'orologio.

Cesco alzò la testa e vide che Nina aveva delle occhiaie spaventose: «Ma non hai dormito?».

Lei fece una smorfia e mostrò il vaso di vetro viola, poi raccontò cosa le era successo nel sonno. Mentre parlava si svegliarono anche gli altri, la vaschetta di Tarto Giallo zampettò fino ad arrivare al bordo del tavolo degli esperimenti, Roxy accarezzò il vaso Quandomio e Fiore prese tra le mani la ciotola Sallia. Dodo rimasto rannicchiato vicino alla Piramide dei Denti di Drago, ascoltò la terribile avventura vissuta da Nina.

«Hai sco... sco...sconfitto la Vo... vo...ce. Bra... bra...bravissima» disse il ragazzino dai capelli rossi.

«Già. E ora il monaco senza volto e senza ombra è qui dentro» Nina mostrò con fierezza il Vaso della Verità.

«Uno alla volta, ma li elimineremo tutti! Sconfiggeremo anche Karkon» esclamò Roxy mordendo un pezzo dell'ultima focaccia rimasta.

Nina si sedette sullo sgabello, tirò fuori il Taldom Lux e guardando i suoi amici disse: «Temo che stavolta non sarà proprio facile trovare il Quarto Arcano. Ci sono troppe cose che non vanno. Ljuba e Carlo in prigione, i vostri genitori sono sotto torchio, José è scomparso, noi non possiamo uscire e Karkon può usare ancora Andora, l'Alchitarocco Got Malus e i due androidi, il russo Vladimir e il cinese Loui Meci Kian. Vi sembra poco?».

Cesco si aggiustò la felpa e schiarendosi la voce fece la sua proposta: «Certo Nina, hai ragione. Ci sono ancora molti pericoli, ma credo sia arrivato il momento di agire. Non possiamo più rimanere qui dentro. Chiedi al Libro che cosa possiamo fare. Adesso che hai sconfitto la Voce della Persuasione dovrà rispondere».

Gli oggetti parlanti si misero intorno al Systema Magicum Universi e attesero che Nina mettesse la mano con la stella e pronunciasse la domanda.

«Libro, dentro il Vaso della Verità c'è la Voce. Cosa dobbiamo fare?»

Il vaso lascialo stare
c'è uno scrigno che ti devo dare.
Quattro colori lucenti
vedranno i tuoi occhi attenti.
Non aprirlo in fretta
ma fallo nella terra che ti aspetta.

«Uno scrigno? Una terra che m'aspetta?» ripeté Nina.

Il foglio liquido s'increspò e da verde fluorescente diventò prima nero lucido, poi giallo brillante, bianco argento e infine rosso fuoco. I quattro colori si rifletterono sul volto di Nina e il suo sguardo diventò intenso e curioso. Un'onda di acqua solida salì fino al soffitto, prese la forma di una grande chiave antica e rimase sospesa per alcuni secondi. Poi la chiave si sciolse e ridiventò acqua solida, che scese come una piccola cascata dentro il Libro. La musica di un carillon entrò nel laboratorio e sopra il foglio liquido, ancora increspato apparve uno scrigno di goasil, la pietra preziosa della Sesta Luna di color rosa. A quel punto, il Libro riprese a parlare.

La stella ti guiderà
se rossa resterà

e gli oggetti che san parlare
nel viaggio devi portare.
Ora punta il Taldom sullo scrigno
senza pensare a Karkon maligno.
Una fiammata d'oro servirà
per l'incantesimo che vi salverà.

I quattro ragazzini, immobili, osservavano i movimenti di Nina e le magie del Libro. La bambina della Sesta Luna impugnò il Taldom e dal becco del Gughi uscì il fuoco dorato che avvolse lo scrigno come un'aureola. Il Systema Magicum Universi tremò sollevando polvere nera e parlò con voce possente.

Vicina è la tua conquista
sei una brava alchimista.
Fin qui ti ho aiutato
e il mio compito è terminato.
A malincuore devo lasciarti
ma non vorrei abbandonarti.
Sempre il Bene dovrai seguire
ascolta il tuo cuore e non tradire.

«Ma Libro, mi lasci? Perché? Ljuba e Carlo sono ancora in prigione. I genitori dei miei amici sono in pericolo e non so come trovare il Quarto Arcano» protestò la ragazzina, agitatissima. Mai si sarebbe aspettata una risposta del genere dal Libro Parlante.

Andare via è deciso
io eseguo un ordine preciso.

Prima di sparire
le ultime cose devo dire.
Nello scrigno ci sono quattro oggetti
per i tuoi amici prediletti.
Ma si aprirà solo sopra una rosa
e la ricerca del fiore sarà pericolosa.
Poi ricordati di prendere l'ago dal cassetto
il Punginganno servirà per un altro effetto.
Infine quattro denti di Drago
metti in un sacco chiuso con lo spago.
Prendi quarzo e zolfo in quantità
perché contro gli androidi questo servirà.
Segui le mie indicazioni
e arriverai alle giuste destinazioni.

Così dicendo, il Systema Magicum Universi diventò tutto d'argento. Dal foglio liquido uscì un arcobaleno che ruotò intorno alla copertina illuminando la figura del Gughi d'oro. Il Libro Parlante scomparve, lasciando la sua impronta incisa sul tavolo degli esperimenti.

Nina era sconvolta. Senza l'aiuto del Libro non sapeva proprio che cosa fare. L'aveva seguita fin dall'inizio della sua avventura e ora era sparito. Si sentì persa. Portò il Taldom al petto, guardò ampolle e alambicchi e i suoi occhi grandi e azzurri si riempirono di paura e tristezza. Anche i suoi amici erano attoniti. Cesco si aggiustò gli occhiali e scuotendo la testa guardò Dodo che, appoggiato alla Piramide Dragon, tremava e balbettava parole senza senso. Roxy prese la mano di Nina, quella con la stella, e la strinse forte. Anche Fiore si avvicinò alla bambina della Sesta Luna e le accarezzò i capelli.

«Se il Systema Magicum Universi ci ha abbandonati

significa proprio che ora dovremmo cavarcela da soli» disse Nina parlando a fatica.

«Ma come faremo? Noi non siamo ancora degli alchimisti a tutti gli effetti. Forse tu sola, Nina, puoi andare avanti» Fiore era spaventatissima.

«No! Assolutamente no! Non possiamo mica lasciarla qui in mezzo ai guai!» si affrettò a dire Roxy.

«Vor... vor...vorrei rivedere i miei ge... ge...genitori» Dodo era in preda al panico e due grosse lacrime gli scesero sul naso.

«Siamo tutti nei guai! Non possiamo mollare adesso. Forza, prendiamo lo scrigno e andiamo da Max. Forse lui ci dirà cosa dobbiamo fare per iniziare un nuovo viaggio» concluse Cesco, prese per un braccio Nina e la scosse.

«E se non ci riusciamo?» Nina era confusa e temeva il peggio. Il Libro l'aveva avvisata che erano in agguato anche gli androidi karkoniani: il cinese Loui Meci Kian e il russo Vladimir. Per questo doveva portare anche zolfo e quarzo: solo con questi elementi alchemici li avrebbe sconfitti. Ma senza altri consigli del Systema Magicum Universi non si sentiva più sicura. Cesco mostrò il rubino dell'Amicizia Duratura, poi alzò l'indice della mano destra e lo puntò sulla mappa dell'Universo Alchemico appesa sulla parete del laboratorio ed esclamò: «Dobbiamo salvare Xorax. Lo abbiamo promesso».

«Sì. Bisogna liberare i pensieri dei bambini e se ci riusciremo tutti noi saremo liberi. Liberi da Karkon. Liberi dal Male» esclamò Nina che, con il Taldom in pugno, aveva deciso di andare avanti. Aprì il cassetto del tavolo degli esperimenti e prese il Punginganno come aveva detto il Libro. Dodo sollevò il coperchio della Piramide e mise gli ultimi 4 Denti di Drago dentro un sacco e lo chiuse bene con uno spago. Nina si legò i capelli con un nastro rosso, si accucciò sulla botola e pronunciò Quos Bi Los. Ma prima di scendere nell'Acqueo Profundis controllò che i ragazzi avessero preso gli oggetti par-

lanti. Fiore aveva in mano la vaschetta Tarto Giallo, Roxy teneva la bottiglia di Vintabro, Dodo stringeva al petto la ciotola Sallia Nana e il vaso Quandomio. Cesco, con fierezza, mostrò il prezioso scrigno. La bambina della Sesta Luna frugò
nelle tasche e sentì di avere portato tutto, compreso l'ultimo
Alchitarocco Qui Amas e la Scriptante, la penna che le aveva
dato al cimitero Sia Justitia.

«Perfetto. Ho tutto, scendiamo» disse Nina che aveva fretta
di partire, ma il gatto cominciò a miagolare, mentre il cane si
mise seduto accanto al vaso di vetro viola contente la Voce.

«Platone… Adone… Per tutte le cioccolate del mondo!»
esclamò Nina rendendosi conto che non poteva certo farli
scendere nell'Acqueo Profundis.

«E adesso?» chiese Roxy incrociando le braccia.

«Già, adesso cosa facciamo? Mica possiamo lasciarli qui
da soli» aggiunse Fiore accarezzando Platone.

«Po… po… portiamoli con noi» disse Dodo guardando il
muso triste di Adone.

Nina sentì il Taldom Lux tremare dentro la tasca. Lo prese
e vide che gli occhi di goasil da rosa erano diventati bianchi.
Un lieve fumo uscì dal becco del Gughi che subito dopo sputò
un piccolo foglietto.

Cesco lo raccolse e ad alta voce lesse cosa c'era scritto:

«Lasciarli liberi?» dissero in coro i cinque ragazzini.

«Ma è pericoloso. Le guardie li uccideranno a botte» esclamò Fiore, abbracciando il gatto, senza alcuna intenzione di
mollarlo. Nina prese tra le mani il muso del grosso alano:

«Adone, tu sei grande e grosso. Bada anche a Platone» poi
lo baciò sulla testa, prese carta e penna e scrisse un messaggio: "Siamo vivi, abbiate cura di questi due animali".

«Ecco, mettete le vostre firme» disse la ragazzina. Dodo
scrisse il suo nome per ultimo e consegnò il foglietto a Nina
che lo piegò e lo nascose sotto il collare di Adone. In mezzo
ci mise anche il pezzo di carta che aveva trovato nella dependance di José con su scritto: "A...TTO".

«Ma che fai? È un pezzo bruciacchiato e non si capisce
nulla di ciò che c'è scritto» osservò Cesco, ma Nina rispose
che sentiva di doverlo fare. Sentiva che quel foglietto incomprensibile aveva un significato.

«Spero che cane e gatto trovino José. È l'unico che può
salvarli. L'unico che può proteggere i nostri segreti alchemici»
spiegò Nina, molto agitata e gli altri la lasciarono fare.

La bambina della Sesta Luna prese la sfera di vetro e aprì
la porta del laboratorio.

«Uscite. State attenti. Tornerò presto. Torneremo presto»
Nina aveva un groppo in gola e non riusciva più a parlare. Ce-
sco e Roxy diedero le ultime carezze ai due animali mentre
Fiore e Dodo presero le ciotole colme di cibo e le misero fuori.

La porta si chiuse e Nina rimase immobile, con gli occhi
chiusi: «Ho bisogno di te, nonno. Ho bisogno di sapere se tutto
andrà bene» disse sottovoce. Ma quando riaprì gli occhi e
guardò in faccia i suoi amici si rese conto che se voleva rivedere il nonno c'era una sola cosa da fare: trovare l'Arcano del-
l'Acqua e volare su Xorax.

Strinse i pugni e a quel punto Cesco la consolò dicendo:
«Torneremo presto. Lo sai che il tempo serve ma non esiste.

E dunque il nostro viaggio non durerà neppure un secondo. Vedrai, ad Adone e a Platone non succederà nulla».

Nina accettò: «D'accordo, andiamo! Voglio che questa storia finisca presto».

E mentre i giovani alchimisti scendevano nell'Acqueo Profundis, a Palazzo Ca' d'Oro il Conte era già al lavoro.

Nel Laboratorio K il giovane allievo stava ancora trafficando con polveri e liquidi. Per creare l'Accia Peciosa ci voleva un po' di tempo.

«Ancora nulla?» chiese Karkon agitando il mantello viola.

«No. Ma è una questione di ore» rispose l'uomo.

«Ore?» incalzò il Conte.

«Nel pomeriggio avrò finito. Glielo prometto» l'allievo aveva la faccia stanca: per tutta la notte aveva mescolato Pece Formicola e Acciaio Brunato, ma la gelatina immobilizzante non era ancora pronta.

Karkon diede un pugno sul muro e urlò: «La mia pazienza ha un limite. Faccia presto!» poi uscì dal laboratorio e si diresse verso il sottoscala, aprì la porta nera con i bordi rossi ed entrò nella Stanza della Voce. Voleva vedere se il monaco ce l'aveva fatta a imprigionare Nina nel mondo dell'Alchimia del Buio. Ma quando entrò ebbe una bruttissima sorpresa. Il Kabitus Morbante era scomparso. Non c'era più nebbia e gli spettri se n'erano andati. La stanza, perfettamente quadrata, era vuota. Nuda.

Si girò intorno, guardò le pareti e sfiorò il pavimento.

«Voce, dove sei?» gridò in preda al panico.

Ma a rispondergli fu solo l'eco.

L'eco delle sue stesse parole. Uscì come una furia e corse in Infermeria dove trovò Alvise e Barbessa che stavano cambiando l'Acqua Vitae della Vasca Rigenerante. Diede due spintoni e gettò a terra i gemelli, prese in braccio Andora e la mise in piedi.

L'androide aveva sempre gli occhi chiusi e la testa, pelata e lucida, era leggermente piegata sulla spalla sinistra.

«SVEGLIATI! TE LO ORDINO! HO BISOGNO DI TE! ADESSO!» sbraitò il Conte in preda alla rabbia per aver perso la Voce della Persuasione.

Alvise e Barbessa si rialzarono velocemente e, terrorizzati, si appoggiarono con le spalle al muro rimanendo immobili.

Le grida di Karkon allarmarono Visciolo, che si precipitò in Infermeria con la benda dell'occhio mancante ancora in mano.

«Che c'è, mio Signore?» disse aggiustandosi velocemente per non far vedere l'orribile cicatrice.

«La Voce della Persuasione non è più nella sua stanza. È tutta opera di Nina. Quella bastarda è viva e vegeta. Nascosta chissà dove riesce a battermi lo stesso» rispose Karkon fuori di sé. Il Guercio, intimorito per questo, rimase accanto ai gemelli senza dire una parola.

«Solo tu puoi aiutarmi. Capisci?» disse il Conte scuotendo l'androide che non dava segni di ripresa.

«Non è pronta. Andora non è ancora attiva» cercò di spiegare con un filo di voce Barbessa.

«Zitta tu! Cosa vuoi sapere!» la bloccò Karkon.

In quel momento Andora mosse le braccia e alzò la testa.

«VIVA!!! Sì… sì… parlami. Dimmi che sei viva!» esultò il Conte abbracciando l'androide.

«Agli ordini! Pronta. Sono pronta» la voce di Andora era diventata molto metallica. Non assomigliava più a quella della zia di Nina. Anche l'aspetto era meno gradevole. Senza capelli e con la pelle liscia e lucida non aveva più nulla di umano.

Alvise e Barbessa si misero a saltellare in giro per l'Infermeria, Visciolo applaudì e fece un inchino.

«Bene. Allora iniziamo subito. Nina ora ha le ore contate, Non c'è tempo per trapiantarti nuovi capelli. Così sei bellissima» disse Karkon tenendo a braccetto Andora.

La signora di metallo infilò le scarpe e se ne andò con il Conte, guardando i due gemelli con aria soddisfatta. Ma l'android non era certo pronta a eseguire gli ordini del Magister Magicum: i suoi piani erano diversi. Covava una vendetta terribile. Quando Karkon entrò assieme ad Andora nel Laboratorio K per presentargli il nuovo allievo sentì il corpo dell'android irrigidirsi improvvisamente.

«Che c'è? Stai male?» chiese preoccupato il Conte.

«No. Non è nulla» rispose a voce bassa Andora. Ma lei aveva riconosciuto perfettamente l'allievo, sapeva delle sue capacità alchemiche e temeva che scoprisse il suo piano contro Karkon.

«Ecco Andora» esclamò il Conte guardando il giovane uomo che, alla vista dell'android lasciò ferri e alambicchi e rimase immobile dicendo solo una parola: «Piacere!».

«La trovo in forma» disse seria Andora rivolgendosi all'uomo che rispose in modo seccato: «Anche lei mi sembra in salute».

Andora sorrise e schioccò la mascella: «Non mi aspettavo di trovarla qui. Mi ha fatto proprio una sorpresa».

«È vero. Ma la sorpresa me l'ha fatta anche lei, cara Andora» ripose nervosamente l'allievo guardandola negli occhi.

«Avrete modo di ricordare i vecchi tempi. Ora continui pure la sua formula, io e il mio android preferito dobbiamo parlare» Karkon chiuse la conversazione e uscì portando la signora di metallo nella Stanza degli Incantesimi per preparare l'ennesima trappola per la bambina della Sesta Luna.

Nina aveva dunque un alleato a Palazzo Ca' d'Oro, un'amica inaspettata: Andora! Mai avrebbe immaginato che il clone cattivo della zia spagnola sarebbe passato dalla sua parte. Ma in quel momento, nell'Acqueo Profundis, la giovane alchimista aveva ben altri pensieri.

«Hello, come xtate?» salutò Max, ricevendo con allegria i cinque ragazzini.

«Malissimo. Stanno succedendo cose stranissime» esordì Nina entrando come un fulmine.

«Malixximo?» ripeté sorpreso.

«Ho bloccato la Voce della Persuasione, ma il Systema Magicum Universi se n'è andato e ci ha lasciato uno scrigno che potremmo aprire solo durante un viaggio. Ljuba e Carlo sono sempre in prigione e io sto impazzendo perché non so da dove cominciare per trovare il Quarto Arcano. Ti basta?» Nina era davvero nervosa.

Max non l'aveva mai vista così.

Il buon androide guardò gli altri e accennò un sorriso facendo girare le orecchie a campana.

«Nina non ti ha detto tutto» disse Cesco tenendo in braccio la vaschetta Tarto Giallo. «Anche i nostri genitori sono nei guai e poi, come sai bene, Andora è nella mani di Karkon e…».

Max si tappò le orecchie, chiuse gli occhi e urlò: «Baxta, baxta. Non è poxxibile andare avanti coxì. Non voglio più xentire il nome di Andora. Xoffro. Xoffro tanto» l'androide andò accanto alle vetrate dell'Acqueo Profundis e pianse.

Dodo corse da lui e mostrando lo scrigno disse: «Max, non essere tri… tri…triste. Guarda, abb… bi…biamo uno scrigno e de… de…dentro ci sarà la so… so…soluzione. Ma do… do…dob…biamo partire. Aiutaci. Ti pre… pre…prego».

L'androide abbracciò il ragazzino, si asciugò le lacrime e si mise davanti al grande schermo.

«Nina, vuoi che chiami Eterea?» disse rivolgendosi alla bambina della Sesta Luna.

«Sì Max. Grazie» rispose la giovane alchimista mettendosi accanto a lui.

Le mani corsero veloci sulla tastiera e il messaggio per la Grande Alchimista venne spedito immediatamente. Sullo schermo gigante apparve una luce accecante seguita dalla voce soave di Eterea.

Buongiorno Nina 5523312,
aspettavo il tuo messaggio.
Su Xorax siamo tutti in attesa
per la tua ultima missione.
Sappiamo bene cosa sta succedendo sulla Terra.
Faremo di tutto per aiutarti
a liberare Ljuba, Carlo
e anche i genitori dei tuoi bravissimi amici.
A loro dobbiamo molto.

«Ma ho paura, – la interruppe Nina – fammi parlare con mio nonno».

Il professor Misha è nel Mirabilis Fantasio
ed è pronto a ricevere il Quarto Arcano.
Lui ha fiducia in te. Tutti noi l'abbiamo.
Non avere paura e ricorda le mie lezioni alchemiche,
le lettere di tuo nonno,
i libri di Birian Birov e Tadino De Giorgis.
Rammenta che i Maghi Buoni di Xorax
hanno fatto tanto per te.
Sei stata brava. Ma ora fai l'ultimo sforzo
e fai volare per l'ultima volta le rondini nel cielo.
Segui il tuo destino: sei la Bambina della Sesta Luna,
non te lo dimenticare.

Il volto della Grande Madre Alchimista riempì lo schermo. Max era incantato nel vedere Eterea che parlava. Cesco e gli altri ascoltavano con molta attenzione senza battere ciglio.

«Sì, certo Eterea. Cercherò di farcela. Desidero tanto

salvare il pianeta di luce. Ma nel mio cuore sento che ho anche tanta voglia di rivedere i miei genitori. Di stare con loro. Lo sai che stanno per partire per una missione importante. Anche loro andranno nello spazio infinito e temo di non riabbracciarli più. Forse sono un po' stanca. Forse il compito che mi avete dato è troppo difficile».

Umana è la tua preoccupazione.
Sentimenti puliti e belli. Sei intelligente e buona.
Per questo sei la nostra speranza.

«Ma i miei amici? Non voglio che corrano pericoli. Hanno già dimostrato tanto» insisté la ragazzina.

I nomi di Cesco, Roxy, Fiore e Dodo sono già noti.
Coraggiosi e inseparabili amici
che con te viaggeranno e troveranno l'ultimo Arcano.
Nello scrigno di goasil hanno ciò che serve.
Ma ricorda, lo scrigno può essere aperto solo sopra una rosa.
Il Systema Magicum Universi tutto ti ha già spiegato.
Ora il mio compito è darti
un oggetto indispensabile: l'Ampura.

«Che cos'è?» chiese Nina fissando il grande schermo.

È una lanterna alchemica.
Contiene un'energia eterna che porta calma e armonia.
La dovrai consegnare al Drago Fiammeggiante.

Così rispose con voce calmissima la Grande Madre. «Drago Fiammeggiante?» Nina si preoccupò moltissimo.

Non posso dirti i poteri che ha. Lo scoprirai da sola. Affronterai pericoli, visiterai luoghi misteriosi e userai gli oggetti alchemici che già conosci e altri che troverai. Lo sai bene che le regole dell'Alchimia della Luce sono queste. Fidati della tua forza. Fidati del tuo intuito.

«Ma cosa dovrò fare?» chiese spaventata la giovane alchimista.

Non posso svelarti il futuro. Ma di certo Max-10p1 ti sarà di grande aiuto.

«Max? Max verrà con noi? È incredibile!» Nina ormai non capiva più nulla e si girò a guardare l'androide, che per la felicità aveva iniziato a battere le mani.

Il fedele androide lascerà l'Acqueo Profundis. È necessario. Ora non chiedermi più niente. Dovete preparavi a partire. Per prendere l'Ampura sfrega la Piuma del Gughi e la lanterna apparirà al lago del pesce Quaskio. Fallo adesso. Buona fortuna.

Lo schermo divenne buio. Eterea scomparve lasciando solo un alone di luce che si estese in tutto l'Acqueo Profundis.

Nina guardò Max che rideva e ruotava fortissimo le orecchie a campana: «Partiamo. Finalmente mi vengo a divertire» disse, senza smettere di saltellare.

«Sarà un viaggio fantastico» Cesco si avvicinò a Nina e le fece l'occhiolino.

«Non so. Spero che tutto vada bene» rispose la ragazzina mentre sfregava la Piuma del Gughi.

La sfera verde smeraldo apparve al centro del laboratorio. Galleggiando nell'aria emanava un fluido benefico e i ragazzini si sentirono più tranquilli. Nina infilò la mano dentro la sfera e vide il pesce Quaskio fare le boccacce standosene a mollo nel lago di Xorax. Alzò la pinna destra e la mosse velocemente come per salutare la ragazzina. Nina si mise a ridere e con la mano accarezzò il pesciolino blu. Sulla sponda del lago vide un luccichio, l'afferrò: era l'Ampura, la lanterna eterna. La sua luce era di un colore stranissimo: un viola-blu mai visto prima.

Con delicatezza estrasse dalla sfera la strana lanterna e, appena l'ebbe posata sul pavimento dell'Acqueo Profundis, Xorax scomparve lasciando solo una nuvola di minuscoli brillantini verdi che caddero come pioggia finissima.

«Fai vedere» Roxy si avvicinò all'Ampura.

«Che stra... stra...strana luce fa» Dodo sgranò gli occhi e non riuscì più a distogliere lo sguardo dalla lanterna.

«Xbrighiamoci. Dobbiamo partire» disse Max mettendosi al centro dell'Acqueo Profundis.

I ragazzini lo fissarono e gli oggetti parlanti iniziarono a tremare, solo la bottiglia di Vintabro Verde ebbe il coraggio di dire: «Ci porterete dal Drago Fiammeggiante?».

Nina e Roxy si scambiarono una rapida occhiata e guardando la bottiglia allargarono le braccia.

Max, impaziente, prese un grosso tubo d'acciaio, lo infilò dentro uno strano buco del pavimento e girandolo in senso orario lo avvitò: «Venite qui, quexta volta xi partirà in modo diverxo. Non bixognerà bere l'8 e maxticare i petali di mixyl» spiegò.

«E cosa bisogna fare?» chiese Nina stringendo il Taldom.

«Dovete xolo aggrapparvi a quexto tubo di acciaio e chiudere gli occhi. Il traxporto xarà ixtantaneo» rispose l'androide mettendo dentro un grosso borsone alcuni attrezzi alchemici: boccette, scatoline, vasi e pinze.

«Max, ma cosa porti?» la bambina della Sesta Luna era confusa, il fatto di non partire come al solito le stava provocando una certa ansia.

«Vedrai che quexte coxe ci xerviranno. Fidati» e così dicendo chiuse il borsone.

«Ma non useremo neppure lo Strade Mundi per sapere dove dobbiamo andare?» continuò Nina, preoccupata. Non conosceva la nuova procedura!

«Xì, lo Xtrade Mundi xerve. Appoggia lo Jambir e vedrai che le pagine gireranno fino a fermarxi dove xerve» la voce di Max era sicura e i ragazzi obbedirono nonostante mille dubbi.

«Se uso lo Jambir, Karkon se ne accorgerà subito, ne ha una copia, e ci raggiungerà» disse Nina tenendo il medaglione in mano.

«Xì. Lo xo. Ma non poxxiamo fare diverxamente» Max concluse a ragione.

«Lo affronteremo come abbiamo sempre fatto» si inserì Cesco, dando coraggio al gruppo di amici. Nina si girò senza parlare, prese lo Strade Mundi, appoggiò lo Jambir e, appena il medaglione della Sesta Luna fu sopra il libro, le pagine iniziarono a girare. Si bloccarono solo verso la fine.

A quel punto il Taldom Lux s'illuminò e dal libro si staccarono sei fogli, Nina li prese al volo e vide che contenevano mappe e disegni, nomi e numeri.

«Non ci capisco nulla!» esclamò sorpresa.

Poi guardò bene il primo foglio e vide che era la mappa della Cina.

«Andiamo in Cina, nella lontana terra d'Oriente» gridò la bambina della Sesta Luna.

Max prese per mano Fiore e la portò verso il tubo d'acciaio, accanto si misero Cesco e Dodo, mentre Roxy e Nina rimasero un po' in disparte per controllare i sei fogli dello Strade Mundi.

«Avanti, muovetevi, è tutto pronto» Max era felice di partire e le due ragazzine appoggiarono le mani sul tubo, chiusero gli occhi e sentirono l'androide pronunciare ad alta voce una formula particolare: «La Luce ci accompagnerà. Accendi i nostri cuori e portaci lontano. L'Arcano dell'Acqua ci aspetta. Xorax sarà finalmente salva. VOLARE PER VIVERE!».

I ragazzi, con gli oggetti parlanti in braccio, sentirono il tubo tremare: dal pavimento dell'Acqueo Profundis uscirono sei getti di acqua blu. Il tubo iniziò a girare forte, sempre più forte. E allora il gruppo iniziò a urlare, mentre i piedi si sollevavano da terra e i corpi si alzavano a mezz'aria. Sembrava fossero in balia di una giostra che non si fermava più.

Lampi e luci intermittenti schiarirono il laboratorio, il computer emise un sibilo potente e una tromba d'aria rapì l'intero gruppo catapultando tutti fuori dall'Acqueo Profundis.

L'avventura per la conquista del Quarto Arcano era iniziata. Roxy aveva la testa a penzoloni e sentiva le gambe andare dalla parte opposta, Fiore si ritrovò raggomitolata e sospesa tra acqua e terra, Dodo era abbracciato a Max e Nina teneva per mano Cesco.

Una tempesta di gocce di ghiaccio seguita da un caldo soffio di vento fece volare in alto i ragazzini che, aprendo gli occhi, si ritrovarono adagiati su una soffice nuvola.

«Xtate tutti bene?» chiese Max rimettendosi a posto le orecchie a campana.

Dodo, tenendosi stretto all'androide, riuscì solo a fare di sì con la testa mentre gli altri si guardarono intorno. In fondo al cielo azzurro videro arrivare il magico Gughi e il suo canto li calmò. Con le quattro ali d'oro si posò sulla nuvola pronto ad accogliere il gruppo di coraggiosi navigatori.

«Straordinario!» gridò Vintabro Verde spuntando tra i capelli ricci di Roxy. La ciotola Sallia Nana, che si era infilata dentro una tasca dei pantaloni di Dodo rimase ferma, mentre il vaso Quandomio starnutì. Il timido ragazzino legò velocemente il sacchetto con i Denti di Drago alla cintura e cercò di tranquillizzare i due oggetti parlanti.

Cesco controllò che lo scrigno fosse al sicuro sotto la felpa e Fiore diede un bacio alla vaschetta Tarto Giallo che tremava come una foglia.

Max fu il primo a salire in groppa al Gughi, seguito immediatamente dai cinque amici. Nina alzò il Taldom e con i fogli dello Strade Mundi urlò: «L'Arcano dell'Acqua ci aspetta. Gughi vola e portaci alla meta».

Il magico uccello di Xorax aprì le ali e spiccò il volo verso la terra misteriosa dove viveva il Drago Fiammeggiante.

Dall'alto il paesaggio era incredibile, le cime delle montagne bucavano le nuvole, e giù in basso distese di prati erbosi, foreste e laghi limpidi si allungavano per chilometri e chilometri. I giovani alchimisti e Max erano estasiati davanti a tanta bellezza, poi, a un tratto, Nina puntò il Taldom verso est e gridò: «Guardate, quella è la Grande Muraglia Cinese».

Il Gughi agitò le ali e planò lentamente accanto all'enorme costruzione fatta dagli uomini circa 2000 anni fa.

«Mai vista una cosa del genere» esclamò Fiore sporgendosi dalle ali del Gughi.

L'uccello della Sesta Luna allungò la sua unica zampa e atterrò dolcemente proprio sulla Muraglia. Nina scese immediatamente, respirò a pieni polmoni e iniziò a leggere i fogli dello Strade Mundi: «Dunque, la Muraglia Cinese è lunga più di 3000 chilometri e in alcuni punti può raggiungere addirittura i 12 metri di altezza».

«Però. Siamo proprio dentro una fortezza» disse Cesco aggiustandosi gli occhiali.

Max, trascinando il borsone, si sedette su un masso e guardò l'orizzonte: «Xapete dove xiamo exattamente?».

«Dunque, siamo vicini al fiume Yalu, lo vedete, è laggiù» indicò Nina.

«Dobbiamo andare da quella parte?» chiese Roxy tenendo stretta la bottiglia di Vintabro.

La prima mappa dello Strade Mundi indicava proprio il fiume Yalu. Il Gughi si levò in volo un'altra volta e fece tre giri intorno al gruppo di amici e cantando se ne andò verso il cielo infinito.

«T... to...tor... ne...nerà a prenderci, ve... ve...vero?» Dodo era come sempre impaurito.

«Certo che verrà. Ora però dobbiamo scendere dalla Muraglia e andare verso il fiume» lo rassicurò Nina, scendendo per una scaletta dai gradini consumati dal tempo.

L'aria era tiepida e sopra alla Grande Muraglia tutto sembrava calmo. Il silenzio era interrotto soltanto da lontani rintocchi di un gong cinese.

Appena i ragazzini furono scesi dalla scaletta, si incamminarono per un sentiero erboso lasciandosi alle spalle l'enorme muro che proseguiva per chilometri e chilometri serpeggiando tra prati, montagne e boschi.

Arrivati sulle sponde del fiume Yalu sentirono che i rintocchi del gong si facevano sempre più forti.

Max guardò l'acqua e allargò le mani dicendo: «Oxxervate bene il fiume. L'acqua è limpidixxima e xi può vedere il fondo».

Dodo si sporse in avanti per vedere meglio ma nel chinarsi,

la ciotola Sallia Nana gli scivolò fuori dalla tasca dei pantaloni e finì dentro il fiume.

«Oh noooooo» gridò il ragazzino stringendo a sé il vaso Quandomio, che si era subito agitato.

Max stava per tuffarsi ma sull'acqua apparvero due scritte, la prima era in cinese e l'altra nel linguaggio della Sesta Luna:

«Dobbiamo scendere… per salire. Ma che significa?» Fiore lesse un paio di volte la scritta nel linguaggio xoraxiano, ma non trovò alcuna soluzione.

Nina e Max si diedero un'occhiata d'intesa e si tuffarono all'istante. Dietro a loro s'immersero con una certa diffidenza Fiore e Roxy, Cesco si tolse gli occhiali e andò giù a piedi uniti mentre Dodo rimase per qualche secondo fermo e silenzioso.

Quando si rese conto che era rimasto solo in mezzo alla vastità del territorio cinese si tappò il naso e scivolò dentro il fiume sperando che non gli accadesse nulla di male.

L'acqua era freddina, ma il bagno per fortuna non durò molto. Arrivati sul fondo del fiume, Nina raccolse la ciotola Sallia che si muoveva sollevando piccoli sassi grigi.

Con i capelli che danzavano nell'acqua la bambina della Sesta Luna nuotò verso la parete rocciosa e vide altre due scritte, una sempre con gli ideogrammi cinesi e l'altra nel linguaggio xoraxiano:

Con le guance piene d'aria Nina tradusse immediatamente la frase in xoraxiano e fece segno agli altri di seguirla. Dodo aveva gli occhi fuori dalla testa, non riusciva più a trattenere il respiro. Nina impugnò il Taldom, schiacciò gli occhi di goasil e dal becco uscì un raggio laser che frantumò la roccia del fiume bloccando l'acqua. Si aprì un varco e in fretta, uno a uno i ragazzini entrarono spediti. L'ultimo a sgattaiolare dentro fu Max-10p1.

Nello stretto tunnel non c'era acqua e il gruppo avanzò lentamente senza sapere dov'era l'uscita. Roxy vide una scaletta di legno e salì seguita dagli altri.

«70, 71,72,73… ma quanti gradini ci sono?» disse contando la ragazzina dai capelli biondi.

«Forza, andiamo avanti, non xi vede ancora la luce» Max, con il pesante borsone sulle spalle non vedeva l'ora di uscire per potersi asciugare. L'acqua non faceva certamente bene alle sue giunture metalliche, che rischiavano di arrugginirsi.

Il suono del gong si faceva sempre più forte e il rimbombo era diventato insopportabile. Nina salì l'ultimo gradino ed esclamò: «220! Ultimo gradino! Siamo fuori!».

La giovane alchimista andò a sbattere contro un'antica porta di legno. Era altissima. Al centro si trovava un cerchio dorato in rilievo con una fiamma rossa in mezzo, che ardeva lentamente. Appena Nina sfiorò il cerchio, il suono del gong divenne ancora più forte. La porta si aprì lentamente. Gli occhi dei ragazzini furono rapiti da un riflesso proveniente da un enorme gong d'argento sorretto da una struttura di giada rosa. Il gong suonava da solo, dondolava avanti e indietro creando un rumore che spaccava i timpani. Nina varcò la soglia e subito il gong si bloccò. La bambina della Sesta Luna si rese conto di essere finita dentro un'enorme caverna.

«Ma non siamo saliti. Siamo scesi!» affermò stupita Fiore.

«Certo. La scritta sulla roccia diceva proprio questo» le rispose la bambina della Sesta Luna che camminava osservando le pareti rosa e nere di quel luogo così cupo. Le fiammelle di piccole candele rosse illuminavano alcune scritte cinesi scolpite sulle rocce sotto le quali c'era la traduzione nel linguaggio xoraxiano. Sulla parete nera c'era scritto:

Invece nella parete rosa c'era scritto:

«Interessante» esclamò Fiore osservando gli ideogrammi cinesi e la traduzione xoraxiana. «Avevo sentito parlare da mio padre dello Yin e dello Yang».

«Yin e Yang? Ma che stai dicendo?» sbottò Roxy.

«Femminile e Maschile. Insomma, gli opposti» spiegò Fiore toccando le frasi incise sulla roccia.

«Sì, interessante. Queste parole sicuramente ci serviranno per affrontare qualche cosa. O qualcuno» disse Nina camminando verso il centro della caverna.

«Non mi sento per niente al sicuro qui dentro» borbottò il vaso Quandomio Flurissante.

«Già, e chissà come si fa a uscire da qui» Cesco si fermò

vicino a un sasso striato, si sedette e pulì le lenti degli occhiali. Max si asciugò usando un lembo della maglietta di Fiore che stava impettita davanti al rivolo d'acqua nera che scendeva dalla parete destra della caverna. Intinse un dito e vide che l'acqua scura diventava rossa come il sangue.

Il liquido scendeva veloce e uno zampillo finì ai piedi di Fiore e formò velocemente una frase che rimase impressa per terra.

«Per tutte le cioccolate del mondo!» esclamò Nina leggendo la frase. «Qui c'è il Drago Fiammeggiante: UN MOSTRO!».

Fiore indietreggiò, Dodo si accucciò guardando verso l'alto, Cesco prese lo scrigno e lo poggiò su una roccia e Roxy abbassò la testa sconfortata. L'unico che rimase assolutamente impassibile fu Max. L'androide aprì il borsone e con calma tirò fuori una piccola boccetta contenente Piombo Liquido.

«Max che fai? Guarda che siamo in pericolo. La scritta dice che dobbiamo togliere sette denti dalla bocca del Drago Fiammeggiante, altrimenti resteremo prigionieri del Buio!» disse in fretta la bambina della Sesta Luna.

«Ti xei dimenticata di exxere un'alchimixta?» chiese con ironia Max.

«No! Perché?» ribatté Nina, quasi offesa.

«Allora uxa le xoxtanze che conoxci. Per exempio quexto è Piombo Liquido. Ti ricordi a coxa xerve?» l'androide sembrava davvero polemico.

«Piombo… sì… dunque» Nina non sapeva rispondere.

«Nel Quaderno Nero del profexxor Mixha era xpiegato molto bene» disse Max mostrando la boccetta con la sostanza alchemica.

«Ah, sì, certo. Il Piombo è il metallo principale per estrarre l'energia spirituale. Tre gocce bastano per caricare il corpo» la bambina della Sesta Luna aveva finalmente risposto in modo esatto. Senza pensarci un secondo prese la boccetta e ingurgitò tre gocce, poi passò la sostanza alchemica agli altri che fecero lo stesso.

I ragazzini iniziarono a sudare, il Piombo aveva effetto immediato. L'energia spirituale dava la capacità di entrare in contatto con l'armonia delle cose.

«Ora xiete carichi di energia xpirituale e potrete affrontare il Drago Fiammeggiante» Max richiuse il borsone e rimase in piedi in silenzio. In quel momento si udì un lamento provenire dal fondo della caverna. C'era qualcuno che piangeva disperato.

«Avete xentito?» Max drizzò le orecchie a campana e si girò guardando gli altri.

«Sì, andiamo a vedere chi c'è là in fondo» disse Roxy avviandosi senza paura.

«Ferma!» urlò Nina. «Vado avanti io. Ho il Taldom e se serve lo uso. Potrebbe esserci Karkon. Magari si è alleato con il Drago».

A passi lenti s'inoltrarono verso il fondo della caverna. Più andavano avanti più il terreno diventava liscio, come un pavimento piastrellato. La bambina della Sesta Luna, con la lanterna e lo scettro magico, camminava guardandosi attorno e ascoltando i singhiozzi della misteriosa creatura.

«C'è qualcuno?» gridò sperando in una risposta.

Dal fondo della caverna arrivò un'enorme fiammata. Nina si gettò a terra, Dodo e Cesco si misero al riparo dietro un masso mentre Max e le altre due ragazzine rimasero con le spalle alla roccia.

La giovane alchimista alzò il Taldom e schiacciò gli occhi di goasil, un raggio laser arrivò fino in fondo alla caverna e nella penombra si intravide un enorme massa rossa e due occhi gialli. Nina era impietrita dalla paura

«Fuori dalla mia casa!» la voce dell'essere misterioso suonava profonda e terribile.

«Chi... chi sei?» ebbe il coraggio di chiedere Nina.

Dal buio della caverna avanzò un'enorme testa rugosa e rossa come il sangue. La bocca era larga e contornata da una linea viola scuro, le narici erano due buchi dai quali usciva del fumo blu e gli occhi, grandi e gialli, fissavano la ragazzina.

«Sono Zhu Long, il Drago Fiammeggiante. È vietato disturbarmi!» disse il possente drago rosso.

«Signor Drago, non volevamo disturbare, siamo capitati qui... per caso» cercò di spiegare Nina. Dietro di lei Cesco non sapeva cosa dire e cosa fare.

«Per caso? NULLA AVVIENE PER CASO!» urlò il drago sputando fiamme viola e verdi.

Nina si accucciò e le lingue di fuoco le passarono sopra la testa.

«Egregio xignor drago Zhu Long» esordì Max-10p1 avanzando con calma.

L'animale mosse la testa in avanti mostrando le enorme sporgenze spinose che aveva su tutto il dorso: «Uomo di metallo, che fai nella mia casa?».

«Xiamo qui per avere xette dei xuoi magici denti» disse candidamente l'androide. Nina lo guardò sorpresa e Cesco cercò di dirgli di stare zitto.

«Sette denti? Ma che richiesta è mai questa?» il drago avanzò di quattro metri, mise avanti le due zampe con i grossi artigli e mostrò le ali squamate scuotendole.

«Ci servono» disse con un filo di voce Cesco.

Zhu Long, in uno scatto d'ira, aprì la bocca e soffiò verso il ragazzino facendolo volare in alto. Poi gli diede una zampata e il corpo di Cesco finì contro la roccia, scivolando in un precipizio.

Dodo, Fiore e Roxy corsero per vedere dov'era caduto l'amico, mentre Nina impugnò il Taldom Lux e sparò dritto al muso del drago.

Zhu Long alzò la testa e con un balzò andò al centro della caverna. Sbatté la coda, lunga e appuntita, a destra e a sinistra cercando di colpire gli intrusi.

«Nina, moxtragli l'Ampura» urlò Max che si era messo al riparo.

La bambina della Sesta Luna saltò sopra un masso e gridò: «Drago, ho l'Ampura per te».

Dalle narici dell'animale uscì del fumo giallo e Zhu Long aprì la bocca sputando ancora fuoco.

Roxy, Fiore e Dodo erano sempre sull'orlo del dirupo roccioso e chiamavano Cesco. Ma il ragazzino non rispondeva. Dov'era finito?

«Ampura?» pronunciò il drago guardando con rabbia la ragazzina che teneva la lanterna in mano.

«Sì, me l'ha data Eterea. È per te. È la lanterna eterna» spiegò con voce tremante.

«Eterea? Conosci la Grande Madre Alchimista di Xorax?» il drago si mise seduto e chinò la testa verso sinistra.

«Sì. Io sono la bambina della Sesta Luna. Guarda, ho la stella rossa sul palmo della mano destra. Sono la nipote del professor Michajl Mesinskj» pronunciò d'un fiato Nina.

Zhu Long avvicinò il muso al volto di Nina, la annusò e poi guardò l'Ampura.

«Sei dunque un'alchimista di Xorax» chiese incredulo il drago.

«Sì, e ora ti prego, salva il mio amico Cesco. Farò tutto quello che vuoi» la ragazzina era terrorizzata e temeva che Zhu Long non l'aiutasse.

Il drago si avvicinò al precipizio, i tre ragazzini si fecero da parte, infilò una zampa dentro la fessura e con gli artigli prese Cesco.

Il ragazzino era privo di sensi, aveva la felpa stracciata e i pantaloni erano macchiati di sangue.

Il drago appoggiò delicatamente il corpo sul pavimento mentre gli altri guardavano timorosi.

«È morto? Dimmi, Cesco è morto?» Nina corse verso il drago ma Zhu Long la bloccò con un'ala.

«Nessuno si avvicini» disse il mostruoso animale.

Spalancò la bocca, tirò fuori la lingua nera e viscida e leccò il ragazzino. La saliva, rosa e appiccicaticcia, bagnò tutto il corpo di Cesco. Il drago chiuse gli occhi e versò due lacrime sulla testa del giovane che ancora non dava segni di vita.

«Vivrà! Vivrà! È solo svenuto» disse Zhu Long girandosi verso Nina che lo guardava sospettosa.

Max tirò fuori dal borsone un barattolo di marmellata di fragole e ne mangiò la metà in due bocconi.

«Xcuxate ma quando xono nervoxo devo mangiare la marmellata» si giustificò l'androide, chinando il capo e dondolandosi con le gambe.

Il drago soffiò sul viso di Cesco, che aprì finalmente gli occhi, e quando vide il volto mostruoso di Zhu Long gridò con tutto il fiato che aveva in gola.

Nina corse ad abbracciarlo. Lo baciò sulle guance e sulla fronte, gli prese le mani e le portò verso il suo cuore: «Temevo fossi morto» gli bisbigliò.

L'amico occhialuto diventò rosso dall'emozione e guardò gli occhi grandi e azzurri di Nina: «Non posso morire, altrimenti tu come farai senza di me?» disse sorridendo.

«Bene, bene. Vedo che siete proprio un gruppo di amici fedeli. Sedetevi qui accanto a me. Parliamo» disse il drago soffiando fumo bianco.

«Non spu… spu…sputerai ancora fuo… fuo…co vero?» chiese Dodo guardando il drago con timore.

«Vedremo. Dipende dalle vostre risposte» avvertì Zhu Long.

«Risposte?» chiesero in coro i cinque ragazzini, mentre Max, in silenzio, non distoglieva lo sguardo dai neri e potenti artigli delle zampe del drago.

«Sapete che cosa significano Yin e Yang?» chiese Zhu Long.

«Femmina e Maschio, se non sbaglio» rispose prontamente Fiore.

«Sì, ma il significato è più complesso. Yin e Yang mantengono l'ordine naturale delle cose. Solo quando sono uniti la vita ha un senso» spiegò il drago che pose subito la seconda domanda: «Sapete cos'è la solitudine?»

«Sì» risposero in coro.

«No. Non potete saperlo. Io so davvero cosa vuol dire stare soli» spiegò il drago scuotendo l'enorme testa. «È come non vivere. È non avere più notti e più giorni. È parlare con il silenzio. È soffrire senza poterlo dire a nessuno».

Nina si commosse, si staccò da Cesco e tese la mano con la stella verso il muso dell'animale. Tremando lo accarezzò teneramente: «Vivi qui da solo e capisco ciò che dici» disse la bambina della Sesta Luna.

«Ho perso la mia compagna tanto tempo fa. E da quel giorno i miei occhi piangono lacrime d'amore» il drago si accasciò per terra e il fumo continuò a uscirgli dalle narici.

«Compagna? Ma allora tu... tu sei innamorato» esclamò Fiore.

«Innamorato?» ripeté Roxy facendo una faccia strana.

«Sì, il mio nome significa Drago Fiammeggiante, e così come lo Yang non ha senso senza lo Yin, da quando manca la mia compagna mi sento inutile» confermò Zhu Long dimenando leggermente la coda.

«E come si chiamava?» chiese Nina sedendosi sopra una zampa.

«La mia compagna si chiamava Zhu Yin, Oscurità Fiammeggiante. L'hanno rapita. Portata via da me per sempre. Solo un'alchimista di Xorax può riportarla qui» spiegò tra i singhiozzi.

I ragazzini, Max e gli oggetti parlanti rimasero in silenzio ad ascoltare la triste storia del drago cinese.

«Quella lanterna, l'Ampura è vera? Io non so se crederti Nina. Non so se dici la verità» disse Zhu Long alzando il muso e sputando un po' di fuoco verso il soffitto della caverna.

«Tieni. L'Ampura è tua. Controlla se non ci credi» e così dicendo la ragazzina appoggiò la lanterna eterna tra le zampe del grosso drago.

Zhu Long guardò il magico oggetto, vide che all'interno brillava una luce viola e blu. Ci soffiò sopra e... dentro la lanterna vide l'immagine di Zhu Yin: la sua amata draghessa dagli occhi color del mare e le ciglia lunghe e nere.

Il corpo del drago cinese si sollevò di colpo, le ali si aprirono e Zhu Long emise un grido di felicità che scosse le rocce della caverna.

Max prese per mano Roxy e le sue orecchie iniziarono a ruotare in modo velocissimo, gli oggetti parlanti sembravano ballare tra i massi, Cesco rise, Nina sollevò il Taldom Lux in segno di vittoria mentre Dodo e Fiore saltellavano intorno al drago.

«Mi avete ridato la vita. Ora i miei occhi non piangeranno più e potrò rivedere il sole. Volare sopra la Grande Muraglia con la mia dolce Zhu Yin» disse il drago che allungò le zampe e prese Nina.

«Ora lasciami, mettimi giù. Ci devi un favore. Ricordi?» gli gridò la giovane alchimista.

Ed era vero. Il drago a quel punto doveva farsi strappare sette denti. Questi erano i patti.

«D'accordo. Prima di far uscire la mia draghessa dall'Ampura vi darò i denti» Zhu Long si mise a pancia in su, aprì la bocca e attese.

Dodo guardò Nina e, quando la ragazzina fece cenno di andare tutti verso la bocca del drago, lui scosse la testa in segno di dissenso. Proprio non ne voleva sapere! Max aprì il borsone e tirò fuori una lunga tenaglia e un'ampolla contenente uno stranissimo liquido verde: l'anestetico.

Fiore e Roxy e Cesco tennero l'enorme bocca di Zhu Long aperta mentre Max versava sui denti e sulle gengive l'anestetico verde. Nina prese la tenaglia afferrandola con tutte e due le mani e si fece coraggio. Con fatica afferrò il primo dente. L'estrazione fu lenta, il drago cercò di non chiudere mai la bocca e di non emettere fumo e fuoco dalle narici. Un gemito di dolore seguiva ogni dente tolto. Al settimo, Nina stramazzò a terra distrutta dalla fatica, il drago richiuse la bocca e finalmente si girò verso l'Ampura. L'immagine della sua draghessa era sempre nitida. Ora Zhu Yin poteva tornare da lui.

Max e Cesco raccolsero i sette denti del drago cinese e li misero dentro il sacco di Dodo, dove già ce n'erano altri quattro. Zhu Long sorrise mostrando la bocca oramai sdentata: «Tra pochi istanti la mia dolce draghessa sarà accanto a me».

L'Ampura diventò incandescente, la luce viola e blu si trasformò in un ammasso di energia pura. La lanterna alchemica esplose in una nuvola di scintille rosse che si sparsero per tutta la caverna.

I bambini si accucciarono, Max si coprì gli occhi e il drago cantò per la felicità. Accanto a lui comparve Zhu Yin, la draghessa che portava il nome forte e potente di Oscurità Fiammeggiante. L'abbraccio tra i due grossi animali fu romanticissimo. Le loro ali si agitavano creando forti correnti d'aria all'interno della caverna. Il soffitto roccioso si sgretolò improvvisamente e scomparve senza creare neppure un briciolo di polvere. Sopra le teste del gruppo degli esploratori e dei due draghi ora c'era il cielo azzurro. Un manto luminoso che invitava a uscire.

Zhu Long si avvicinò a Nina e nel ringraziarla le consegnò un documento scritto su carta di riso dicendo: «Usa bene i sette denti che mi hai tolto. E poi leggi questo documento. Ti servirà».

Il drago e la draghessa spiccarono il volo e insieme danzarono tra le nuvole del cielo cinese mentre le loro ombre si riflettevano sulla Grande Muraglia.

«Belli e simpatici» disse con la solita vocina la ciotola Sallia Nana. Anche il vaso Quandomio e la bottiglia di Vintabro esultarono per l'incredibile scena, mentre la vaschetta Tarto Giallo alzò le due zampette posteriori e applaudì.

Nina guardò soddisfatta i suoi amici e prima di riprendere la ricerca del Quarto Arcano, srotolò il documento del drago e lo lesse ad alta voce:

DOCUMENTO DEL DRAGO FIAMMEGGIANTE

YIN E YANG

L'UOMO NON È IL CENTRO DELLA VITA MA È PARTE DELLA NATURA.

L'UOMO NON PUÒ ESSERE REALMENTE SE STESSO
SE NON VIVE IN ARMONIA E NELLA VERITÀ.

BISOGNA ANDARE OLTRE L'APPARENZA DELLE COSE
PER COMPRENDERE IL LORO VALORE:
LE COSE DAVVERO IMPORTANTI SONO QUELLE
CHE SEMBRANO SENZA SIGNIFICATO.

IL MALE VIENE DALLA DISARMONIA CON LA NATURA.

E SE L'UOMO NON LO CAPISCE,
E NON AMA L'ARMONIA DELLO YIN E DELLO YANG,
ALLORA IL BUIO AVRÀ IL SOPRAVVENTO.

L'UNIONE DEGLI OPPOSTI CREA L'EQUILIBRIO DELLA VITA.

ZHU LONG, DRAGO FIAMMEGGIANTE YANG

Fiore ascoltò estasiata, Roxy appoggiò le mani sulle spalle di Dodo e Cesco tenne stretto al petto il prezioso scrigno di goasil.

Max si vantò di essere un androide, e dunque non aveva certo i problemi degli esseri umani. Nina lo prese in giro e si arrampicò sulle rocce sbucando all'aria aperta, seguita dagli altri. Quando tutto il gruppo fu nuovamente davanti alla Grande Muraglia, la bambina della Sesta Luna guardò la stella e si accorse che stava diventando nera.

«Karkon sta arrivando! Prepariamoci» esclamò impugnando il Taldom.

Cesco mise lo scrigno sotto la felpa stracciata, Roxy e Fiore si diedero la mano mentre Dodo rimase accanto a Max che scrutava il cielo.

«Xarebbe opportuno che il Gughi arrivaxxe ora» disse l'androide che non aveva nessuna intenzione di scontrarsi con il Magister Magicum.

Ma questo sarebbe stato inevitabile.

E ognuno di loro lo sapeva bene.

CAPITOLO SESTO

Loui Meci Kian
e il labirinto di corallo

Nel Laboratorio K il silenzio fu rotto dalla voce squillante dell'allievo.

«Pronta! L'Accia Peciosa si può usare immediatamente!» disse avvicinandosi a Karkon. Grondante di sudore ma con l'aria soddisfatta, sorrise mostrando la nuova creazione alchemica.

Karkon osservò la sostanza scura e puzzolente che riempiva il pentolone di ferro. L'annusò, intinse l'unghia dell'indice destro per meno di un secondo e vide che erano rimasti appiccicati dei filamenti neri e mollicci.

«Sicuro che funzioni?» chiese il Conte.

«Sicurissimo!» rispose l'allievo passandosi le mani tra i capelli lucidi dall'unto.

Karkon si girò verso Andora e l'androide fece una smorfia dicendo: «Speriamo».

«Allora, andiamo subito a Villa Espasia. Nina ha le ore contate» disse l'allievo avvicinandosi alla porta del laboratorio.

Ma proprio in quell'istante il Conte sentì un certo calore dentro la tasca del mantello viola. Infilò la mano e tirò fuori la copia dello Jambir.

«Maledetta strega! È riuscita a partire... Guardate! Guardate! Ma come ha fatto!!!» urlò sbavando come un'animale.

L'allievo impallidì. Andora sfiorò lo Jambir, sgranò gli occhi e capì che Nina e i suoi amici avevano annullato spazio e tempo ed erano partiti alla ricerca dell'ultimo Arcano. Gli occhi le si illuminarono e pensò a Max e all'Acqueo Profundis.

Ma per timore che Karkon si accorgesse della sua contentezza, abbassò gli occhi senza parlare.

«Devo assolutamente raggiungerla. Vedete, il medaglione segnala che è andata in Cina. Si trova esattamente sulla Muraglia Cinese» sbraitò Karkon.

«Già... già... il medaglione magico. Me lo ricordo bene» aggiunse Andora ricordando che l'aveva sottratto a Nina.

«Be', io ce l'ho solo grazie a te. Se non lo avessi rubato tu, io non avrei mai potuto farne una copia perfetta» aggiunse spavaldo il Magister Magicum.

L'androide a quel punto passò le mani esili e bianche sulla testa pelata, non sapeva che cosa fare per impedire a Karkon di raggiungere Nina. Finché... le venne un'idea.

«Maestro, forse è meglio andare a Villa Espasia e attendere il ritorno di Nina. Useremo l'Accia Peciosa e così sarà nostra prigioniera per sempre» propose Andora, nella speranza che il giovane allievo le desse corda.

E fu proprio così. L'inventore della nuova sostanza alchemica intervenne: «Certo, Andora ha ragione. Tanto Nina non può trovare il Quarto Arcano facilmente. Vero?».

«In effetti l'ultimo Arcano l'ho nascosto veramente bene. E non è certo in Cina!» affermò Karkon accarezzandosi il pizzetto.

«Non è in Cina?» chiese sorpresa Andora che, subito dopo, si domandò come mai la ragazzina fosse finita proprio lì se quello non era il posto giusto.

Ma lo stesso pensiero lo ebbe anche il Conte.

«No, non è Cina. È assai lontano dalla Muraglia. In verità non capisco neppure perché Nina si trovi in quel luogo»

Karkon teneva tra le mani lo Jambir e un lampo di luce rossa gli attraversò gli occhi. Andò davanti alla tastiera del computer e guardando i suoi due seguaci sorrise: «Ora muovo il mio abile uomo-robot cinese. Loui Meci Kian raggiungerà all'istante quella stupida ragazzina e la farà tornare indietro. Così noi potremmo agire indisturbati e quando arriverà in Villa non avrà scampo».

Così dicendo contattò l'androide e diede precise indicazioni.

«Attivati immediatamente! La nostra nemica e la sua banda sono da te: in Cina. Apri il baule che ti ho spedito qualche tempo fa e usa molto bene gli strumenti che troverai dentro».

«Sì mio Signore. Ho aperto il baule e sono pronto» rispose il cinico androide che aspettava ansioso di poter dimostrare la sua malvagità.

«Bene. Per prima cosa indossa il Subdoleo, è un guanto che ti permetterà di mandare scariche elettriche immobilizzanti. Poi usa l'Eliconda, un'elica di bronzo che ti aiuterà a volare» le spiegazioni di Karkon furono veloci e Loui Meci Kian le registrò perfettamente.

«Quando avrai fermato Nina la dovrai far tornare indietro. Hai capito?» digitò in fretta Karkon.

L'androide cinese rispose subito: «Certo. Ho capito. Nina deve tornare indietro. A Venezia».

«Esatto. Avvisami quando hai finito la missione. Io attenderò quella maledetta bambina e una volta per tutte la eliminerò» il Conte chiuse la comunicazione, rimise in tasca lo Jambir e prese sotto braccio Andora, seguito dall'allievo, che teneva il pentolone con l'Accia Peciosa.

I tre uscirono di corsa dal Palazzo e si diressero verso la Villa lasciando Alvise, Barbessa e Visciolo con un palmo di naso. Attraversarono velocemente Piazza San Marco. Andora era visibilmente agitata e assecondava i voleri del Magister Magicum sperando che Nina riuscisse a cavarsela anche in quella circostanza.

Ma la lotta con Loui Meci Kian non sarebbe stata per nulla facile.

L'androide cinese attivò l'azione di trasferimento e in un baleno si proiettò proprio sulla Muraglia Cinese.

La stella di Nina era diventata completamente nera e occupava tutto il palmo della mano. Dodo fissò il cielo e vide allontanarsi i due draghi mentre il sole stava leggermente cambiando colore. Da giallo iniziò a diventare grigio.

Un boato e una forte corrente d'aria fredda investirono l'intero gruppo. Max-10p1 si accucciò accanto alle pietre secolari della Muraglia, Fiore e Roxy si stesero a terra, gli oggetti parlanti si sparsero in qua e in là e Cesco rimase aggrappato ad un piccolo palo.

Nina impugnò il Taldom e si guardò intorno. Dietro di lei, come un fantasma, apparve Loui Meci Kian!

I suoi occhi erano due fessure e le braccia tese in avanti erano pronte ad acciuffare la ragazzina.

«Sei finita! Morta!» urlò l'androide cinese.

Nina si girò di scatto e guardandolo attentamente si ricordò in modo lucido e preciso com'era costruito il cattivissimo robot di Karkon.

Davanti a lei scorsero le immagini del suo Primo Trattato, e di Loui Meci Kian. Nina l'aveva studiato molto bene: il suo codice alchemico era 0663 e il microchip era composto da un motore ad acqua e da numerosi cubi. Ma la sua vera potenza era distribuita in tutto il corpo creato con una rete elettrica micidiale. Nina sapeva che il punto debole era la testa. Doveva assolutamente colpirlo con il pezzo di Quarzo!

«So benissimo chi sei! E come sei fatto! Non ho paura» Nina si mise in posizione d'attacco e schiacciò gli occhi di goasil del Taldom. Sparò un fascio di luce rossa verso il maledetto uomo robot. Ma solo dopo averlo colpito vide che la mano destra dell'androide era coperta da un guantone strano, di cui lei non aveva letto nulla e che certo non sapeva come neutralizzare.

Loui Meci Kian alzò proprio il braccio sinistro con il Subdoleo, fermò il fascio di luce sparata da Nina, poi girò il pugno con il famigerato guanto elettrico e lo puntò verso la giovane alchimista.

Una! Due! Tre! Le scariche elettriche avvolsero il corpo della ragazzina che fu percorsa da mille lampi colorati. Nina tremò come se la sua pelle fosse fatta di carta. Spalancò la bocca e dagli occhi fuoriuscirono lacrime di sangue. La potente scossa ricevuta l'aveva stordita!

L'androide avanzò e mentre puntava nuovamente il pugno con il Subdoleo intervenne Cesco che gli diede una spinta. Il crudele robot reagì prontamente sferrandogli una sberla potente: Cesco finì steso a terra in una frazione di secondo. Il ragazzino non riuscì più a muovere un dito e rimase raggomitolato a terra stringendo a sé lo scrigno di goasil.

Max si alzò furioso e correndo verso il nemico gridò: «Prenditela con me! Xono anch'io un androide. Fatti avanti!».

Loui Meci Kian alzò la testa verso il sole grigio e fece una grande risata: «Tu? Sei solo un ammasso di ferraglia inutile! Ti anniento con un soffio».

L'androide karkoniano alzò il pugno con il guanto elettrico per colpire Max, ma Dodo, incitato dalla vaschetta di Tarto Giallo e dalla bottiglia di Vintabro Verde, gettò una decina di pietre contro il cinico cinese. Due sassi lo colpirono al petto e Loui Meci Kian reagì con ferocia: afferrò la bottiglia di Vintabro e la pestò sotto i piedi frantumandola in mille pezzi. Tarto Giallo urlò e anche gli altri oggetti parlanti gridarono disperati. La bottiglia era morta! La ciotola Sallia Nana pianse, mentre il vaso Quandomio Flurissante ebbe un sussulto di rabbia e iniziò a dondolare come impazzito.

Il liquido verde della bottiglia si sparse sul terreno creando un odore simile all'ammoniaca. L'androide storse il naso e si allontanò velocemente. Il liquido del Vintabro Verde era tossico! Max disse agli altri di non respirare le esalazioni alchemiche della povera bottiglia. Solo Nina rimase al suo posto. Non poteva certo arrendersi!

Con gli occhi pieni di sangue cercò di puntare nuovamente il Taldom verso Loui Meci Kian, ma la sua vista era annebbiata e prese male la mira. L'androide le si lanciò addosso e quando il suo volto fu vicinissimo a quello di Nina disse: «Stupida bimbetta. Il Quarto Arcano non lo prenderai mai! Il Magister Magicum è più forte e intelligente di te. Tu sei nulla! Sei polvere! Sei una strega inutile! Se non vuoi morire devi obbedirmi: torna subito in Villa. Capito!!!».

«Mai!!! Tornerò solo quando avrò trovato il Quarto Arcano!» gridò a squarciagola la bambina della Sesta Luna.

Roxy e Fiore facendosi coraggio superarono la pozza di liquido verde e si avventarono contro l'uomo robot che, con una sola pedata le mandò dritte contro i massi della Muraglia Cinese. Fiore sbattè la testa e Roxy le gambe.

Loui Meci Kian sembrava proprio invincibile!

Improvvisamente un'ombra oscurò il sole grigio. L'androide karkoniano alzò gli occhi al cielo e vide arrivare il Gughi. Attivò immediatamente l'Eliconda, che lo sollevò di circa dieci metri. L'elica di bronzo studiata dal Conte funzionava a meraviglia.

«Nina, gettagli i pezzi di Quarzo sulla testa» gridò con tutto il fiato che aveva in gola Cesco.

La giovane alchimista era esausta e il dolore agli occhi era sempre più forte. Prese dalla tasca della salopette i pezzi di Quarzo e cercò di vedere dove si trovava esattamente il cinico nemico. Ma Loui Meci Kian era già in alto, pronto a ferire anche il magico uccello della Sesta Luna arrivato per soccorrere il gruppo di amici.

Una virata velocissima e il Gughi dribblò l'androide che se ne stava a mezz'aria grazie all'Eliconda.

L'uccello di Xorax prese con il becco Nina, la poggiò sopra la sua testa e spiccò nuovamente il volo. La ragazzina era quasi priva di forze, ma il canto del Gughi riuscì a infonderle coraggio. L'androide afferrò l'unica zampa dell'uccello magico con il Subdoleo e a denti stretti urlò: «Tornate a Venezia o vi brucio con le mie potenti scosse elettriche».

Nina, con un gesto rapido, riuscì finalmente a gettare sulla testa di Loui Meci Kian il Quarzo.

Gli occhi a fessura del terribile androide divennero enormi, la bocca e il naso vibrarono. L'Eliconda continuava a girare, sollevando di peso il corpo elettrico dell'uomo robot, ormai spacciato. Finalmente la mano con il guanto Subdoleo mollò la zampa del Gughi e il robot schizzò in alto, tra le nuvole. Il maledetto karkoniano era quasi morto: il cinico cinese se ne volò via trasportato dalla corrente gelida del Male.

Il Gughi aprì il becco e cantò vittoria mentre planava dolcemente sulla Muraglia Cinese riportando al sicuro Nina.

I ragazzi e Max corsero da lei e saltarono in groppa all'uccello di Xorax.

«Addio Vintabro, amico dei nostri giorni felici» dissero in coro gli oggetti parlanti, guardando i pezzi di vetro della bottiglia. Il Gughi spiccò nuovamente il volo lasciando quel luogo bellissimo ma maledetto.

Dodo, completamente terrorizzato, stringeva il sacco con gli undici Denti di Drago mentre Fiore e Roxy, ferite e doloranti, tenevano in braccio la ciotola, la vaschetta e il vaso che piangevano ancora a dirotto. Cesco guardò Nina, il suo volto era rigato dalle lacrime di sangue e con la felpa stracciata le pulì la bocca e le guance. La ragazzina stropicciò gli occhi e guardò l'amico dicendo: «Questa volta non ce la faremo».

«Non dirlo neppure! Siamo salvi. Siamo sopra il Gughi e il Quarto Arcano ci aspetta» rispose Cesco aggiustandosi gli occhiali.

«Loui Meci Kian non è stato sconfitto del tutto. Lo sai bene che il Quarzo specchia l'anima dei cattivi e la blocca temporaneamente. Abbiamo già usato questa alchimia contro Karkon» spiegò con voce triste la bambina della Sesta Luna.

«E con questo cosa vuoi dire? Che l'androide ce lo ritroveremo di nuovo tra i piedi?» il ragazzino era preoccupato da morire...

«Può darsi. E magari non sarà più da solo. Con lui potrebbero arrivare il Conte e l'androide russo che certamente sarà già attivo» disse Nina appoggiando la testa tra le morbide piume d'oro del Gughi.

«E c'è pure Andora!» aggiunse Cesco scrutando il cielo che diventava sempre più scuro.

«Già. Andora. Chissà cosa starà combinando adesso assieme a Karkon» Nina guardò la stella che aveva sulla mano e quando vide che era sempre nera sospirò: «Vedi, il pericolo non è cessato. Prepariamoci a una nuova lotta».

«Inxieme xiamo forti. Xalveremo la Xexta Luna» disse Max-10p1 interrompendo il dialogo tra i due ragazzini.

«Sì, insieme potremmo farcela» affermò Nina.

«Dobbiamo farcela!» disse Cesco, tenendo tra le mani lo scrigno magico.

E mentre il vento tiepido della Cina accarezzava i volti stanchi e impauriti dei coraggiosi alchimisti, il Gughi volava veloce verso una meta sconosciuta.

«Do... do...dove andia... dia...diamo? A c... ca... ca...casa?» chiese Dodo guardando Nina.

«Non lo so. Non ci capisco più nulla. Solo il Gughi sa dove stiamo andando» rispose la ragazzina, il Taldom stretto al petto.

Roxy si spostò verso di lei:

«Guarda i fogli dello Strade Mundi , forse ci sono altre indicazioni».

La bambina della Sesta Luna tirò fuori le mappe dalla tasca della salopette e, facendo attenzione che i fogli non volassero via, li guardò a uno a uno. Il terzo foglio era veramente strano. C'era un disegno incomprensibile che raffigurava un enorme groviglio di linee arancioni. Al centro, una freccia blu indicava un punto preciso: Labyrinthus!

«Labirinto!» esclamò Fiore toccandosi il bernoccolo che le era venuto finendo contro la roccia della Muraglia.

«Interexxante» disse Max osservando le linee arancioni.

Cesco sbuffò: «Ho capito. Ora finiremo dentro un labirinto. Trovare l'uscita sarà un gioco da ragazzi. Vero?».

Nina finalmente sorrise, l'ironia di Cesco aveva attenuato la tensione. In quel momento il Gughi emise un gorgheggio che non aveva mai fatto. Max girò le orecchie a campana e Nina fissò l'orizzonte.

«L'oceano!» esclamò mettendosi a posto i capelli spettinati dal vento.

L'uccello della Sesta Luna si abbassò e con la sua unica

zampa planò sulle onde e infine galleggiò dondolando morbidamente sull'acqua.

«E adesso? Che cosa dobbiamo fare qui? In mezzo all'oceano...» Roxy cominciò con una raffica di domande mentre si teneva stretta alle piume del Gughi.

«Guardate là» disse Max alzandosi ritto in piedi.

A pochi metri c'era una grande zattera. Sembrava solida, i tronchi d'albero erano ben legati con corde di cauccinù e al centro si ergeva un palo alto circa due metri sul quale sventolava una bandiera verde tempestata di piccole stelle e mezzelune.

«Credo proprio che dovremmo salire lì sopra» disse Nina guardando gli amici.

Il Gughi cantò ancora una volta e le sue piume brillarono a tal punto da creare un alone dorato.

Dodo si mise le mani davanti agli occhi, Fiore e Roxy abbassarono la testa e Max per primo saltò sulla zattera con il suo grosso borsone.

«Forza, xalite. Non xi può perdere tempo» disse l'androide facendo l'occhiolino al Gughi.

Nina fece un balzo, di seguito saltarono Cesco e gli altri. Sulle ali dell'uccello magico rimasero i tre oggetti parlanti.

Il Gughi li prese con il becco e con delicatezza li poggiò sulla zattera. Tarto Giallo zampettò velocemente e si mise accanto a Dodo, la ciotola Sallia e il vaso Quandomio rimasero vicini a Roxy. «Non siate tristi, – disse Nina accarezzandoli – la bottiglia di Vintabro Verde sarebbe fiera di voi».

Il Gughi aprì le quattro ali e spiccò il volo, cantando. Il cielo si fece scuro. La notte scese rapidamente. Le stelle erano luminose e si riflettevano sulla distesa d'acqua salata.

«E adesso? Che facciamo qui?» chiese con la solita vocina Fiore.

«Adexxo dormiamo. La corrente dell'Oceano Pacifico ci porterà lontano» spiegò Max stendendosi a guardare il firmamento.

«Questo è il Pacifico?» esordì Nina.

«Sì, certo, è l'Oceano Pacifico. Se eravamo in Cina quale altro oceano vuoi che sia?» ribatté la solita saputella di Fiore.

«Ah già, è vero» disse la bambina della Sesta Luna stringendo i fogli dello Strade Mundi. Poi guardò Max e accucciandosi gli sussurrò: «Ma dobbiamo dormire davvero?».

«Ora te lo poxxo xvelare» disse a bassa voce l'androide.

«Cosa devi svelare?» chiese sospettosa la ragazzina.

«Da quexto momento in poi il tempo exixterà. Xiamo entrati nell'ultima faxe della ricerca dell'Arcano dell'Acqua» le parole di Max furono udite da tutti gli altri, che si allarmarono.

«Come il tempo esisterà?» Nina era sconvolta.

«Da adexxo in poi exixterà» ripetè Max.

«Ma il Tempo Serve ma Non Esiste. È una delle prime cose che mi ha insegnato il nonno» replicò la bambina della Sesta Luna.

«È vero. Ma per trovare il Quarto Arcano è necexxario far xcattare il Tempo. È una regola di Xorax» spiegò l'androide.

«Vuoi dire che passeranno le ore e i giorni. Come nella realtà?» Nina era sempre più confusa.

«Exatto! Dobbiamo xolo axpettare» fu la risposta enigmatica di Max.

«Aspettare? Cosa?» chiese alzando la voce Roxy.

«Dobbiamo attraverxare l'oceano e raggiungere un certo luogo. Nelle mappe dello Xtrade Mundi è tutto xegnato» spiegò l'androide.

Solo allora Nina e i suoi amici capirono che bisognava fare presto. Che il tempo passava e questo voleva dire che a Venezia sarebbe successo chissà che cosa. La loro assenza avrebbe allarmato sempre di più i genitori, Ljuba, Carlo e José. E soprattutto avrebbe inferocito sempre di più Karkon.

Nina ebbe uno scatto: «Mamma e papà... devono partire per la missione spaziale. Mi cercheranno. E io non potrò neppure salutarli».

«Calmati, ora non penxarci. Dormi e recupera le energie. La mixxione per trovare l'Arcano dell'Acqua è molto complexxa» Max chiuse gli occhi e si addormentò lasciando i cinque ragazzini e gli oggetti parlanti in balia delle correnti dell'oceano e dei loro dubbi. La zattera navigò per tutta la notte, le onde cullarono i coraggiosi naviganti che, abbracciati l'uno all'altro, dormirono beatamente respirando l'aria salmastra.

Quando il sole grande e giallo apparve nuovamente in cielo, la zattera era approdata su un piccolo scoglio. La bandiera sventolava e all'orizzonte si vedeva solo acqua. Acqua e basta! Max si alzò in piedi, tirò giù la bandiera e svegliò Nina.

«Xiamo arrivati. Quexto è l'Oceano Atlantico» disse porgendo la bandiera.

«Oceano Atlantico? Ma è pazzesco! Siamo passati da un oceano all'altro in una sola notte!» esclamò la giovane alchimista stiracchiandosi.

«Già, pazzexco. E c'è di più» aggiunse Max facendo l'occhiolino.

«Cosa?» si agitò Nina.

«Xiamo exattamente nel Triangolo delle Bermuda» disse l'androide indicando l'orizzonte.

«Triangolo delle Bermuda» ripeterono in coro gli altri che si erano spaventati.

«Ma qui succedono cose strane. Navi che scompaiono, aerei che vengono inghiottiti dal mare» disse Cesco grattandosi in testa.

«Xì. Exatto» rispose serio Max.

«Siamo proprio finiti in un bel posto!» aggiunse Roxy alzandosi dritta in piedi.

«Ma cosa dobbiamo fare?» chiese Nina rivolgendosi all'amico androide.

«Prendi la bandiera. C'è una coxa per te» annunciò Max.

Nina girò e rigirò il telo verde e scoprì che in una minuscola tasca c'era una lettera degli Alchimisti e Maghi Buoni di Xorax. Con le mani che le tremavano la lesse immediatamente a voce alta:

Xorax, Mirabilis Fantasio, Sala Azzurra dei Gran Consulti

LA VIA DEI GIUSTI

A Nina 5523312

Documento sottoscritto dai Maghi Buoni e dagli Alchimisti di Xorax.

Sappiamo che devi affrontare le ultime prove per trovare il Quarto Arcano e per questo desideriamo aiutare te e i tuoi amici. Il luogo dove siete arrivati è pericoloso, gli uomini lo hanno chiamato Triangolo delle Bermuda. Qualsiasi cosa succeda dovete stare uniti. La strada da seguire è solo una: la Via dei Giusti. In fondo all'oceano, tra le alghe e pesci, troverete ciò che cercate.

Non sarà semplice capire quale sarà la strada da prendere, un groviglio di vicoli e tunnel vi indurranno a sbagliare.

Nina, segui sempre il tuo intuito. Segui ciò che detta il cuore. Già hai capito attraverso altre lettere cos'è la Bellezza, cos'è la Verità, cos'è l'Incertezza e cos'è il Coraggio.

La Via dei Giusti non è sempre la via più comoda: per arrivare alla giustizia serve faticare e lottare.

Affronta con serenità il Male che arriverà.

Ricorda le regole dell'Alchimia della Luce e vedrai che l'Arcano dell'Acqua sarà tuo. Fai volare nuovamente le rondini, riporta i sorrisi ai bambini della Terra. Libera i loro pensieri e la Felicità tornerà a regnare.

Ora prendi il Taldom Lux, porta il becco del Gughi davanti alla tua bocca e lascia che lo scettro d'oro faccia la sua alchimia. Poi fai la stessa cosa ai tuoi amici.

Che la forza alchemica ti aiuti.

Nina, stringendo la lettera, guardò i suoi compagni d'avventura. Dodo con la testa china, Fiore e Roxy abbracciate e Cesco a braccia incrociate.

Una cosa avevano capito: dovevano andare là, tra i pericoli e le insidie del fondo del mare.

«Adesso userò il Taldom. Metterò il becco del Gughi vicino alla mia bocca e...» Max interruppe Nina.

«Devi farlo. Non avere paura» disse l'androide accarezzando i capelli della ragazzina.

La bambina della Sesta Luna lo fece senza dire più nulla. Doveva fidarsi dei Maghi Buoni di Xorax. Doveva fidarsi di Max.

Appena il becco d'oro del Taldom Lux fu vicino alle labbra di Nina si aprì facendo uscire un velo di fumo azzurro profumatissimo. La giovane alchimista mosse la bocca e sentì un gusto di mirtillo. Non fece in tempo a parlare che le sue labbra diventarono nere. Così come le orecchie e la punta del naso.

Fiore sbarrò gli occhi, Roxy iniziò a ridere a crepapelle mentre Dodo e Cesco si guardarono sbalorditi.

«Sei...sei di... di... di...ventata nera» disse Dodo segnando con le dita la bocca e il resto del viso dell'amica.

«Nera?» chiese sbalordita Nina gustando lo strano aroma di mirtillo che sentiva ancora in bocca.

«Xì. Bocca, orecchie e naxo adexxo xono neri. È normalixximo» spiegò Max tenendo ben stretto il borsone.

«Normalissimo? In che senso? E poi perché?» Nina continuava a fare un sacco di domande a cui nessuno sapeva rispondere.

«Gli Alchimixti di Xorax ti hanno detto che devi farlo. Vedrai che a qualche coxa xervirà. Ora avvicina il Taldom alla bocca degli altri. Forza!» la sollecitò l'androide.

Fiore si girò dall'altra parte, Dodo si coprì il viso con le mani e Roxy rimase ferma come un baccalà.

Sotto il sole, bloccati in una zattera in mezzo all'oceano, i cinque ragazzini dovevano affrontare una nuova e misteriosa prova alchemica.

Nina si avvicinò a Cesco, che a occhi chiusi attese l'effetto dell'incantesimo del Taldom. Dopo un paio di secondi anche lui diventò come Nina.

«Sembra che siate stati in una miniera di carbone» esordì il vaso Quandomio che stava accanto alla ciotola Sallia Nana.

Cesco guardò il vaso con una smorfia di disappunto. Poi toccò a Roxy, che a sua volta convinse Fiore a fare lo stesso. L'ultimo, come al solito, fu Dodo. Il ragazzino guardò gli amici e scosse la testa: «No... no...non voglio diventare come voi. Siete bru... br...brutti».

Max lo prese per un braccio: «Non avere paura. Mica xentirai male. Devi diventare xolo un po' nero».

La vaschetta di Tarto Giallo si avvicinò zampettando ai piedi del bambino con i capelli rossi e disse: «Non farti pregare. Tanto da qui non puoi scappare. Siamo in mezzo all'oceano! Fatti coraggio».

Dodo guardò la vaschetta e poi fissò gli occhi azzurri di Nina. La giovane alchimista sorrise mostrando i denti che sembravano ancor più bianchi in quella bocca nera come la notte.

Il fumo azzurro avvolse il viso di Dodo e in un batter d'occhio anche il timido bambino si trasformò come gli altri. Con le labbra, i nasi e le orecchie nerissime i cinque amici si guardarono perplessi. Max girò le orecchie a campana e mentre stava per cominciare a parlare arrivò un vento fortissimo. I ragazzini non riuscirono più a respirare bene e si sentirono soffocare. Le onde sollevate dal vento travolsero la zattera e in un baleno Nina e gli altri si ritrovarono in mare. La corrente trascinò i loro corpi verso il fondo. Max andò giù velocemente come un sasso, poiché il borsone che aveva era molto pesante. La ciotola, il vaso e la vaschetta si aggrapparono a

Fiore e a Roxy, che si tenevano per mano. Cesco e Dodo si agitavano cercando di tornare in superficie ma la corrente del Triangolo delle Bermuda ormai li aveva inghiottiti.

Con le guance piene d'aria si guardarono intorno, ma videro soltanto bolle blu e bianche che scuotevano l'acqua. Un rumore fastidioso entrò nelle loro orecchie: più andavano giù e maggiore era il sibilo proveniente da chissà dove.

Nina stringeva il Taldom con una mano e con l'altra controllava che gli strumenti magici e le mappe dello Strade Mundi non uscissero dalle tasche della salopette.

Cesco stringeva il prezioso scrigno di goasil e Dodo cercava di non perdere il grosso sacco con i Denti di Drago. In balia della corrente dell'Oceano Atlantico il gruppo degli avventurosi fu trasportato negli abissi del Triangolo delle Bermuda.

Una scia di acqua gelida dirottò il gruppo che finì dentro una buia caverna marina. Nina andò a sbattere contro la roccia e dal colpo aprì la bocca. Si accorse che... poteva respirare anche sott'acqua!

«Respiroooooo!» urlò creando enormi bolle d'aria che si sparsero tutte intorno.

Cesco si girò di scatto e provò ad aprire la bocca. Era vero. L'acqua salata non impediva di respirare. Tutti iniziarono a parlare e a gesticolare muovendo le braccia e le gambe come al rallentatore.

«Il fumo azzurro del Taldom! Ecco che cosa ci fa respirare» disse felice Fiore toccandosi le labbra, il naso e le orecchie.

«Exatto» esordì Max che era finito sopra un enorme anemone giallo.

«E tu? Come fai a stare sott'acqua?» gli chiese Cesco.

«Io non xono umano. L'acqua è un pericolo per me, ma xolo perché arrugginixco. Quindi, cari ragazzi, troviamo velocemente un luogo axciutto» rispose il simpatico androide agitando le mani.

«Mi sem…mbra impo… po…possibile. Respiriamo e non anneghiamo» disse Dodo guardandosi attorno.

Max, con accanto il solito borsone, tentò di alzarsi dall'anemone ma qualcosa lo tratteneva. Girò la testa verso sinistra e vide una strana cosa scura che gli stava girando intorno alla vita. Con le mani di metallo cercò di liberarsi, ma appena tentò di staccare quella cosa dal suo corpo si accorse di essere stato preso da un essere mostruoso. Una piovra!

L'animale sbucò fuori d'improvviso agitando i suoi temibili tentacoli. Dodo e Fiore urlarono cercando di ripararsi dentro la grotta. La testa enorme e molle della piovra si avvicinò ai ragazzini, mentre i tentacoli ondeggiavano tra le alghe e i pesci.

«MAX SCAPPA!» gridò forte Nina impugnando il Taldom.

Due lunghissimi tentacoli avvinghiarono anche Cesco. Nina era sconvolta. Cercò di schiacciare gli occhi di goasil ma dal becco del Gughi non uscì neppure una scarica elettrica.

La Piovra avanzava con le sue molteplici braccia ricoperte da potenti ventose e nessuno sapeva come fermarla.

Gli oggetti parlanti, ormai privi di sensi, furono sotterrati dalla sabbia sollevata dall'animale marino. Roxy afferrò una lunga alga verde e cercò di infilarla in un occhio della Piovra. Ma non ci riuscì.

Nina tentò ancora una volta di usare il Taldom, ma lo scettro non rispondeva ai comandi.

Il corpo di metallo di Max iniziò a cigolare, il povero androide non riusciva a liberarsi dalla morsa dei tentacoli che lo stava uccidendo.

Un'onda invisibile arrivò d'improvviso.

La Piovra sollevò la testa e, alzando i tentacoli verso l'alto, guardò davanti a sé.

Le alghe e gli anemoni, i pesci e pezzi di roccia si levarono come spinti da una forza superiore. Una tempesta di sabbia

e conchiglie annebbiò la visuale e l'oceano diventò un luogo buio dove regnavano solo terrore e paura.

Una bocca enorme si aprì mostrando una gola profonda quanto una voragine. Era arrivata la Grande Balena Bianca.

La Piovra indietreggiò con tutto il corpo e quattro tentacoli si appiccicarono sul muso della balena. Un morso secco li spezzò come se fossero fatti di niente.

Il gigantesco animale agitò la coda grande e bellissima scaraventando contro le rocce la maledetta piovra assassina.

Max girò dieci volte su se stesso e finì nuovamente sull'anemone giallo, Cesco si ritrovò a testa in giù tra le alghe mentre Dodo finì tra un gruppo di pesci rossi e viola che si erano rifugiati in una conchiglia di madreperla.

I granelli di sabbia scesero lentamente e l'acqua tornò limpida e chiara. La Piovra se ne stava lì, morta. I tentacoli galleggiavano a destra e a sinistra senza più nuocere.

«MEGARA!» gridò Max girando le orecchie. «Grazie, ci hai salvato».

La Grande Balena socchiuse i piccoli occhi grigi, mosse il corpo possente con estrema calma e guardando Nina girò la testa verso sud.

«Megara» disse con un filo di voce la bambina della Sesta Luna, ma non fece in tempo a sfiorarla che la balena nuotò lontano.

«Xì, è Megara. La Grande Balena degli abixxi» spiegò Max rimettendosi seduto.

«Ma la conosci?» chiese sorpresa Nina mentre abbracciava Dodo che tremava ancora per la paura.

«Certo, la conoxco bene. Tutti a Xorax xanno chi è» rispose Max controllando le giunture delle ginocchia.

«Megara è conosciuta dagli xoraxiani? Ma come è possibile?» chiese sorpreso Cesco avvicinandosi a Fiore e Roxy che avevano la faccia stravolta.

«Ora non poxxo xpiegarvi nulla. Capirete. Adexxo bixogna muoverxi verxo xud, Megara lo ha indicato bene» spiegò l'androide rimettendosi il borsone a tracolla.

«A sud. Per andare dove?» chiese la giovane alchimista sempre più stordita dagli eventi.

«Guarda le mappe» disse Cesco aggiustandosi gli occhiali che si erano riempiti di piccole conchiglie rosa.

Nina estrasse dalla tasca i fogli dello Strade Mundi, ormai inzuppati. Appena li toccò si sbriciolarono dissolvendosi nell'acqua.

«Oh nooooooo. E adesso cosa facciamo?!» esclamò disperata la ragazzina.

Senza neppure una guida, nel profondo degli abissi, il gruppo si sentì perso.

Max iniziò a nuotare verso sud facendo cenno agli altri di seguirlo. La scia di corrente lasciata da Megara aiutava a proseguire lungo la via giusta.

Roxy e Fiore raccolsero gli oggetti parlanti che non davano più segni di vita. Ancora una volta stavano annegando e bisognava trovare un luogo asciutto per farli riprendere. Ma come era possibile uscire dall'oceano?

Con la bocca, il naso e le orecchie sempre neri, i cinque ragazzini e Max nuotavano verso l'ignoto. L'acqua cambiava spesso colore, da azzurra diventava blu, poi verde e argentea, i raggi del sole giungevano sino là in fondo creando fasci di luce che permettevano di vedere le meraviglie del mondo marino. Pesci palla, pesci gatto, meduse rosa e bianche, anemoni di mille colori, alghe e piante dalle foglie larghe o sottili, e poi milioni e milioni di conchiglie di ogni tipo e grandezza.

Il mondo sotto l'oceano era davvero straordinario. Gruppi di piccoli pesci rossi giocavano entrando e uscendo da strane rocce coperte da splendidi cespugli di piante viola e blu, sei graziosi cavallucci marini galoppavano felici muovendo le loro code ricce, mentre due cernie nuotavano agitando le code come in una danza.

«Be… be…bellissimo!» esclamò Dodo esterrefatto.

«Chissà cosa pensano di noi questi pesci?» si chiese Fiore mentre sfiorava dei granchietti bianchi e gialli che se ne stavano aggrappati a un'enorme masso.

«Adesso che abbiamo perso le mappe come faremo a trovare il Labyrinthus… quel groviglio di linee che era segnato con una freccia?» chiese Cesco girandosi verso Nina.

«Non lo so. Chissà dove ci sta portando Max. Spero di risalire presto in superficie» rispose la ragazzina che nuotava spedita in mezzo a bolle e frammenti di conchiglia.

L'acqua si fece più scura e fredda. Max 10-p1 si fermò e girandosi verso gli altri alzò le braccia: «Xiamo arrivati. Xeguitemi xenza parlare».

Davanti agli occhi increduli dei cinque ragazzini apparve una cosa davvero straordinaria.

Una montagna di corallo arancio e rosso si stagliava verso la superficie dell'oceano. Era immensa.

Attorno nuotavano pesci di colori sgargianti, con pinne trasparenti e squame dorate.

«Che meraviglia!» esclamarono Fiore e Roxy.

Nina, con i lunghi capelli che fluttuavano liberi, avanzò incantata.

«Per tutte le cioccolate del mondo! Non ho mai visto una cosa del genere!» la ragazzina andò accanto a Max e i due si guardarono sorridendo.

«È il Labyrinthus?» chiese sbalordita la giovane alchimista.

«Xì. Ora dobbiamo entrare» rispose l'androide indicando una fessura in basso.

«E se poi non sia… sia…siamo ca…caca…paci di uscire?» disse sotto voce Dodo.

«Dobbiamo trovare la Via dei Giusti» rispose Nina facendo brillare gli occhi azzurri che nel profondo dell'oceano sembravano ancora più blu.

Cesco la guardò con ammirazione e prendendola per mano, nuotò con lei tra gli anemoni e i cavallucci marini.

Quando Max fu davanti all'ingresso del Labyrinthus si girò verso i ragazzi e seriamente disse: «Xe dovexximo perderci ricordate che non dovete tornare indietro. Cercate di uxcire a ogni coxto. In quexto labirinto hanno perxo la vita in tanti. Tutti coloro che non hanno xaputo trovare la Via dei Giuxti».

E così dicendo, l'androide entrò nella fessura della montagna di corallo.

Nina e gli altri lo seguirono senza fiatare. L'ambiente era asciutto e illuminato da una luce giallognola. Non c'era acqua. Non c'era cielo. Non c'era orizzonte. Davanti, dietro, sotto e sopra c'erano solo grovigli di coralli che formavano vicoli, strade e tunnel. Una vera ragnatela di rami.

Max si asciugò tutto il corpo e la testa con uno straccio che aveva dentro il borsone. Poi prese con cura gli oggetti parlanti e li strofinò per bene fino a quando ricominciarono a muoversi. La ciotola Sallia dondolò, il vaso Quandomio fece un rumoroso starnuto, la vaschetta di Tarto Giallo si sgranchì le zampine ed esclamò: «Ohhhh... ma dove siamo finiti?».

Roxy si avvicinò e spiegò che quello era un labirinto di corallo. Gli oggetti rimasero in silenzio.

Nina sentì degli strani formicolii sulla bocca, le orecchie e il naso. La stessa sensazione la provarono anche gli altri. L'effetto dell'incantesimo alchemico del becco del Taldom stava finendo. Il nero che copriva gran parte dei loro volti se ne stava andando. Dentro il Labyrinthus potevano respirare normalmente.

«Bocche rosa e orecchie pulite» disse Fiore toccandosi il naso.

«Già, siamo pronte per una festa» aggiunse Roxy strizzandosi la maglietta inzuppata d'acqua.

«E non fa neppure freddo, qui dentro» Cesco era come al solito intento ad asciugarsi gli occhiali.

«Andiamo. Non c'è tempo da perdere» disse Max e prese la prima stradina a destra trascinando il borsone.

«Teniamoci per mano, così non ci perderemo» disse Fiore raccogliendo gli oggetti parlanti, e tutti furono d'accordo.

Uno dietro l'altro, in fila indiana, camminarono verso l'interno della ragnatela di corallo.

Le pareti della prima stradina erano rosa pallido ma in lontananza si intravedeva una via un po' più scura.

Max avanzava cercando di non inciampare sulle buche che costellavano il pavimento. La prima a scivolare fu Fiore, ma si rialzò immediatamente lasciando per un momento la mano di Dodo. Il ragazzino perse l'equilibrio e sbatté contro la parete sinistra: frammenti di corallo rosa finirono tra i suoi capelli rossi.

Dodo si rialzò e vide che dal sacco che aveva sulle spalle era uscito uno dei Denti di Drago: «Acci... ci...cidenti! De... de...devo stare più at...tento» disse quasi arrabbiato.

Con delicatezza rimise il dente dentro il sacco e si assicurò che fosse ben chiuso. Aveva perso pochi secondi, ma bastarono per non capire più dov'erano finiti i suoi compagni.

Guardò davanti a sé e vide solo rami di corallo intrecciati. La stradina che stava percorrendo non c'era più.

«Do... do...dove siete?» gridò spaventato.

Ma nessuno rispose.

Fiore, che era l'ultima della fila, si accorse dell'assenza dell'amico troppo tardi.

Il panico assalì il gruppo.

«L'abbiamo perso!» sbraitò Cesco mentre il pavimento iniziava a muoversi.

«Il terremoto!» disse Roxy appoggiando le spalle sulla parete destra.

«No! Non è il terremoto. Le xtrade di corallo ogni tanto xi muovono cambiando direzione. Per quexto il Labyrinthux è pericoloxo. È difficile capire dove andare!» spiegò freddamente Max.

«Per tutte le cioccolate del mondo! Allora non riusciremo più a trovare Dodo» esclamò Nina.

«Spero di rivederlo presto» disse Roxy guardando Cesco, visibilmente preoccupato.

Anche la parete sinistra si mosse e la direzione cambiò ancora una volta.

I ragazzini e Max camminarono per ore, cercando l'uscita e di tanto in tanto gridavano il nome di Dodo nella speranza di essere uditi e che rispondesse.

Ma il giovane amico dai capelli rossi si trovava da un'altra parte del labirinto. Sudato, con il cuore che batteva forte, cercava di orientarsi, anche se la paura gli faceva compiere errori su errori.

Il soffitto e il pavimento cambiavano in continuazione: i colori del corallo variavano ogni secondo e la confusione mentale non permetteva di capire mai dove era giusto andare.

Max si fermò. Si mise seduto con accanto il borsone, scuotendo la testa: «Lo xapevo che era difficile uxcire da qui. Me lo avevano già raccontato altri miei amici androidi. Però non immaginavo foxxe coxì complicato».

«Dobbiamo trovare la freccia blu. Vi ricordate, era disegnata al centro della mappa dello Strade Mundi» disse Nina che non voleva arrendersi.

Cesco toccò le pareti e cercò di spingere, ma non c'era alcuna possibilità di uscire.

«Guardate, lì c'è un passaggio. Proviamo a entrare» propose Fiore, che aveva sete e non vedeva l'ora di trovare un po' di acqua fresca. Il gruppo la seguì. Niente da fare: comparve davanti a loro un muro di corallo rosso fuoco. Bisognava tornare indietro?

«No. No. Indietro no. È l'unica coxa che non dobbiamo fare» gridò Max.

Chiusi tra i rami di corallo si sentirono prigionieri del labirinto.

Dall'altra parte anche Dodo era in preda allo sconforto. Solo, con il sacco di denti da trasportare, non sapeva più quale vicolo prendere.

Così, appoggiò il sacco tra due rami di corallo intrecciati e si accorse che c'era una piccola sporgenza di colore blu.

«Blu co… co…come la freccia» si disse sottovoce, ricordando la mappa del Labyrinthus.

Con le gocce di sudore che gli scendevano dalla fronte, toccò il corallo blu e con sua grande sorpresa vide la parete aprirsi di scatto.

Una ventata d'aria fresca gli arrivò sul volto e lo accompagnò nella sua lenta ricerca. Scese tre gradini e si ritrovò in una stanza umida dal soffitto altissimo e quasi completamente priva di luce.

«C'è ne… ne…ssuno?» chiese con la voce spezzata dal terrore.

Una musica lieve iniziò a suonare. Il soffitto, formato da stalattiti di corallo bianco si aprì e dall'alto scese una scala di cristallo verde.

Dodo si avvicinò alla scala e la sfiorò. La musica si fece più forte.

«Cesco, Nina, Fiore, Roxy, Max…» urlò il timido ragazzino salendo velocemente i gradini della scala.

La sua voce, questa volta, fu udita dal gruppo.

«Avete sentito? È Dodo!» disse Cesco aprendosi in un ampio sorriso.

«Siamo qui. Stai bene?» gridò Nina.

«Io sto be...bene. Pe... pe...penso di es...sere arrivato al-l'u... u...uscita» gridò fortissimo Dodo, cercando di scandire bene le parole.

Max girò le orecchie a campana, poi iniziò a pestare i pugni sulla parete di corallo rosso che avevano di fronte.

«Riesci a sentire i nostri colpi?» chiese Roxy a Dodo e lui, le guance rosse dall'emozione, urlò: «Sì! Li sento!».

I quattro ragazzi picchiarono ancora sulla parete, mentre Max tirava fuori dal borsone un grosso martello. Con fatica riuscirono a spaccare una parte del muro di corallo e finalmente videro il faccino di Dodo che stava dall'altra parte dell'apertura.

«Sono proprio felice di vederti, caro amico mio» disse Cesco con gli occhi lucidi.

Le martellate distrussero velocemente il muro di corallo e i ragazzini si riabbracciarono contenti.

«Credevo proprio di averti perso» continuò Cesco, stringendo forte il suo amico. Dodo sorrise e diventò rosso.

«Che strana scala» osservò Roxy.

«Già, e guarda là...» disse Cesco andando avanti.

La stanza era ovale, le pareti, tutte di corallo giallo e arancione, riflettevano una luce particolare.

«Ma è questa l'uscita?» chiese Fiore e Max rispose che non lo sapeva.

«Sentite questa musica... mi ricorda qualcosa» esclamò Nina, che avanzava con prudenza. Poi sgranò gli occhi e continuò: «Assomiglia all'Ottava Nota. Sì, alla musica dell'Armonia dell'Universo. Vi ricordate? In Egitto, nella Stanza della Morte Danzante quando ho lanciato i tre cubi per sconfiggere le mummie!».

«Sì, ricordo molto bene» disse Fiore che proprio dalle mummie era stata ferita a morte.

«Allora se c'è la musica dell'Ottava Nota vuol dire che siamo salvi!» aggiunse Roxy guardando il soffitto di corallo bianco.

«Forxe. Xtiamo vicini. Non xi xa mai» si raccomandò Max, toccando la parete sinistra, fredda.

Il corallo arancione e giallo delle pareti sembrava friabile e la luce verdognola proveniente dal soffitto di corallo non aiutava a vedere bene.

Cesco si accorse che sulla parete destra c'era una macchia più scura, si avvicinò e passò le mani sopra togliendo la polvere.

«Guardate! C'è una scritta» avvisò il ragazzino.

E sopra la frase tutti videro disegnata la freccia blu che indicava l'uscita.

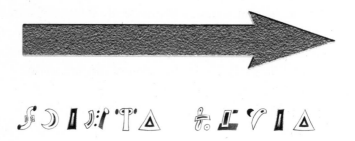

«La freccia! La frase!» esclamò Nina avvicinandosi a Cesco.

«Scinta Levia? Che cosa vuol dire?» Roxy era perplessa.

«Saranno le due parole per trovare l'Arcano dell'Acqua» rispose Fiore.

Ed era proprio così. La Via dei Giusti descritta dagli Alchimisti di Xorax era vicina e ora si trattava di proseguire il viaggio verso la scoperta dell'ultimo Arcano.

«La freccia blu indica laggiù. Ma non vedo alcuna uscita» disse Nina guardando Max.

L'androide andò avanti per primo e, quando ebbe raggiunto la parete, si girò.

«Non xo proprio dov'è l'uxcita» disse, ma mentre parlava il pavimento iniziò a muoversi. Il soffitto di corallo diventò luminosissimo e al centro della stanza ovale si formò un cono di luce blu.

I ragazzini rimasero immobili. Gli oggetti parlanti si nascosero dietro le gambe di Max e Nina avanzò lentamente verso la luce blu.

La musica dell'Ottava Nota diventò potente. Le vibrazioni fecero tremare ogni cosa.

D'improvviso, dentro il fascio di luce bluastra apparvero delle parole:

VIA DEI GIUSTI

«Ecco! È la Via dei Giusti» esclamò Nina avvicinandosi al cono luminoso.

«Do... dob...biamo entrare lì de... de...dentro?» chiese Dodo sgranando gli occhi.

«Mi sa di sì» rispose Roxy guardando la scritta.

Il gruppo si avvicinò al cono di luce e l'energia lo risucchiò verso l'alto. Travolti dal blu fluttuarono nella luce. Capriole, salti e piroette. I ragazzi, Max e gli oggetti parlanti erano finiti nel tunnel che portava alla Via dei Giusti: la strada verso la conquista del Quarto Arcano.

CAPITOLO SETTIMO

Il traditore
e l'Ago Punginganno

Immersi nel blu, dentro la luce che li portava in una nuova avventura, Nina e i suoi amici stavano raggiungendo la Via dei Giusti. Ma proprio in quel momento, a Venezia, accadevano cose davvero inquietanti.

Erano le 12 in punto del 13 aprile quando il Magister Magicum, l'androide Andora e l'allievo arrivarono vicino al ponte di Villa Espasia, alla Giudecca. Le guardie erano indaffarate a cacciare via un folto gruppo di bambini che, appena usciti da scuola, si erano fermati proprio lì.

«Via, via, andate a casa. Non c'è nulla da vedere» gridò la prima guardia.

Ma i bambini, immobili e muti, non si spostarono di un passo. La Rivoluzione Silenziosa era iniziata davvero. Il ritrovamento dei tre Arcani e l'inizio della scoperta del quarto stava risvegliando i piccoli della Terra. La scomparsa di Nina, Cesco, Dodo, Roxy e Fiore aveva innescato la rivolta: i ragazzi veneziani avevano cominciato a pensare liberamente. Ed erano convinti che Karkon fosse il Male, che tutto quello che era successo fosse colpa sua. Solo sua e dei suoi maledetti falsi orfani.

Il Conte allargò il mantello viola e con la voce rabbiosa urlò contro i mocciosi: «Che fate qui? Andatevene o vi faccio arrestare tutti quanti».

I bambini stettero in silenzio e puntarono gli occhi su di lui, seguendo ogni suo gesto, mentre una ventina di rondini volteggiava sopra i tetti delle case emettendo un canto stridulo. Karkon si fermò, osservò le rondini e sputò per terra, poi, non avendo alcuna risposta dai bambini gridò: «Siete forse complici di Nina? Avete voluto anche voi la morte del sindaco LSL? RISPONDETE!».

I bambini si scambiarono occhiate d'intesa e alzarono la testa seguendo i giochi delle rondini. Ma non dissero una parola. Nonostante il silenzio, i loro pensieri erano talmente forti che il Conte percepiva la loro potenza. E poi quelle rondini lo inquietavano sempre di più. Garrivano! Aprivano i loro piccoli becchi ed emettevano striduli suoni che si spargevano nell'aria.

Karkon perse le staffe e si avventò contro un bambino ma fu fermato da Andora: «Mio Signore, non perda tempo con questi mocciosi. Entriamo in Villa, abbiamo altre cose da fare».

Il gruppo dei rivoluzionari non si scostò di un millimetro e le guardie cominciarono a spingere per fare largo al Conte e ai suoi due seguaci.

«Conte Karkon, questi bambini ci preoccupano» disse la seconda guardia. «Sappiamo che il preside e alcuni insegnanti l'avevano già avvisata che gli alunni erano diventati un po' strani. Dispettosi. Insomma, non rispettano più le regole a scuola e parlano sempre di Nina e di magia».

«Sciocchezze! Non possono certo rappresentare un pericolo» disse Karkon che ancora una volta non capì l'importanza della Rivoluzione Silenziosa.

«Ma Signore…» tentò di insistere la prima guardia.

«Silenzio! Voi chiacchierate a vanvera. Siete qui a vigilare la Villa e non avete ancora scoperto dove siano finiti Nina De Nobili e i suoi quattro terribili amichetti. Fatevi da parte. Andatevene. Siete dei buoni a nulla!» urlò il Conte aprendo il cancello.

L'allievo lo seguì in fretta e aggiunse rivolto alle guardie: «Sì, andatevene. Ora ci pensiamo noi».

Andora era rimasta indietro e, senza che il Conte se ne accorgesse, si girò versò i bambini e facendo l'occhiolino li confortò a bassa voce: «State calmi. Sono io, Andora... capito? Aiuterò Nina».

I bambini spalancarono la bocca, non credevano alle loro orecchie.

«Quella è Andora, il suo nome era scritto sulla bara di LSL. Ha la voce metallica...» bisbigliò una bambina.

I ragazzini si guardarono esterrefatti senza capire cosa stesse succedendo davvero.

«Ma è amica di Karkon! Sta entrando nella Villa. Non è vero che aiuterà Nina. E poi, l'avete vista. È pelata e ha un viso che sembra fatto di plastica. Non sembra umana» aggiunse un altro ragazzino.

«Andiamocene. Dobbiamo escogitare qualche cosa per scoprire la verità» concluse un altro bambino del gruppo.

Insieme, a passo veloce, se ne andarono lasciando Villa Espasia in balia del Conte K.

Appena Karkon fu davanti alla porta diede uno spintone. Ma nulla. La porta era solida e ben chiusa. Insieme all'allievo riprovò ancora una volta fino a scardinare la serratura. Quando il Conte mise piede nell'atrio, Adone arrivò di corsa ringhiando. Nero, con i denti aguzzi, il grosso alano faceva proprio paura. Ma non a Karkon! Il malefico alchimista puntò il Pandemon Mortalis per colpire il cane di Nina. Andora allargò le braccia, poiché non sapeva come fare per impedire al Conte di uccidere Adone senza destare sospetti. Il gatto uscì dalla Sala del Caminetto e, facendo la gobba, avanzò miagolando e soffiando. Fece un balzo e si aggrappò al mantello di Karkon con le unghie. L'allievo diede una pedata al povero gatto rosso che finì contro la parete. Adone stava per saltargli addosso quando Andora si mise di mezzo.

«Via! Via, cagnaccio! Vattene fuori!» e così dicendo l'android spalancò il portone della Villa facendo uscire il cane e seguì il gatto che era entrato nella Sala degli Aranci.

Karkon mosse il mantello e si avvicinò alla scala a chiocciola, guardò in su e poi si girò verso l'allievo: «Saliamo?».

«No, Maestro, venga da questa parte» disse l'allievo facendo strada. Attraversata la Sala del Caminetto entrarono nella Sala del Doge. Il Conte osservò la grande libreria del professor Michajl Mesinskj e sfiorò con le mani alcuni volumi: «Interessante. Veramente interessante questa stanza. Quando venni per uccidere il professor Misha, circa un anno fa, non ebbi il tempo di rubare qualche volume di Birian Birov. Ero troppo impegnato a strappare il Taldom Lux dalle mani del mio nemico. Peccato! Non riuscii a prendere né lo scettro d'oro né i libri. Ma adesso la piccola streghetta la pagherà cara e io diventerò l'Alchimista più potente dell'Universo!».

L'allievo si avvicinò alla porta del laboratorio segreto, non vedeva l'ora di entrare e far scoprire a Karkon dove Nina faceva i suoi esperimenti alchemici. L'allievo sapeva che c'era un sistema strano per aprirla ma non fece in tempo a dire nulla perché si udirono delle voci provenienti dall'atrio.

L'androide, che era rimasta nella Sala degli Aranci alla ricerca del gatto, si nascose dietro uno dei divani. Accucciata e silenziosa vide Platone che drizzava i baffi, poi sentì i passi delle persone che erano entrate in Villa.

«C'è nessuno? Nina? Ljuba? Dove siete?»

Erano le voci di Carmen e Andora, le zie spagnole arrivate a Venezia per una visita inaspettata.

Carmen appoggiò le valigie e salì al piano di sopra mentre la vera Andora, che aveva visto il gatto rosso, entrò nella Sala degli Aranci. L'androide karkoniano rimase dietro il divano. Per la prima volta le due donne erano a pochi passi una dall'altra.

La zia di Nina prese in braccio Platone e guardò il quadro di sua sorella, la principessa Espasia. «Eri bella. La più bella di noi tre. Se tu fossi ancora viva Nina avrebbe potuto imparare molto da te» sussurrò tenendo gli occhi puntati sul ritratto di Espasia. Mentre accarezzava il gatto vide spuntare da dietro il divano il suo clone: la falsa Andora.

L'androide abbassò la testa pelata e con un filo di voce metallica disse: «Non spaventarti. Non ti farò del male».

La vera Andora rimase con il fiato sospeso, mollò il gatto a terra e guardò la sua avversaria.

«Ma... cosa fai qui? Non eri morta?» chiese terrorizzata.

«Sì, ero morta ma Karkon mi ha risvegliata. Ora non posso spiegarti tutto. La storia è lunga. Il Conte è qui in Villa. Tu e Carmen siete in pericolo. Io voglio aiutarvi. Voglio salvare Nina» fu la spiegazione, rapida e concisa, dell'androide, che però non convinse del tutto la vera zia.

«Non mi fido di te! Che fine ha fatto Nina? È da giorni che telefoniamo e non risponde nessuno. Non c'è neppure Ljuba. Dove le avete portate?» chiese Andora, avvicinandosi all'androide con aria minacciosa.

«Nina è partita assieme agli altri quattro ragazzi» rispose l'androide.

«Partita? Per dove?» incalzava la zia, preoccupatissima.

«Il suo viaggio riguarda l'alchimia. È difficile per me spiegarti adesso» cercò di rispondere l'androide karkoniano.

«Alchimia. Già, so bene che Nina ha seguito le orme del

nonno. So qualche cosa delle sue avventure. Io ho pagato caro. E lo sai bene. Tu mi hai sostituito e io sono stata imprigionata nella Torre di Toledo. Non potrò mai perdonarti!» disse la vera Andora, tremante e con gli occhi lucidi.

«Lo so. Capisco. Ma io sono cambiata. Voglio aiutarvi» spiegò l'androide.

«Ma Nina è in pericolo?» chiese allarmata la zia.

«Ti spiegherò dopo. Ora lasciami andare» disse il clone.

«E Ljuba? Anche lei è partita?» Andora era sempre più angosciata.

«Ljuba e Carlo sono in prigione» rispose frettolosamente l'androide.

«In prigione?» la zia indietreggiò, spaventata.

«Sì, ma li libereremo. Ora devi fidarti di me. Ti prego. Fammi andare da Karkon. Io farò finta di stare al gioco ma aiuterò voi e non lui. Capito?» conclude la falsa Andora. Sembrava sincera e la vera zia di Nina non aveva alternative: doveva crederle!

L'androide fece segno di stare in silenzio e si avviò verso la Sala del Doge, lasciando Andora nell'atrio.

Carmen, che era sempre al piano di sopra, parlottava da sola e brontolava perché non aveva trovato la bambina e neppure Ljuba.

Scese rapidamente le scale e vide Andora ferma al centro dell'atrio con lo sguardo terrorizzato.

«Che hai? Non stai bene?» le chiese preoccupata.

«No, sono solo stanca. E qui non c'è nessuno. Chissà dove sono andate» disse Andora cercando di non far capire nulla di ciò che stava succedendo a sua sorella.

Nel frattempo l'androide aveva raggiunto nella Sala del Doge Karkon e l'allievo, spiegò che erano arrivate le zie di Nina e che non era più possibile stare in Villa.

L'allievo si fece avanti dicendo: «Voi state qui. Andrò io da

Carmen e Andora». A passo veloce andò nell'atrio e quando le due sorelle lo videro esclamarono: «JOSÉ!!!».

Sì, il misterioso allievo di Karkon Ca' d'Oro era proprio lui: l'insegnante spagnolo. José aveva tradito Nina! Aveva tradito tutti! Ma le zie non potevano certo saperlo.

«Hola, carissime. Che fate qui?» chiese sorridendo.

«Siamo venute perché non abbiamo più avuto notizie di Nina e Ljuba. Dove sono?» spiegò Carmen, ma il traditore cercò di calmarle.

Andora non capiva più nulla. Non sapeva se José era dalla loro parte o no. L'androide non le aveva parlato di lui.

«Ljuba e Nina stanno bene. Sono uscite a fare una passeggiata» spiegò il bugiardo José.

«Ma non hanno mai risposto al telefono!» insisté Carmen.

«Il telefono? Ma è rotto!» disse l'insegnante raccontando l'ennesima bugia.

Dal portone entrò abbaiando Adone che andò accanto ad Andora. La zia gli accarezzò la testa e si accorse che sul collare c'era qualche cosa. «Un biglietto!» esclamò sorpresa.

Andora lo lesse ad alta voce: «Siamo vivi, abbiate cura di questi due animali» sotto c'erano le firme di Nina, Cesco, Roxy, Fiore e Dodo. Poi c'era un altro pezzetto di carta bruciacchiato con su scritto: "A...TTO" la scrittura era quella di José.

Carmen rimase a bocca aperta e disse: «Ma che significa?». L'insegnante spagnolo strappò i due fogli dalle mani di Andora: «Stupida! Ma che leggi?».

Carmen guardò sua sorella e poi José e sentì il cuore scoppiare dalla paura. Proprio non capiva...

«Nina è partita. Lo so. Ma cosa significa questo foglietto bruciacchiato? "A...TTO" che cosa vuol dire? L'hai scritto tu!» la voce di Andora si sparse per tutto l'atrio. Platone iniziò a soffiare e Adone ad abbaiare contro José.

«"A…TTO"? Ebbene sì, ve lo dico! Significa ACCETTO. Ho accettato di diventare allievo del Conte Karkon Ca' d'Oro. Lui è il vero grande alchimista della Terra. Il professor Michajl Mesinskj era solo un maghetto da strapazzo. E Nina è simile a lui. Una stupida bimbetta!» furono le terribili parole di José. I suoi occhi diventarono rossi come il fuoco e il suo volto sembrava stravolto dalla cattiveria.

«TRADITORE!» gridò Andora, mentre Carmen scoppiò in un pianto a dirotto.

L'insegnante diede una spinta ad Andora, che andò a finire contro un vaso cinese rovesciandolo. Adone reagì balzando addosso a José, strappandogli una parte del mantello. Il traditore corse nella Sala del Caminetto, rovesciò il tavolino e le poltrone per evitare l'assalto di cane e gatto che erano inferociti. Poi si diresse verso la Sala del Doge dove lo attendevano Karkon e l'androide.

«Andiamocene. Le due vecchie zitelle sono un pericolo. Potrebbero procurarci dei guai. Sanno troppe cose» disse nervosamente José.

«UCCIDIAMOLE!» disse alzando la voce Karkon.

«No. Non mi sembra il caso. Ammazzarle significa creare altri problemi. Dovremmo trovare altre giustificazioni, e i veneziani non sarebbero più dalla nostra parte» spiegò la falsa Andora cercando di prendere tempo.

Intanto la copia dello Jambir di Karkon iniziò nuovamente a scaldarsi. Il medaglione stava segnalando il nuovo spostamento di Nina.

Il Conte mostrò lo Jambir e alzando lo sguardo gridò: «Bisogna andare! Nina si sta dirigendo verso il luogo segreto dove ho nascosto l'Arcano dell'Acqua!».

«Non è più in Cina?» chiese sempre più sconvolta la falsa Andora.

«No. Credo proprio che Loui Meci Kian non l'abbia bloccata. Maledetta bastarda! È riuscita a fuggire di nuovo» sbraitò il Conte.

José ebbe uno scatto di rabbia, prese il contenitore con l'Accia Peciosa e lo rovesciò. La sostanza immobilizzante si sparse sul pavimento. Karkon e l'androide rimasero di stucco. José, ridendo, disse: «Bene, chiunque entri qui avrà una bella sorpresa! Ora andiamocene».

L'androide non sapeva cosa dire, d'altra parte José non aveva avuto il tempo di spiegare che lì, a due passi, c'era il Laboratorio e che giù, in fondo alla laguna c'era l'Acqueo Profundis. La falsa Andora guardò la sostanza nera che si spargeva pericolosamente su tutto il pavimento sfiorando anche i volumi che erano appoggiati per terra, vicino alla libreria. Il suo pensiero andò a Max.

"Lui non è pericolo. È giù, nell'Acqueo Profundis, e forse riuscirà ad aiutare Nina" si disse osservando la faccia mostruosa di Karkon e l'espressione malvagia di José. Ma l'androide non poteva certo immaginare che l'amico di metallo era con Nina, e che presto, molto presto, lo avrebbe rivisto.

L'abbaiare di Adone e il vociare delle zie spagnole fecero fretta ai tre intrusi. Karkon non aveva scelta: doveva fuggire, raggiungere la giovane alchimista e bloccarla prima che riuscisse a trovare l'Arcano dell'Acqua.

Con un gesto rapido allargò il mantello coprendo José e Andora: i tre scomparvero in una nuvola di zolfo.

Quando nella Stanza del Doge entrarono di corsa le due zie finirono con i piedi dentro l'Accia Peciosa e rimasero immobilizzate all'istante. Carmen barcollava, appoggiandosi alla libreria, mentre Andora rimase immobilizzata in mezzo alla stanza.

«Ma cos'è che ci blocca?» Carmen era agitatissima.

«Non lo so sorella mia. Sembra pece» rispose Andora cercando di sollevare le gambe.

Adone abbaiava sempre più forte e Platone continuava a

miagolare e soffiare storcendo il naso. I due animali fecero qualche passo indietro cercando di non sporcarsi le zampe con l'Accia Peciosa. Solo loro potevano aiutare le zie spagnole, ma non sapevano cosa fare. Carmen si sentì male, divenne bianca come un lenzuolo e Andora cercò di farle coraggio, anche se la situazione non era certo facile. Pregò per Nina e i suoi amici. Avrebbe tanto voluto aiutare la piccola Ninotchka, ma prima di tutto era indispensabile liberarsi da quella melma nera e appiccicosa. Pensò a Ljuba e Carlo che, come le aveva detto l'androide karkoniano, erano in prigione. Si rivolse con dolcezza a Carmen e disse: «Ora stiamo calme. Vedrai che presto questa brutta storia finirà».

«Ma dove è andato José. In questa stanza non c'è nessuno» mormorò con un filo di voce la sorella.

«È un maledetto traditore. Sono certa che è stato lui a gettare sul pavimento questa roba. È scomparso nel nulla, chissà come ha fatto a uscire da qui visto che non ci sono neppure le finestre» rispose Andora, tentando di muovere i piedi.

Quello che le due zie avevano scoperto di José le aveva

sconvolte. Tutto sembrava così strano e terribile. Erano arrivate a Venezia per sapere come stava Nina ed ora erano lì,
bloccate da una strana sostanza nera. Cane e gatto si agitavano e non si azzardavano a entrare nella Sala del Doge. Allora Andora si girò verso di loro e urlò: «Andate a cercare
aiuto. Avvisate qualcuno».

La zia sperava che i due animali riuscissero a trovare una
persona che le salvasse da quella pozza di pece puzzolente.
Adone e Platone obbedirono all'istante e uscirono da Villa
Espasia correndo come razzi. L'aria di primavera profumava
il parco di Villa Espasia, ma la bellezza e il mistero di questa
dimora tanto cara al professor Mesinskj sembravano svanire
di ora in ora. L'Alchimia della Luce non aveva più alcun effetto e la Villa sembrava un luogo maledetto. Il sole splendeva alto, ma i raggi dorati si riflettevano su canali e campielli annunciando solo terribili catastrofi. Il Male stava de-
vastando la vita di molte persone.

Anche se i bambini veneziani si stavano organizzando e
la Rivoluzione Silenziosa cresceva di minuto in minuto,

tuttavia era ancora presto. Troppo presto per cantar vittoria.

C'era chi soffriva e nessuna magia poteva cancellare il dolore. Chiusi in cella, Ljuba e Carlo erano depressi e affamati. La tata russa piangeva in continuazione, mentre il giardiniere aveva consumato le suole delle scarpe passeggiando dal muro alle sbarre per 20 ore al giorno. I genitori di Dodo, Roxy, Fiore e Cesco avevano quasi del tutto perso le speranze di rivedere i loro figli ed erano in preda alla disperazione.

Il tempo passava e la situazione sembrava peggiorare, ma lontano, in fondo all'oceano, oltrepassato il Labyrinthus di corallo, Nina fluttuava nella luce blu e sentiva che doveva fare presto. Doveva salvare Xorax e tornare a Venezia.

La bambina della Sesta Luna e i suoi amici vagavano nel blu, trasportati dolcemente verso la Via dei Giusti alla ricerca dell'ultimo Arcano. Quando la luce scomparve si resero conto di essere arrivati in un posto davvero sorprendente. Una sorta di stanza fatta di veli. Pavimento, soffitto e pareti erano di stoffa trasparente violetta.

Max appoggiò il borsone e si guardò intorno: «Non xo dove xiamo».

«È proprio strana questa stanza. Come facciamo a uscire?» disse Fiore toccando una parete.

Nina strinse il Taldom: «Non mi sembra la Via dei Giusti».

Appena ebbe pronunciato queste parole, sul fondo della stanza apparve una stradina illuminata da sfere rosse che giravano sospese nell'aria. Roxy avanzò per prima seguita da Dodo, Max e dagli oggetti parlanti.

Cesco prese per mano Nina e sorridendo le disse: «Ancora uno sforzo e l'Arcano dell'Acqua sarà nostro».

La via era tortuosa e stretta, l'unico rumore che si sentiva era lo scorrere dell'acqua. Quando Roxy arrivò alla fine rimase impietrita: «Ohhh… che bello».

Davanti al gruppo si aprì un paesaggio spettacolare. Una vallata meravigliosa, con prati verdi, montagne e una cascata incantevole che sfociava in un piccolo laghetto.

Nina e Max corsero verso la cascata, convinti di trovare subito il Quarto Arcano. La vaschetta di Tarto Giallo zampettò allegramente tra i fili d'erba e la ciotola Sallia con il vaso Quandomio si rilassarono sopra un masso. Fiore e Roxy seguirono Cesco, che aveva visto una rosa gigantesca accanto a una grande quercia. «La rosa! Dev'essere quella dove devo appoggiare lo scrigno» urlò il ragazzino.

Dodo, trascinando il sacco con i Denti di Drago, s'incamminò lentamente guardandosi attorno. Poi alzò lo sguardo e si accorse che il cielo non era proprio un… cielo.

«Acqua! Gua… gua…guardate, il ci… ci…cielo è acqua!» gridò richiamando gli altri.

Nina alzò gli occhi e vide che effettivamente non c'era il sole, non c'erano nuvole. Non c'era il cielo.

Sopra la vallata stava invece una massa d'acqua azzurra, stranamente sospesa. Alzò d'istinto il Taldom e dal becco del Gughi partì un fascio di luce rossa e sul cielo d'acqua apparve un'enorme scritta.

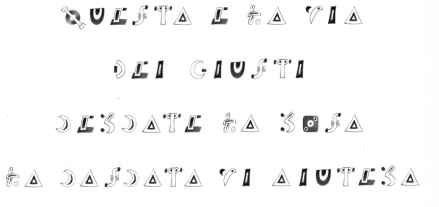

«Ci siamo!» urlò Nina abbracciando Max.

Cesco si mise a gesticolare: «Venite tutti qui. Ho trovato la rosa su cui devo appoggiare lo scrigno come ha detto Eterea».

Appena il ragazzino ebbe posato l'oggetto magico sopra il fiore lo scrigno si aprì. Una luce abbagliante avvolse gli amici.

Dentro lo scrigno c'erano quattro scettri d'oro molto simili al Taldom Lux, che non avevano la testa del Gughi ma una semplice apertura circolare, come fossero un tubo vuoto. Nell'impugnatura c'era solo un piccolo pulsante con su scritto Vyly (nero).

Uno a uno gli scettri volarono verso i ragazzini che li afferrarono con delicatezza.

«Per tutte le cioccolate del mondo! Sono dei piccoli Taldom!» esclamò Nina sorridendo.

Cesco girò e rigirò tra le mani l'oggetto magico e la stessa cosa fecero Roxy, Fiore e Dodo.

«Ma... pos...sso s... spa...sparare?» disse il ragazzino dai capelli rossi. E così dicendo schiacciò il pulsante Vyly e dalla bocca dello scettro partì un lampo nerastro che bruciò l'erba.

«Attento! Non scherzare con lo scettro. È pericoloso!» lo rimproverò severamente Nina, fulminandolo con un'occhiataccia.

«Con questi Taldom potremmo lottare e aiutarti quando arriverà Karkon!» esclamò Roxy con grande entusiasmo.

«Sì, credo servano per questo. Sono felicissima che adesso anche voi abbiate uno strumento di Xorax. Significa che siete degli alchimisti. Capite?» gli occhi di Nina brillarono e il cuore le battè forte di gioia.

Cesco e Fiore strinsero i loro scettri al cuore e guardando Max si misero a ridere.

L'androide scosse la testa: «Xpero li uxiate bene».

Roxy guardò dentro lo scrigno e vide un foglio, era del professor Michajl Mesinskj. Lo prese e lesse ad alta voce.

Xorax, Mirabilis Fantasio,
Sala Azzurra dei Gran Consulti

IL GIUSTO
E I QUATTRO SCETTRI D'ORO

Cari ragazzi,

mi rivolgo a voi per la prima volta. Devo ringraziarvi per ciò che avete fatto sino ad ora. Ma vi aspettano altre prove prima di arrivare alla meta. Questi quattro scettri d'oro vi serviranno. Usateli con intelligenza. Sono stati costruiti con Oro Filosofico.

Mi raccomando, non tradite mai l'Alchimia della Luce perché solo attraverso essa Xorax potrà vivere.

Andate alla cascata e pronunciate una frase su ciò che per voi significa la parola Giusto. Prima di farlo riflettete bene e ricordatevi ciò che vi ho insegnato a Villa Espasia prima che Nina arrivasse.

Per la mia adorata Ninotchka ho un'altra richiesta: dovrà comporre una poesia sull'esistenza umana.

Le sue parole dovranno riassumere ciò che le ho insegnato e ciò che ha già imparato.

Se tutto ciò che direte corrisponde ai sentimenti del vostro cuore, la cascata vi aiuterà.

1004104

Nonno Misha

I cinque amici guardarono la cascata e sospirarono. La prova che dovevano affrontare non era difficilissima ma richiedeva un certo impegno.

Max prese gli oggetti parlanti e si avviò verso le sponde del laghetto pronto ad assistere alla scena.

Roxy e Fiore salirono su una roccia piccola, mentre Dodo e Cesco si arrampicarono su una più alta. L'acqua sgorgava veloce e la potenza dei getti creava ventate di aria fresca e umida. Roxy socchiuse gli occhi e pensando ai genitori che erano a Venezia, andò davanti alla cascata e pronunciò il suo pensiero: «Giusto è rispettare le regole del Bene».

Appena ebbe terminato di parlare, l'acqua del laghetto si increspò e sulla superficie apparve la frase. Le parole erano scritte con il linguaggio della Sesta Luna.

Poi fu la volta di Fiore. Anche lei pensò alla mamma e al papà e una lieve lacrima le scese sul viso.

E subito la sua frase apparve nel laghetto sotto quella di Roxy.

«Giusto è non comandare ma vivere in armonia».

Dodo si schiarì la voce e facendosi coraggio esclamò:
«Giusto è ascoltare il cuore e cancellare l'odio».

Per ultimo toccò a Cesco che, tirandosi la felpa sporca e
lacera, scandì le parole:
«Giusto è lottare per mantenere la legge dei Giusti».

L'acqua della cascata si fece sempre più limpida e luminosa.
Le frasi pronunciate dai ragazzini occuparono tutta la superficie del laghetto che diventò una sorta di lavagna liquida.

Max e gli oggetti parlanti erano sbalorditi, guardavano le
parole scritte sull'acqua aspettando che Nina formulasse la
sua poesia.

I quattro ragazzini si girarono verso la bambina della Sesta Luna. Il suo volto era sereno, gli occhi grandi e azzurri riflettevano la luminosità dell'acqua. Come in un film veloce ri-
vide le lettere che aveva ricevuto dal nonno, ricordò gli

insegnamenti importanti che gli aveva lasciato. Poi ricordò i consigli del mitico Systema Magicum Universi e i libri di Biran Birov e Tadino De Giorgis. Nella sua mente si fece largo un'immagine familiare: Vera e Giacomo seduti sul divano della Sala dell'Angolo delle Rose. E poi ancora il volto di Ljuba, Carlo e la straordinaria Eterea. Da tutti aveva appreso qualcosa sulla vita.

Con calma alzò la testa e recitò la poesia che le dettava il cuore.

«Come il fiore non finisce
con i suoi petali e il suo gambo
perché ci allieta con il profumo
e la farfalla non finisce
con le sue ali e con il suo volo
perché ci regala la bellezza
e la Terra non finisce
con le montagne e gli oceani
perché ha ricchezze ancora segrete.
Così anch'io non finisco
con le mie braccia e i miei piedi
perché ho un cuore che sprigiona amore.
Noi esseri umani
possiamo essere infiniti
perché sappiamo pensare.»

Max applaudì e gli oggetti parlanti esultarono. I quattro ragazzini sorrisero a Nina, che si commosse.

Un rumore distolse il gruppo, stava succedendo qualcosa alla cascata. L'acqua diventò sempre più luminosa tanto che non sembrò neppure più liquida ma… fatta di luce. Il bagliore fu talmente potente che nessuno poté tenere gli occhi aperti. D'improvviso al centro del laghetto si formò un'onda schiumosa dalla quale emerse una grande arpa d'argento, alta più di quattro metri. Le corde si muovevano da sole e ancora una volta risuonò la musica dell'Ottava Nota.

«Per tutte le cioccolate del mondo! E quest'arpa da dove viene?» esclamò Nina.

Max si alzò e aprendo le braccia gridò forte: «L'arpa ci porterà dal Quarto Arcano».

I cinque ragazzini si riunirono e fissarono il gigantesco strumento musicale che galleggiava come se non avesse peso. La luce e i riflessi dell'arpa d'argento creavano un'atmosfera magica. Dal cielo d'acqua scese una corda alla quale era appeso un rotolo di carta verde. Con i nasi all'insù i ragazzini osservarono lo strano cielo di quella valle incantata. Nina prese il rotolo, lo staccò dalla corda e vide che era disegnato l'Ago Punginganno.

«Che significa?» si chiese ad alta voce.

«Forse dovrai usare il Punginganno» disse Fiore.

«Sì, certo. Questo lo capisco anch'io. Ma dove e come devo usarlo?» Nina si rivolse a Max, ma l'androide alzò le spalle come per dire che non sapeva aiutarla.

L'arpa, scivolando sull'acqua, si spostò verso la riva del laghetto approdando accanto ai ragazzini.

Cesco la sfiorò. E nel farlo si accorse che alla base c'erano cinque piccoli forellini: «Nina, guarda, è bucherellata. Prova a infilare l'Ago in uno di quei fori».

Cesco, ancora una volta, aveva avuto una giusta intuizione.

La giovane alchimista tirò fuori dalla tasca della salopette il Punginganno e lo infilò nel primo forellino.

Non successe nulla.

Allora provò a metterlo nel secondo buco, poi nel terzo e quarto. Ma solo quando lo incastrò nell'ultimo foro l'arpa d'argento iniziò a modificare la sua forma. Il Punginganno girò vorticosamente su se stesso e poi si levò in volo roteando attorno all'arpa, creando una scia di brillantini e frammenti di stelle. La struttura dello strumento musicale si dilatò, poi si allungò e le corde s'intrecciarono una con l'altra tanto da formare una lunghissima scaletta che saliva verso il cielo d'acqua. Il Punginganno diventò lunghissimo e divenne la ringhiera dell'originale scala.

«Ohhhh... straordinario!» esclamò Fiore.

«Già, xtraordinario. Quexta è la Xcalarpa. L'ho vixta xulla Xexta Luna in un dixegno fatto dagli xoraxiani» spiegò Max tra lo sconcerto di tutti.

«La Scalarpa? E dove porta?» chiese sorpresa Nina.

«Quexto non lo xo» rispose girando le orecchie a campana il buon androide.

Dodo mise in tasca lo scettro d'oro e con grande gioia trascinò il sacco dei Denti di Drago pronto a salire sulla magica Scalarpa: «Mi piace... non ho p...pa... paura di salire».

I ragazzini si misero in fila con Max e gli oggetti parlanti. Uno alla volta salirono senza immaginare dove li avrebbe portati la Scalarpa.

Quando mancavano gli ultimi dieci gradini, Nina si accorse che il cielo d'acqua si stava scurendo. Un'ombra rabbuiava la massa liquida e la bambina della Sesta Luna iniziò ad avere un po' di paura. Salì lentamente, impugnò il Taldom Lux e con il becco del Gughi punzecchiò il cielo.

«Sembra fatto come il foglio liquido del Systema Magicum Universi. Che dite? Ci entriamo dentro e vediamo dove sbuchiamo?» chiese Nina girandosi verso gli altri.

«Be', indietro non credo si possa tornare» disse Cesco, l'ultimo della fila.

«Perché?» domandò Fiore.

«Perché la scala sta lentamente scomparendo dietro di noi» spiegò senza fare una piega il ragazzino.

«Scomparendo?» ripeté Roxy guardando in basso. Ed era

proprio vero. Il primo tratto della Scalarpa non esisteva già più. I ragazzini erano dunque obbligati a entrare nel cielo d'acqua se non volevano cadere giù e finire dentro la cascata.

«Forza allora, saliamo» disse facendo la voce grossa la coraggiosa Roxy.

I loro corpi si avventurarono nella massa di cielo liquido, e subito la sensazione fu quella di nuotare in mezzo all'acqua e all'aria: i movimenti erano fluidi e nulla sembrava avere più alcun peso. Quando emersero ebbero una grande e inaspettata sorpresa.

«Ma siamo dentro lo Zero Nebbioso!» esclamò Nina girando la testa a destra e a sinistra.

Ed era così.

Il gruppo degli avventurosi cercatori del Quarto Arcano era finito nel mare dello Zero Nebbioso sostenuto dal Cielo Basso e coperto dal Cielo Alto. Forti e solide si ergevano le nove colonne dei Numeri Buoni che Nina conosceva benissimo.

Dodo si aggrappò a Max: «È be… be…bellissimo».

Fiore e Roxy nuotarono verso le colonne alla ricerca di un posto dove asciugarsi, ma dovettero frenarsi perché al centro del mare l'acqua s'increspò creando onde schiumose. Tra bolle d'aria e molteplici spruzzi, che si levavano verso l'alto, emerse una mano mostruosa. Aveva le unghie viola e la pelle verde e ruvida.

«State fermi. Non ci farà del male» avvertì immediatamente Nina.

Dodo rimise la testa sott'acqua sperando di nascondersi, ma non durò a lungo. Cesco, Roxy e Fiore si scambiarono una rapida occhiata e contemporaneamente alzarono i loro scettri. Invece, Max , per nulla spaventato, nuotò tranquillamente verso la mano verde facendo segno agli altri di seguirlo.

La mano si girò con il palmo verso l'alto, come per accogliere i ragazzini, che, uno a uno, si avvicinarono guardinghi.

Per primo salì Max e si accomodò vicino al dito mignolo. Roxy e Fiore, con ribrezzo, si aggrapparono al polso gigantesco e una volta salite andarono a sedersi vicino al grande pollice. Cesco aiutò come al solito Dodo che teneva il sacco con i denti: «Non è che ades… s…so ci stri… stri…stritola?» chiese paonazzo il ragazzino.

«Ma no che non ci stritola. Avanti, sali!» gli ordinò Cesco.

L'ultima ad aggrapparsi alla mano fu Nina. Rimase in piedi e osservò l'orizzonte: «Chissà perché siamo finiti proprio qui. Non ho portato con me le strisce dei numeri» si disse a bassa voce.

Max le andò accanto facendo attenzione a non cadere in acqua: «Tutto ciò che xuccede ha un xenxo. Attraverxare lo Zero Nebbioxo forxe xerve per farti ricordare ciò che hai imparato. Non credi?».

«Già, è vero, Max. D'altra parte lo sapevo che trovare l'ultimo Arcano sarebbe stato complesso» disse la giovane alchimista guardando i due cieli dello Zero.

«È proprio incredibile essere qui» aggiunse Roxy, che si era spostata sul dito medio della mano.

«In effetti passare dagli abissi dell'Oceano Atlantico al Labirynthus, e dalla Via dei Giusti entrare nello Zero Nebbioso è… straordinario» commentò Fiore, molto fiera di vivere l'avventura assieme ai suoi amici, come si vedeva chiaramente dall'espressione del suo volto.

«Ma se siamo dentro lo Zero significa che dobbiamo fare qualcosa con i numeri?» chiese Cesco pulendo le lenti degli occhiali con la felpa ormai lacera.

«Non lo so. Forse lo Zero Nebbioso è solo una tappa per arrivare al Quarto Arcano» rispose Nina.

In quel preciso momento il Cielo Alto si scurì. Diventò blu e poi nero. Miliardi di stelle si accesero illuminando il mare. Il Cielo Basso invece diventò rosso e uno spettacolare sole iniziò a tramontare spazzando la nebbia che ammantava lo Zero. Solo a quel punto dalla terza colonna del Cielo Basso si staccarono due numeri 6, mentre dalla prima colonna del Cielo Alto si staccarono due 1 e dalla terza colonna due 5. I numeri, grandi e azzurri, volarono verso i ragazzini rimanendo sospesi sopra la mano rugosa.

«Per tutte le cioccolate del mondo! Che dobbiamo fare con questi nuovi numeri?» s'interrogò Nina, dubbiosa. Proprio non sapeva a cosa potessero servire.

Max la guardò e fece una strana faccia: «Guarda bene i numeri e penxa».

La giovane alchimista e gli altri ragazzini ripeterono ad alta voce: «Abbiamo due 6, due 5 e due 1».

Dodo sussurrò: «Che si... si...siano i numeri del co... co...codice dell'Acqua?».

Nina lo guardò e poi lo abbracciò felice: «Certo! Il codice alchemico del Quarto Arcano: 6065511».

«È vero ma...» aggiunse subito Cesco.

«Ma cosa?» chiese Nina.

«Lo 0 mica c'è!» osservò il ragazzino.

«Ma Cesco, siamo dentro allo 0! Capisci?» rispose la bambina della Sesta Luna prendendolo un po' in giro.

Cesco piegò la testa e disse: «Ok. Hai ragione! Siamo nello 0!».

I numeri rimasero sospesi nell'aria ancora qualche secondo, poi si rimpicciolirono e andarono a posarsi morbidamente dentro a Sallia Nana, che rimase immobile.

«Ehi! Che fate?» chiese infastidita la ciotola.

«Stai ferma! Ora sei prezioxixxima» la redarguì Max.

I ragazzini si misero a ridere a quella scena. La vaschetta Tarto Giallo incrociò le zampe e fece l'offesa per non aver ricevuto nemmeno un numero.

Ma quel piacevole momento fu presto interrotto. La mano verde iniziò a chiudersi, le dita, una a una, si piegarono e le unghie viola e lucenti lentamente toccarono le teste dei ragazzini. Max si coprì con il borsone e Dodo non ebbe il tempo di urlare che la mano scese dentro l'acqua.

Nina pensò di aver sbagliato, che forse doveva fare qualcosa con quei numeri. L'idea che la mano mostruosa dello Zero avrebbe gettato lei e tutto il gruppo nuovamente nella valle della Via dei Giusti la terrorizzò. Non c'era più la Scalarpa e la caduta sarebbe stata pericolosissima.

Ma la mano scese a velocità elevatissima dentro il mare diretta chissà dove.

Sballottati e immersi nell'oceano, stretti tra le unghie affilatissime i ragazzini non erano in grado di fare alcun movimento. L'acqua cambiava via via colore e temperatura. Con gli occhi chiusi e le guance gonfie d'aria i ragazzini stavano per annegare. Non avevano più ossigeno nei polmoni.

Gli oggetti parlanti rimasero appiccicati al borsone di Max mentre Dodo teneva ancora stretto il sacco con i Denti.

Poi, finalmente, la mano si aprì lanciando l'intero gruppo verso una scia di corrente d'acqua gelida. Un vortice di colori e suoni avvolse i ragazzini che in un baleno si ritrovarono stesi per terra. Completamente bagnati si rialzarono, doloranti e storditi. Quando Nina riaprì gli occhi rimase a bocca aperta.

Quello che stava vedendo era troppo! Troppo bello!

Erano finiti ad Atlantide!

La città era immersa nelle misteriose profondità degli

abissi. Coperta da un'enorme cupola di cristallo sopra la quale nuotavano pescecani e delfini, meduse e balene, piovre giganti e murene pericolosissime, Atlantide apparve in tutta la sua magnificenza.

Palazzi di corallo rosa e bianco, piazze e strade di granito rosso, fontane di smeraldo, statue di diamante e migliaia di lampioni di quarzo blu illuminavano la città più misteriosa del mondo. In lontananza si vedevano grandi prati d'erba verde chiaro e una rete di fiumi circolari che la bagnavano, irrigandola. Atlantide era cinta da un muro non troppo alto, decorato con milioni di minuscole piastrine di mosaico.

«Sembra un sogno!» esclamò la bambina della Sesta Luna.

Cesco si appoggiò a una colonna di marmo verde e guardandosi intorno, non riuscì a dire una parola dall'emozione.

Fiore e Roxy alzarono gli occhi, incantate a guardare la moltitudine di pesci coloratissimi che nuotavano al di là della cupola di cristallo. Dodo si avvicinò a Max e lo prese per un braccio: «Sei mai sta… sta…stato qui?».

«No, Dodo. Ma i miei amici androidi e molti xoraxiani me ne avevano parlato. Atlantide è un luogo che gli uomini non frequentano più da tantixximo tempo» rispose Max, ammirando i palazzi e le bellissime statue. Gli oggetti parlanti, ancora bagnati, si stavano lentamente riprendendo.

«Ettciùùù» starnutì il vaso Quandomio, mentre la vaschetta Tarto Giallo mosse le zampette e si diresse verso un grandissimo fuoco che ardeva al centro di un altare. La ciotola Sallia rimase accanto a Max che, ancora una volta, aprì il borsone e tirò fuori un telo per asciugarsi.

Con le scarpe pregne d'acqua e i vestiti inzuppati, i cinque ragazzini seguirono la vaschetta e si scaldarono attorno al fuoco, dove Fiore lesse la scritta dipinta sull'altare: Flamma Ferax. Ma non fece in tempo a parlare che esclamarono tutti in coro:

«È latino, significa Fiamma Fertile».

Fiore fece una smorfia: «Vedo che ormai siete anche voi degli esperti in latino».

Max girò le orecchie a campana e sorrise. Il crepitio del fuoco era l'unico rumore che si sentiva. Le fiamme illuminavano il muro di mosaico azzurro sulla quale spiccavano due enormi occhi gialli e neri.

«Fa… fa…fanno impres… s…sione questi oc…chi» disse Dodo mordendosi le mani.

I ragazzini non badarono al timido del gruppo e si sdraiarono sui cuscini di seta rossa che erano sparsi attorno al grande altare e, con il naso all'insù, ammirarono i pesci, le alghe e le rocce degli abissi. Roxy vide che dietro l'altare c'era una lastra di pietra sulla quale erano incise delle frasi: «Guardate cosa ho trovato!».

Il gruppo si riunì attorno alla pietra e Fiore iniziò a leggere ad alta voce:

ATLANTIDE DIVISA DA 600 KLEROSSU

«Un tempo molto lontano un filosofo scrisse
che esisteva un'isola grandissima chiamata Atlantide.
L'isola era rettangolare 540x360 chilometri,
circondata da montagne che proteggevano dai venti freddi.
La pianura era irrigata da un complesso sistema di canali
perpendicolari tra loro che la dividevano
in 600 quadrati di terra chiamati Klerossu.
La città era contornata da un muro
la cui circonferenza misurava settantuno chilometri.
Dentro le mura c'erano fiumi circolari
che attraversavano prati immensi.
Ma la bellezza di Atlantide non durò.
Menti malvagie usarono l'Alchimia del Buio
e la occuparono, l'oceano l'inghiottì
e gli uomini si dimenticarono della sua esistenza».

«L'Alchimia del Buio? Ma allora è opera di Karkon Ca' d'Oro!» esclamò Nina.

«Xì. Gli alchimixti malvagi si impoxxexxarono di Atlantide che, affondata, rimaxe in fondo all'oceano e fu dimenticata da tutti» spiegò Max.

«Karkon però la conosce bene. Ma… quanti anni ha il Conte?» esordì Cesco.

«È uno dei suoi misteri. Nessuno sa quanto sia vecchio. Nemmeno nel Quaderno Nero di mio nonno c'era scritto» rispose Nina.

«Ma allora adesso Atlantide è in suo potere! Forse questa è una trappola» disse Fiore che, per l'agitazione aveva cominciato a tremare.

«No. Non è una trappola. Quexto luogo conxerva dei xegreti importanti di Xorax» la confortò Max.

«Se… se… seg…greti?» ripeté Dodo.

«Xì. E noi xiamo qui per quexto. Il Quarto Arcano è xicuramente naxcoxto da qualche parte. E dobbiamo trovarlo prima che arrivi Karkon» spiegò l'androide.

«Ma cosa sono esattamente i klerossu?» domandò curiosa Fiore rileggendo la scritta sulla pietra.

«Xe mi ricordo bene i kleroxxu xono dei grandi quadrati di terra che compongono Atlantide. Inxomma, l'intera città è divixa in 600 kleroxxu» spiegò Max.

«Quindi adesso noi siamo sopra a un klerossu» disse Cesco guardando per terra.

«Xì, e là in fondo inizia un altro kleroxxu. Vedete che sul pavimento di marmo roxxo ci xono delle linee di divixione?» aggiunse Max indicando per terra.

«È vero. Mi piacerebbe visitare tutta Atlantide» e così

dicendo Roxy appoggiò inavvertitamente la mano su uno smeraldo incastonato sulla parete e uno strano marchingegno scattò: sull'altare, a fianco della Flamma Ferax, ed esattamente sotto i due occhi gialli e neri dipinti sulla parete, emerse dal pavimento una lastra di rame su cui era disegnata la mappa di Atlantide.

«Ohhh!» esclamarono in coro.

Nina si avvicinò e vide che la città era effettivamente divisa in 600 quadrati: i klerossu.

«Noi siamo qui. Infatti sul 150° klerossu è segnata la Flamma Ferax» disse la bambina della Sesta Luna.

La mappa era davvero molto chiara e i ragazzini capirono immediatamente che su molti klerossu si celavano dei pericoli. In alcuni palazzi e strade, in fiumi e piazze, era ben disegnata una K con a fianco un teschio.

«K? Karkon!!!» esclamò Cesco, aggiustandosi gli occhiali.

I giovani alchimisti si scambiarono una rapida occhiata e capirono che Atlantide non era poi una città così tranquilla e sicura. Karkon l'aveva riempita di tranelli!

In particolare, la mappa segnava con tre grosse K alcune zone precise. Sul 600° klerossu si trovava una grande costruzione: il Palazzo degli Anemoni Giganti e, proprio a fianco della Flamma Ferax, sopra un'altra piccola costruzione erano segnate due K. Quello era il Vermaio. Poi la mappa mostrava un terzo luogo pericoloso, il 444° klerossu, dove sorgeva il Teatro delle Sirene.

«Per tutte le cioccolate del mondo! Dobbiamo stare attenti!» esclamò Nina stringendo il Taldom.

«È meglio che ci riposiamo, prima di agire. Adesso siamo troppo stanchi per affrontare rischi e pericoli» disse Cesco.

Furono tutti d'accordo. Non era quello il momento di mettersi a camminare girando per stradine e prati alla scoperta dei 600 klerossu.

«Qualche ora di sonno ci farà bene» aggiunse Nina, stendendosi sopra un morbido cuscino.

Atlantide era dunque deserta. Nessuna presenza. Nessun segno di vita. Ma il Male presto avrebbe mostrato il lato più terribile dell'Alchimia del Buio.

Stanchi e spossati, i ragazzini si addormentarono pensando ai loro genitori così lontani e a cosa mai avrebbero dovuto fare per tornare a casa e liberare
definitivamente Xorax.

CAPITOLO OTTAVO

Il 600° klerossu
e il Pozzo della Shandà

Lontano dall'altare della Flamma Ferax, esattamente nel Palazzo degli Anemoni Giganti, nel 600° klerossu, una scintilla seguita da una nuvola di zolfo giallo illuminò le pareti di corallo.

In un baleno apparvero Karkon, José e Andora. Il Conte stringeva ancora lo Jambir, la copia del medaglione magico che aveva permesso ai tre di trasferirsi dalla Sala del Doge di Villa Espasia nel luogo esatto dove si trovava Nina.

«Eccoci arrivati ad Atlantide» disse Karkon muovendo il mantello viola.

José si guardò intorno e anche Andora fu subito curiosa di vedere la città misteriosa.

«Dobbiamo organizzarci molto bene» spiegò il Conte. «Per prima cosa io entrerò nel Pozzo della Shandà».

«Pozzo della Shandà?» domandò José.

«Sì, è quello là» rispose Karkon indicando con la punta del Pandemon Mortalis il centro della stanza del Palazzo degli Anemoni Giganti.

Sul pavimento di marmo nero si apriva una grata di ferro circolare che fungeva da coperchio al pozzo.

Andora e l'insegnante spagnolo si avvicinarono e guardarono dentro: videro solo un pozzo nero profondissimo.

«E qui cosa c'è?» chiese l'androide.

«La Shandà! Una coppa preziosissima d'oro e diamanti che contiene l'Acqua: il Quarto Arcano» rispose con fierezza Karkon.

«Però, l'hai nascosto proprio bene. Non credo che Nina riuscirà a trovarlo» disse José alzando il cappello a punta.

«Non mi fido di quella streghetta. So che è già qui. Quindi ora vado a controllare se la Shandà è al suo posto».

Karkon puntò il Pandemon Mortalis e premette una delle tre K incise sul manico della spada malefica: in un secondo una delle pareti della stanza si mosse e apparve un computer.

«Accidenti! Che organizzazione!» esclamò sorpreso José. «Egregio Conte lei è veramente un eccellente alchimista».

«Il migliore. Il più grande. Io sono il Magister Magicum e presto diventerò l'unico padrone dell'Universo» gridò Karkon alzando la testa verso l'alto.

«E ora che succederà?» chiese sempre più agitata Andora, impaziente di trovare Nina per metterla in salvo.

«Io scenderò nel pozzo. Voi aspettatemi qui» così dicendo Karkon digitò la parola d'ordine sulla tastiera del computer. La grata si aprì e lui scese lentamente dalla scaletta lasciando soli i suoi seguaci.

José era rimasto incantato dall'operazione svolta dal Conte e non si accorse che nel frattempo Andora era uscita dal Palazzo degli Anemoni Giganti. Appena se ne rese conto, si precipitò fuori a cercarla.

Andora attraversava velocemente le strade di Atlantide senza sapere dove andare, poiché non aveva la mappa. Correndo come una pazza attraversò i ponticelli dei fiumi circolari, passò piazze meravigliose circondate da case e torri di corallo. Con il fiato grosso arrivò alla fine del 151° klerossu: un prato bellissimo di fiori di mare. Guardò avanti e vide un viale illuminato da lampioni che emanavano una luce blu. S'incamminò sperando di essere sulla strada giusta.

José era rimasto indietro e aveva perso l'orientamento. Provò a entrare in più palazzi, trovandoli vuoti.

Il tempo passava e mentre Karkon era nel pozzo della

Shandà a controllare se il Quarto Arcano era ancora intatto, in superficie stava accandendo una cosa che avrebbe turbato non poco il gruppo dei giovani alchimisti.

Dodo ronfava accanto a Fiore, anche lei sprofondata in un sonno beato. Roxy era accanto a Nina, mentre Max e gli oggetti parlanti russavano. Cesco, infastidito, si girava e rigirava dando delle piccole pacche alla vaschetta di Tarto Giallo che fischiava.

Quando Andora fu nel 150° klerossu, vide l'altare e i ragazzi addormentati. Sospirò e mettendosi seduta sulla base di un lampione pensò di avercela fatta. Non vedeva l'ora di abbracciare Max! Di raccontare a Nina tutto quello che era successo. Ma non sapeva quale reazione avrebbero avuto: d'altra parte lei era pur sempre un androide karkoniano. Prese una manciata di conchiglie da una fontana e la gettò verso i ragazzini.

La prima a svegliarsi fu Roxy: alzò la testa dal cuscino di seta rossa ma, stanca com'era, si rimise nuovamente a dormire. Le conchiglie finirono anche sul viso di Cesco che con un gesto rapido se le levò. Andora si alzò in piedi e nascondendosi dietro al lampione iniziò a tossire.

Max alzò la testa e si guardò intorno: «Chi c'è?» esclamò contrariato.

A quel punto si svegliò Nina. La bambina della Sesta Luna impugnò il Taldom e sollevandosi con calma osservò il viale dei lampioni e con tono deciso disse: «Non abbiamo paura. Chiunque tu sia, fai un passo avanti!».

A quel punto erano ormai svegli tutti. Andora uscì a testa bassa e s'incamminò verso di loro.

Nina era già pronta a colpire!

Ma quando fu a pochi metri, Andora disse: «Sono io! Mi riconoscete?».

«ANDORA!!!!» gridò Max-10p1 correndole subito incontro.

I due androidi si abbracciarono stretti stretti. Max le accarezzò la testa pelata e poi la guardò negli occhi: «Coxa ti ha fatto Karkon? Perché xei qui?».

Cesco alzò il suo piccolo Taldom e puntandolo verso Andora disse a Max: «Non toccarla! Torna qui. È pericolosa».

Anche Nina e gli altri puntarono gli scettri magici verso l'androide karkoniano, ma Max fece scudo con il suo corpo e li implorò: «No, no. Non xparate. Lei è buona!».

«Sì, ragazzi. Non sono più malvagia. Credetemi! Karkon mi ha risvegliata ma io non sono dalla sua parte. Con lui sto fingendo. I sensi di colpa mi avevano distrutto. Per questo mi ero uccisa. Spenta! Ma ora che sono tornata voglio rimediare. Vi prego, credetemi» la voce di Andora era metallica, non assomigliava più a quella della vera zia di Nina.

«Ma come possiamo fidarci di te?» chiese la bambina della Sesta Luna, con sguardo diffidente.

«Dovete fidarvi. Karkon è qui! Io posso aiutarvi a prendere il Quarto Arcano» rispose tremante l'androide.

Max la prese per mano e insieme andarono verso i ragazzi.

Dodo rimase seduto; guardava l'androide e il nervoso gli provocò un tic: iniziò a sbattere le palpebre. Fiore e Roxy seguivano ogni movimento della donna di metallo, pronte a sparare.

Appena Max fu davanti alla Flamma Ferax prese tra le mani il volto di Andora e disse: «Mi xei mancata tantixximo. Ho xofferto per la tua morte. Ma ora xei tornata e io xono il più felice degli androidi dell'univerxo».

Lei pianse. Con le lacrime che le solcavano il volto lucido, lei spostò leggermente la testa a destra guardando Max. Come due innamorati si scambiarono un dolce bacio.

Nina e Cesco si guardarono inteneriti dalla scena.

Nessuno aveva il coraggio di intervenire.

«Sono felice di avervi trovato. Per me è stata dura» disse Andora avvicinandosi a Nina. «Cara ragazza, devo dirti tante cose. Ma non c'è tempo. Il Conte sta prendendo il Quarto Arcano» spiegò l'androide karkoniano.

«È dov'è?» chiese allarmata Nina.

«È nel Palazzo degli Anemoni Giganti» rispose Andora.

«Sul 600° klerossu?» domandò la giovane alchimista, che ben si ricordava la mappa di Atlantide.

«Sì. È dentro il Pozzo della Shandà» spiegò frettolosamente Andora.

«Shandà?» ripeterono in coro i ragazzini.

«È la coppa che contiene l'Arcano dell'Acqua. Nina, devi fermare Karkon!» la esortò l'androide.

Un rumore di passi veloci distolse la conversazione. Sul viale dei lampioni blu apparve una persona con il mantello e il cappello a punta che correva veloce.

Andora fece cinque passi in avanti, pronta ad affrontare il nuovo pericolo. Nina, Max e tutti gli altri non capivano se fosse Karkon. Ma quando l'uomo fu a pochi metri la sorpresa fece rimanere tutti a bocca aperta.

«PROFESSOR JOSÉ!» gridarono Nina e Cesco.

«Hola, finalmente vi ho trovato» disse l'insegnante spagnolo sorridendo a denti stretti.

«Non credetegli! È falso! Vi ha tradito!» urlò Andora spostandosi accanto a Max.

«Ma che dici? Sciocca androide. Non ti funziona più il cervello!» rispose prontamente José.

Nina girò la testa prima verso Andora e poi verso José. Non sapeva a chi credere.

«Pro… pro…professore sono contento di ve… ve…vederla» riuscì a dire Dodo.

«Amigo mio. Vieni che ti abbraccio».

José allargò il mantello per accogliere Dodo ma Roxy fermò il ragazzino.

«No. Stai qui, Dodo» la ragazzina dai riccioli biondi lo trattenne per un braccio.

«Ma come? Non venite a salutare il vostro insegnante?» disse José sforzandosi di sorridere.

Nina a quel punto si fece avanti: «Professore, come mai è qui? Come ha fatto a raggiungerci?».

«Sono o non sono anch'io un alchimista? Sono o non sono stato allievo di tuo nonno Misha? E dunque perché ti sorprendi tanto? Semplicemente ho usato il computer dell'Acqueo Profundis e vi ho raggiunto» ma la spiegazione di José non convinse Nina.

«Il computer? Ma non è possibile. Solo con lo Jambir si può viaggiare annullando spazio e tempo» rispose immediatamente Nina.

«Ecco! Giusto! Come me è venuto assieme a Karkon! Capisci, Nina? Il Conte ha la copia dello Jambir e ci ha trascinato qui per potervi bloccare. Quando siamo partiti eravano nella Sala del Doge» disse Andora parlando sempre più in fretta.

Nina ebbe un sussulto: «A Villa Espasia?».

«Sì, e José ha gettato un liquido immobilizzante per terra, l'Accia Peciosa» spiegò affranta Andora.

José si stancò di sentir blaterare l'androide karkoniano e con uno scatto l'aggredì. Cesco e Max intervennero immediatamente bloccando l'insegnante, che sbavava dalla rabbia.

«Ma c'è di più. In Villa sono arrivate le tue zie. Ti cercavano» spiegò Andora guardando fissa negli occhi Nina.

«Le zie spagnole? Sono arrivate da Madrid? E adesso?» la bambina della Sesta Luna era in completa confusione e anche gli altri ragazzini non trattennero più la loro ansia.

«Moriranno! L'Accia Peciosa le bloccherà per sempre e nessuno potrà più salvarle!» urlò con voce rauca José.

«Ma come hai potuto! Proprio tu. Allievo prediletto di mio nonno. Tu che mi hai insegnato tante cose. Tu che sei vivo solo perché noi ti abbiamo salvato dall'incantesimo di Karkon».

Nina aveva gli occhi lucidi, il Taldom stretto al cuore e le forze che le venivano meno. Sentì di non poter sopportare quell'ignobile tradimento. Ricordò di colpo la lettera sul Destino scritta dal nonno Misha. Nella lettera e nei dialoghi che aveva avuto su Xorax, il nonno l'aveva messa in guardia. Aveva già parlato del destino di José. Solo in quel momento Nina capì. Capì tutto e sentì il sangue raggelarsi.

«Ho semplicemente deciso che ha ragione il Magister Magicum. L'Alchimia del Buio è molto più potente dell'Alchimia della Luce. E credo che lo sappia anche tu, ora» sbraitò José sfidando la ragazzina.

«Hai infangato il nome di mio nonno!» rispose indignata Nina.

«Sì. E ho fatto imprigionare anche Ljuba e Carlo. Sono stato bravo a non farmi scoprire. Vero?»

«Sei stato tu a mettere la bottiglia di Velenosia in cucina?!» esclamò sempre più sconvolta la bambina della Sesta Luna.

«Certo! E ora ci finirai anche tu nelle celle buie dei Piombi» José era pronto alla lotta ed era sicuro di vincere.

«Traditore infame!» urlò Roxy che, puntato lo scettro contro José, schiacciò il bottone nero e sparò.

Un lampo azzurro colpì l'insegnante alla spalla sinistra. Il perfido traditore fece una smorfia di dolore ma reagì con violenza. Si avventò contro Andora e le sferrò un colpo che la fece girare due volte su se stessa.

E fu allora che Max esplose di rabbia: «Non toccarla mai più!».

José lo prese e con tutte due le mani gli strappò ferocemente il braccio destro gettandolo ai piedi di Dodo.

Il buon androide barcollò.

I fili e circuiti andarono in tilt. Strabuzzò gli occhi, girò vorticosamente le orecchie e crollò a terra, privo di sensi. Andora si precipitò da lui, lo abbracciò e iniziò a piangere disperata: «Max, Max, risvegliati. Ti prego non lasciarmi sola».

Intanto José si era messo a correre verso il 149° klerossu, inseguito da Nina, mentre Cesco, Roxy e Fiore erano rimasti accanto a Max, che non dava segni di vita.

La ciotola Sallia Nana era spaventata a tal punto da cercarsi un rifugio dietro l'altare, e con lei anche la vaschetta Tarto Giallo. Solo il vaso Quandomio Flurissante era rimasto vicino al povero androide insieme ai ragazzini.

Cesco cercò di rianimare Max: con l'aiuto degli amici gli alzarono delicatamente la testa per farlo rinvenire.

Andora era sconvolta e scattando in piedi gridò: «José, ora ti ucciderò!».

Il professore non aveva scampo. Si ritrovò davanti al muro di Atlantide. Con una mossa a sorpresa fece un balzo e schivò Nina, che gli sparava con il Taldom, per poi tornare indietro,

con la bava alla bocca e gli occhi rossi come il fuoco. Dopo pochi metri, il professore si ritrovò davanti Andora.

«Fatti sotto. Ora ti ammazzo» lo sfidò l'androide muovendo la bocca.

José fece un salto e poi un altro, raggiunse il gruppo dei ragazzini e, proprio mentre stava per prendere Roxy in ostaggio, Cesco gli sferrò una pedata in pieno petto e Fiore sparò con il suo piccolo Taldom, ferendolo di striscio.

«Maledetti mocciosi! Ve ne pentirete» José sollevò di peso Cesco e lo sbattè contro una piccola costruzione di corallo: il Vermaio.

La porta si aprì di scatto e il ragazzino finì dentro a una marea di vermi schifosi. L'insegnante spagnolo stava per chiudere la porta quando alle sue spalle arrivarono come due furie Roxy e Fiore.

Le due ragazzine spararono all'impazzata ma, vista la poca dimestichezza con gli scettri magici, non riuscirono a colpire José neppure una volta. L'insegnante le afferrò per i capelli e le gettò nel Vermaio assieme a Cesco che urlava come un forsennato. Il professore chiuse la porta e strappò la maniglia, bloccando così l'accesso.

Nina a quel punto impugnò il Taldom Lux, sparò, mirando con precisione e colpì José a un piede. L'insegnante saltellò e nel farlo schiacciò il povero vaso Quandomio, mandandoli in frantumi. Un solo grido stridulo e dell'oggetto parlante rimasero solo pochi cocci dai quali fuoriuscì un fumo nerissimo che oscurò la vista a tutti.

Dodo, completamente terrorizzato e sotto choc, continuava a camminare verso il viale dei lampioni di quarzo blu con in mano il braccio metallico di Max.

Balbettava frasi sconnesse e tossiva per colpa del fumo che, in più, gli fece perdere la via del ritorno.

La nuvola nera causata dalla rottura del vaso stava davvero

complicando le cose. Anche José iniziò a tossire e, poiché la ferita al piede gli faceva molto male, si accucciò per terra. E in quella posizione fu finalmente visto da Andora, che nel frattempo si era fatta largo nella coltre fumogena. Accecata dall'ira gli si avventò contro, lo prese per il collo e con le mani metalliche strinse. Strinse. E strinse ancora.

Il volto di José diventò sempre più rosso. Il traditore non respirava quasi più.

«Lascialo!» gridò Nina.

Andora mollò la presa e si girò verso la bambina. L'insegnante era in fin di vita. Quando José vide gli occhi azzurri di Nina, inginocchiata ai suoi piedi, ricordò quelli del professor Michajl Mesinskj. In un secondo vide passare tutta la sua vita. Con la lingua fuori e facendo uno sforzo immane pronunciò solo una parola: «P-e-r-d-o-n-a-m-i». Poi esalò l'ultimo respiro e chiuse gli occhi per sempre.

Nina lo abbracciò e cominciò a piangere. Pianse a dirotto, bagnando il volto del traditore con le sue lacrime.

«Non so se posso perdonarla professore, – farfugliò la piccola alchimista – anche se sono certa che lei non è diventato cattivo per sua volontà. È stato Karkon a trasformarla. Lo so! Lo sento!»

Nina era distrutta. Mai e poi mai avrebbe immaginato di assistere all'omicidio di José per mano di un androide karkoniano. I ruoli si erano rovesciati improvvisamente. Lui, buono e gentile, era diventato cattivissimo. Lei, malvagia e al servizio del Conte, era come rinata, nella bontà.

Nina fissò José senza riuscire a trattenere le lacrime. Poi si accorse che il corpo dell'insegnante stava cambiando. Il volto sembrava diventare di cartapesta e le mani scheletriche. Il cadavere di José si stava decomponendo con una velocità impressionante.

La bambina della Sesta Luna sollevò il mantello nero del

traditore fino a coprigli il volto, poi si alzò e camminando a fatica si trascinò fino a Max. Si accucciò accanto all'amico di metallo con lo sguardo rivolto alla cupola di Atlantide e al suo meraviglioso paesaggio marino e giurò vendetta. Tremenda vendetta contro il Nemico Numero Uno!

Intanto il fumo nero si stava dissolvendo, mentre il pianto disperato della vaschetta e della ciotola si spargeva per tutta la città misteriosa: anche il vaso Quandomio Flurissante era stato ucciso!

Era il secondo oggetto parlante che finiva male. Nina prese i cocci e con delicatezza li poggiò sull'altare della Flamma Ferax, guardò i due grandi occhi gialli e neri della parete, e si rivolse a Tarto e Sallia, accarezzandoli: «Mi dispiace per il vostro amico. Non ho saputo difenderlo».

«Quell'uomo con il cappello a punta era proprio cattivo» disse, tra le lacrime, la vaschetta.

«Sì. Cattivissimo. E sono contenta che sia morto!» esclamò Sallia Nana.

«E pensare che fino a poco tempo fa era il mio insegnante di alchimia. Era bravissimo e buonissimo» rispose tristemente Nina.

«È terribile quando gli amici tradiscono. Vero?» chiese la vaschetta Tarto Giallo muovendo le zampine.

«È la cosa più brutta che possa accadere. È un colpo al cuore» disse Nina andando verso Max, ancora privo di conoscenza. Max era un amico vero. Non l'aveva mai tradita. Anzi. Il suo aiuto era sempre stato molto prezioso.

La bambina della Sesta Luna e Andora accarezzarono le orecchie a campana del buon androide, che continuava a tenere gli occhi chiusi.

«Spento! Si è spento!» sussurrò con un filo di voce Andora.

«Calmati, vedrai che gli rimetteremo il braccio. Tornerà come prima» la rassicurò Nina.

«Ma il braccio l'ha preso Dodo!» disse la falsa zia.

«Dodo? E dov'è?» chiese allarmata Nina.

«Non lo so. Con tutto quel fumo non so dove sia finito» rispose l'androide karkoniano.

Intanto le urla di Cesco, Roxy e Fiore risuonarono forti. Intrappolati dentro il Vermaio, i tre amici non stavano affatto bene.

«Per tutte le cioccolate del mondo! Dobbiamo liberarli» esclamò Nina alzandosi di scatto.

«A loro ci penso io. Tu ora devi andare da Karkon. Se prende il Quarto Arcano siamo finiti. Corri, Nina, e sconfiggilo!» la incitò Andora, con le lacrime che scendevano copiose sul suo viso semiumano.

«E Dodo?» esordì Nina sgranando gli occhi.

«A lui ci penseremo dopo. Si sarà nascosto da qualche parte. Lo sai che lui ha sempre paura di tutto» disse Andora.

«Non mi sento tranquilla» rispose Nina.

«Fidati di me. Vai nel 600° klerossu e prendi il Quarto Arcano» Andora sembrava sicura di sé agli occhi disperati della giovane alchimista.

L'androide si avvicinò e la strinse forte. Rassicurata da quell'abbraccio, Nina impugnò il Taldom Lux e iniziò a correre in direzione del Palazzo degli Anemoni Giganti. Attraversò in un baleno il viale dei lampioni blu, passò i ponti dei fiumi circolari e con le guance rosse e il respiro affannoso corse ancora fino a raggiungere il pericolosissimo Pozzo della Shandà, nel 600° klerossu.

Nel frattempo Andora provò a liberare i tre giovani alchimisti rinchiusi nel Vermaio: con una pedata fortissima alla porta scardinò la serratura. Cesco, Roxy e Fiore erano coperti da enormi vermi bianchi, che strisciavano sui loro corpi e ricoprivano le loro teste.

«Sparategli! Sparategli!» gridò Andora.

E finalmente i tre amici riuscirono a premere il bottone nero del loro piccolo Taldom fulminando gli schifosissimi vermi di Altantide. La reazione fu tremenda: Fiore vomitò anche l'anima, Roxy sputò per terra, mentre Cesco dovette stendersi a terra per respirare a pieni polmoni.

«Riposatevi. Presto Nina sarà qui e tutto finirà. Vedrete, tornerà anche Dodo, così potremmo aggiustare Max» disse Andora accarezzando uno per uno i tre giovani coraggiosi.

In quel momento Nina stava giungendo al Pozzo. Guardò dentro e la paura le penentrò nelle ossa.

Buio. Un pozzo nero e profondo dentro il quale c'era Karkon.

La bambina della Sesta Luna era indecisa. Entrare o no?

Poi guardò il Taldom, chiuse gli occhi e la mente tornò a suo nonno.

"Devo farcela! Mi manca solo l'Arcano dell'Acqua e poi Xorax sarà salva e i bambini della Terra saranno finalmente liberi di pensare" si diceva, mentre il cuore le batteva fortissimo. Scese dalla scaletta e pregò che tutto finisse il più presto possibile.

Il pozzo sembrava non avere fine mai. Le pareti da nere diventarono viola e poi rosse. C'era poca luce e l'unico spiraglio veniva dal fondo. Si fermò e guardò se intravedeva Karkon. L'unica cosa che riuscì a percepire fu la sua voce che rimbombava dentro il pozzo: «Meravigliosa! Sei la coppa più preziosa! Sei mia! Mia soltanto!» ripeteva il Magister Magicum.

Nina vide l'ombra di Karkon e, prima di scendere gli ultimi gradini della scala, impugnò con la mano destra il Taldom pronta a colpire. Il Conte era di spalle, sei fiaccole di fuoco giallo alle pareti lo illuminavano.

Nina camminò lentamente e si rese vonto che la stanza, perfettamente circolare, era assai piccola.

Un errore o una distrazione nella lotta avrebbe voluto dire morte sicura.

Puntò la testa del Gughi verso il mantello di Karkon e sparò cinque volte di seguito colpendo la schiena del suo nemico. Il Conte fece cadere la Coppa della Shandà e, urlando come un animale inferocito, sparò a sua volta con il Pandemon Mortalis. Le lingue di fuoco colpirono Nina di striscio.

«Bastarda!!! Sei qui!» sbraitò Karkon che aveva gli occhi furenti come un diavolo.

«È la tua ora! Il Quarto Arcano sarà mio!» rispose a singhiozzo la bambina della Sesta Luna.

«Mai! Ora ti ammazzerò» gridò il Conte puntando la spada malefica contro Nina. Karkon mirò alla fronte della ragazzina e sparò una raffica violentissima.

Per fortuna Nina riuscì ad accucciarsi in tempo e a sgattaiolare verso l'angolo di sinistra. Le fiamme le bruciarono solo un po' i capelli.

Dal Taldom partì un raggio laser azzurro e potentissimo che colpì la mano destra di Karkon. Il Conte si scaraventò contro Nina, le afferrò il capo e tentò di sbatterlo ripetutamente contro il muro.

La ragazzina sparò ancora, ferendolo alle gambe, ma le scintille le bruciarono il volto e il sangue cominciò a colarle dalle guance. I colpi del Taldom si susseguirono, e Karkon fu ferito anche alla pancia. Si piegò in avanti, afferrò la Coppa della Shandà dal pavimento e poi si accasciò per terra. Anche se i dolori lancinanti non gli permettevano di alzarsi, con la mano destra tese il Pandemon verso Nina: «Non riuscirai a farmi fuori!» disse sbavando.

«Tu meriti una condanna eterna» rispose la bambina della Sesta Luna tenendo sotto controllo i movimenti del nemico.

«Eterna? Non credo proprio» il Conte sputò sangue e con lo sguardo diabolico osservava la ragazzina che tremava.

«Hai manipolato la mente di José e ora lui... è MORTO!» gridò piangendo Nina.

«Sciocco professore! Stupido alievo! Non aveva carattere!» esclamò Karkon, che improvvisamente riuscì ad alzarsi in piedi allargando il mantello.

Nina appoggiò le spalle al muro e con gli occhi bagnati di lacrime sparò ancora. Ma non riuscì a colpirlo.

«E come l'hai ucciso?» chiese Karkon alzando la testa.

«L'ha ucciso Andora! Sì, il tuo amato androide ti ha tradito. Come vedi i tradimenti li subiamo tutti. Ora Andora è dalla mia parte» rispose fiera la ragazzina.

«Andora???» urlò il Conte sbarrando gli occhi.

«Sì. Proprio lei» ribattè la giovane alchimista, che si preparava a riprendere la lotta.

«Non ti credo. Non è possibile! Lei mi è sempre stata fedele» il Magister Magicum era in difficoltà.

«È la verità» insisté Nina.

Il Conte le rivolse uno sguardo di odio profondo e, raccolte le poche forze rimaste, iniziò a salire la scala del pozzo, lasciando dietro di sè una scia di gocce di sangue.

Nina si pulì il viso con una manica della maglietta, sentiva le ferite bruciare e non aveva quasi più fiato. Quando alzò gli occhi vide che Karkon stava scappando con il Quarto Arcano.

Si precipitò sulla scala e, allungando una mano, afferrò per un lembo il mantello viola di Karkon che, con grande fatica, cercava ancora di salire in fretta i gradini. Quando si accorse di essere stato abbrancato, diede uno strattone facendo barcollare e cadere Nina.

La bambina della Sesta Luna volò all'indietro, ma riuscì a non perdere il Taldom.

Il Magister Magicum sbucò fuori dalla bocca del pozzo, si trascinò verso il computer, appoggiò la Coppa della Shandà accanto alla tastiera ma, con una mano, tenne ben stretto il

Pandemon Mortalis. Poi digitò il codice per chiudere le grate. Voleva imprigionare per sempre Nina nel pozzo. Al secondo numero del codice le grate iniziarono a muoversi.

Nina era quasi arrivata in cima alla scaletta, quando si rese conto della trappola. Con il becco del Gughi afferrò una sbarra della grata e cercò di fermarne la chiusura. Poi sparò: una fiammata spaventosa avvolse la grata e Nina si sentì persa.

Karkon iniziò a tossire a causa del fumo e non riuscì più a digitare l'ultimo numero del codice. La grata aveva chiuso solo la metà della bocca del pozzo. Nina, con le fiamme davanti agli occhi, chiamò il nome di suo nonno e, come ne avesse attinto coraggio, attraversò le lingue di fuoco.

Sbucò fuori dal maledetto pozzo ridotta malissimo: i capelli i vestiti erano bruciacchiati.

Nel frattempo Karkon aveva afferrato la Coppa della Shandà e, nella fuga, si era lasciato sfuggire dalla mano il Pandemon. La spada malefica volteggiò nell'aria e finì proprio dentro il pozzo.

Il Conte era furibondo, si agitava incurante del fatto che rischiava di perdere anche il Quaderno Rosso e la copia dello Jambir. E così fu. Karkon non poteva certo fermarsi a raccogliere i due preziosissimi oggetti: dietro di lui Nina era pronta a colpirlo a morte.

La misteriosa città di Atlantide, che per tanto tempo aveva custodito il segreto del Quarto Arcano, stava diventando il teatro del più grande fallimento del Conte Karkon Ca' d'Oro.

La bambina della Sesta Luna guardò sarcastica il volo del Pandemon dentro il pozzo buio, poi si affrettò a raccogliere il Quaderno Rosso e la copia dello Jambir. Respirò profondamente e vedendo il suo nemico correre disperatamente alla ricerca di un rifugio sussurrò: «Vai, vai… non sei più pericoloso. Sei una preda facile e adesso verrò a prendere il Quarto Arcano».

Così dicendo mise in tasca il nuovo quaderno karkoniano e gettò la copia del medaglione dentro il pozzo.

A passo veloce inseguì il Conte ferito.

Appena fu fuori dal Palazzo degli Anemoni Giganti notò che la scia di sangue lasciata da Karkon portava verso il 444° klerossu e ne seguì le tracce stando ben attenta a non farsi ingannare. Girò l'angolo di una casa piccola di corallo verde e si ritrovò davanti al Teatro delle Sirene.

«Per tutte le cioccolate del mondo! Sono nel 444° klerossu. La mappa diceva che era un luogo pericoloso!» esclamò guardando la meravigliosa costruzione.

Un enorme teatro di corallo viola e cristallo rosa. Grandi statue che ritraevano sirene bellissime in armoniose danze con guizzanti delfini ornavano l'edificio. Nulla di quel teatro appariva minaccioso. Anzi. Nina entrò dall'ingresso principale, il portone era aperto e sul pavimento c'erano gocce di sangue.

"Karkon è qui!" pensò, tenendo stretto il Taldom.

Per prima cosa, entrando, vide la platea, con le poltrone fatte a conchiglia, e, in alto, dieci lampadari di ghiaccio illuminavano i palchi e la loggia: tutto era decorato in oro e pietre preziose.

«Che meraviglia! Chissà che spettacoli e concerti organizzavano una volta» si disse a bassa voce.

Un fruscio proveniente dal palcoscenico la distolse dai suoi pensieri. Fissò il palco e vide che le luci e i riflettori lentamente si stavano accendendo. La scena allestita era quella di una rappresentazione primaverile: lo sfondo era azzurro come il cielo e ai lati spiccavano alberi in fiore e fontane che zampillavano acqua limpidissima. Improvvisamente dall'alto arrivarono volando una ventina di rondini che volteggiarono attorno alle fontane e alla fine si posarono sui rami degli alberi.

Nina esultò: «Le rondini! Il Quarto Arcano!».

Ma si sbagliava. La Shandà era ancora nelle mani di Karkon.

Quelle non erano certo le rondini dei pensieri dei bambini della Terra. La scena era in realtà una trappola micidiale!

Nina salì sul palco e felice come non mai cercò di avvicinarsi alle rondini, ma un rumore potente rimbombò facendo tremare tutto il teatro. Dalle quinte del palco sbucarono fuori sei sfere giganti di ferro incandescente che, rotolando, misero a fuoco gli alberi e l'intera struttura della scenografia.

La bambina della Sesta Luna si ritrovò nel mezzo e cercò di evitare le grosse sfere infuocate. Come un enorme pipistrello viola, Karkon scese da una delle travi che sovrastavano il palco aggrappato a una corda e, mostrando la Coppa della Shandà, gridò vittoria. Nina fu colpita da una sfera e finì contro uno degli alberi ormai in fiamme, facendo cadere tutte le rondini, morte...

Il fuoco divorò velocemente gran parte della platea e il fumo nero avvolse l'intero teatro di Atlantide. Nina cercò riparo, strisciando dietro il palco, ma le fiamme la colpivano come frustate sulla schiena. Un piccolo spiffero d'aria le arrivò sul viso. Sempre a carponi andò nella sua direzione e riuscì a trovare l'uscita di quell'inferno. Esausta e ferita, con i polmoni pieni di fumo e la pelle bruciacchiata dal fuoco, la giovane alchimista si mise seduta a una fontana, per bere e rinfrescarsi. Karkon ormai era fuggito, ma la sua corsa sarebbe presto terminata.

Quando la bambina della Sesta Luna riprese a respirare regolarmente, controllò di avere ancora nelle tasche i suoi oggetti magici. E per fortuna c'erano tutti: la

Sfera di Vetro, l'Anello di Fumo, la Piuma del Gughi, le chiavi a mezzaluna e a stella, il documento del Drago Fiammeggiante, la Scriptante, la penna magica che le aveva dato Sia Justitia e l'ultimo Alchitarocco, Qui Amas. Mentre guardava questi oggetti sentì un lamento provenire da un vicolo vicino. Si alzò lentamente e, guardinga, fece qualche passo in avanti. Un'ombra con tre braccia le apparve minacciosa.

"Un mostro!" pensò impaurita.

Col fiato sospeso, avanzò puntando il Taldom Lux ed era già pronta a sparare a quel mostro quando…: «DODO!».

Il ragazzino dai capelli rossi era in piedi e muoveva disperato il braccio metallico di Max. Piangeva a dirotto e continuava a dire: «Non sono… non s… s…ono…stato io».

«Dodo, amico mio! Ti ho ritrovato!» esultò Nina abbracciandolo fortissimo. Lo sguardo di Dodo era come perso:

«Nina, aiu… aiu…iutami. Devo p… po…portare il bra… bra…ccio a Max» balbettò disperato.

«Non ti preoccupare, non avere paura. Ora andiamo, ma mi raccomando, attenzione: in giro c'è Karkon» lo avvertì Nina.

«Ka..ka..kar..kon?» disse tremando Dodo.

«Sì. Ma non ha più il Pandemon Mortalis. Quindi non può spararci. Però ha preso il Quarto Arcano».

«Oh no!» esclamò sempre più sconvolto l'amico.

«Sì, la Coppa della Shandà ce l'ha lui! Ma adesso la prenderemo noi. E poi aggiusteremo anche Max. Vero?»

Nina stava riprendendo le forze e Dodo, stringendo il braccio di Max, smise di piangere. I due amici s'incamminarono cercando di capire la direzione giusta per ritornare dagli altri, al 150° klerossu.

Karkon, con le ferite che sanguinavano ancora, era riuscito a raggiungere il viale dei lampioni blu. Certo, aveva la Coppa della Shandà, ma non sapeva dove rifugiarsi: era come prigioniero di Atlantide! Non poteva più tornare a Venezia, poiché aveva perso lo Jambir, e senza il Pademon i suoi poteri erano praticamente nulli.

«Guardate, è Karkon!» gridò Roxy puntando il dito.

Cesco e Andora si misero davanti alle ragazze, pronti ad affrontare il Nemico Numero Uno e a difenderle.

Fiore si accucciò vicino al corpo di Max e, con tenerezza, gli accarezzò la fronte gelida: «Ti staremo vicini. Non ti lasceremo mai» sussurrò avvicinandosi alle orecchie a campana.

Gli oggetti parlanti rimasero nascosti dietro l'altare della Flamma Ferax, la vaschetta Tarto Giallo e la ciotola Sallia Nana si strinsero una all'altra e tremando pregarono perché tutto finisse il prima possibile.

«Traditrice!!!» risuonò l'urlo del Conte, rivolto ad Andora.

«Sono fiera di esserlo! Guarda che fine ha fatto il tuo nuovo allievo!» ribatté l'androide indicando il cadavere di José che si stava decomponendo.

«Maledetti! L'avete fatto fuori!» disse rabbioso Karkon, indebolito da una vistosa perdita di sangue dalla pancia.

«E adesso tocca a te!» rispose Andora avvicinandosi pericolosamente al suo perfido creatore.

Karkon alzò la Coppa della Shandà, l'oro luccicava e l'acqua che conteneva l'oggetto magico era solida. Non ne uscì neppure una goccia.

«Ce l'ho io il Quarto Arcano. Venite a prenderlo, se avete coraggio» gridò ancora il Magister Magicum.

Cesco si rivolse bisbigliando a Roxy e ad Andora: «È ferito. Dev'essere stata Nina, ma lei non c'è! E se lui l'avesse… uccisa?».

Andora sbarrò gli occhi e aprì la bocca cacciando un urlo metallico. Poi gridò: «Ragazzi sparate! Sparate!».

Contemporaneamente Roxy, Cesco e Fiore schiacciarono il bottone nero dei loro piccoli scettri e colpirono con raffiche laser il corpo del Conte.

Karkon indietreggiò, cercando di coprirsi con il mantello. Andora con un salto lo aggredì, la coppa rotolò per terra, ma l'acqua solida rimase intatta. Karkon allora tese le braccia per riprendere il Quarto Arcano, ma l'androide gli sferrò un calcio in bocca. Il Conte reagì violentemente, afferrò la testa di Andora e tentò di staccargliela.

Quando ormai la finta pelle stava per spaccarsi all'altezza del collo, Andora riuscì a dare un pugno sulla pancia al suo avversario, colpendolo proprio dov'era già ferito. Karkon urlò dal dolore e cadde a terra ansimante. Con un rapido gesto l'androide si alzò in piedi, si aggiustò la testa e corse a prendere una rete da pescatori che aveva visto accanto al Vermaio. I bambini circondarono Karkon puntandolo con gli scettri. Cesco si accucciò lentamente e gli strappò dalle mani la Coppa della Shandà.

«Noooooo!» sbraitò come un ossesso il Conte, tentando di alzarsi per acciuffare il coraggioso ragazzino. Ma proprio in quel momento una potente scarica elettrica colpì per l'ennesima volta il corpo di Karkon.

Cesco si girò di scatto e…: «NINA! DODO!».

I due amici erano arrivati in tempo e la bambina della Sesta Luna aveva fatto centro con il suo Taldom. Il Conte tremava tutto e non riusciva più a controllare i suoi movimenti. Andora gli gettò addosso la rete e, insieme ai ragazzini, lo avvolse, senza lasciargli più scampo.

Stanchi, impauriti e con il cuore in gola guardarono in silenzio la preda: ce l'avevano fatta! Il Mago dell'Alchimia del Buio era lì, davanti a loro. Moribondo.

Dodo agitò il braccio di Max e imbarazzato disse: «Pre… pre…so!».

Nina lo abbracciò e Roxy lo prese per mano: «Forza, ciuffo rosso. Ora andiamo a sistemare Max».

Nina si fece seria, si avvicinò a Karkon, sfiorò la rete con il becco del Taldom e con voce ferma disse: «Pagherai tutto! Dovrai pentirti e inginocchiarti ai piedi di tutti i bambini del mondo!».

Con gli occhi lucidi e pieni di rabbia Nina fissava l'eterno nemico. Andora le andò vicino e l'abbracciò, mentre Fiore, davanti a Karkon che si lamentava esclamò con soddisfazione: «Sembri proprio un grosso stupido squalo finito nella rete».

Cesco chiamò Nina per mostrarle la Coppa della Shandà: «Ehi, signorina, guarda cosa ti regalo».

«Il Quarto Arcano!» gridò la bambina della Sesta Luna.

«Già. L'ultimo!» e così dicendo lo nascose dietro la schiena.

«Ma che fai? Cesco!» esclamò sorpresa.

«Voglio una ricompensa» esordì il furbo ragazzino.

«Cosa???» Nina lo guardò malissimo.

«Un bacio. Uno soltanto. Me lo merito» disse Cesco sfoderando una splendida faccia da schiaffi.

Nina sorrise, ma puntò il Taldom dritto al cuore dell'amico: «Non scherzare, non è il momento! Dammi la Shandà!».

Cesco scosse la testa e sbuffando consegnò la preziosa coppa alla giovane alchimista: «Ok, ok. Non scaldarti. Non si può mai giocare con te».

Nina lo guardò di sbieco, e seria gli disse: «Ti sembra questo il momento di giocare? Andiamo, c'è da salvare Max!».

Il buon androide era lì, steso a terra, accanto all'altare della Flamma Ferax. Andora gli inserì il braccio metallico, ma i legamenti e i circuiti si erano spezzati.

Cesco, tornato serio, aprì il borsone di Max e tirò fuori due pinze, alcuni fili elettrici e un collante speciale: «Fatemi spazio. Ci penso io».

Nina controllava ogni movimento dell'amico del cuore e, nonostante fosse ancora irritata per il suo atteggiamento strafottente, si rese conto che Cesco era davvero bravo.

Mentre il ragazzino eseguiva la difficile operazione sotto

la preziosa guida di Andora, Fiore e Roxy tornarono accanto a Karkon per vigilarlo.

Il Conte stava perdendo molto sangue: sicuramente aveva ancora poco da vivere.

In quel momento le fiamme dell'altare si alzarono di colpo e i due occhi gialli e neri disegnati sulla parete di mosaico azzurro si illuminarono. Al di là della cupola trasparente che avvolgeva Atlantide, tutti i pesci, grandi e piccoli, smisero di nuotare e si misero a osservare la scena con i musi schiacciati contro il vetro.

Dal fuoco dell'altare Flamma Ferax uscì una voce potente: «*Siamo i due Occhi di Atlantide. Il sacrificio è davanti a voi. Il Male è nella rete. Ma serve il Pentimento. Trascinate qui il corpo del Conte Karkon Ca' d'Oro e lasciate che noi svolgiamo l'azione purificatrice*».

Le fiamme rimasero alte e gli occhi del muro diventarono sempre più luminosi.

Nina e Andora in fretta andarono velocemente a prendere Karkon trascinandolo fino all'altare. Fiore, Dodo e Roxy stavano in silenzio, mentre la vaschetta e la ciotola si spostarono verso Cesco, ancora intento a lavorare su Max.

Il ragazzino, guardando i due occhi di Atlantide, aveva interrotto l'intervento del braccio e ascoltato le parole del fuoco.

Quando la bambina della Sesta Luna e la donna androide si furono allontanate di qualche passo dal corpo del Conte, una lingua di fuoco della Flamma Ferax si staccò, volò sopra Karkon e parlò nuovamente:

«*Magister Magicum, diabolico mago, perfido alchimista. Senti la mia voce?*».

Il Conte, avvolto nella rete, guardò il fuoco che ardeva sopra la sua testa e, con voce debole, rispose: «Sì, sento la tua voce. Sto morendo».

«*Non morirai. Pronuncia la frase che sai. Purificati!*»

Karkon aveva la gola secca e muovendo lentamente le labbra pronunciò la frase che l'avrebbe liberato dai terribili inganni compiuti nella sua vita: «Conscientia opprimor».

«*Ripeti ancora. Alza la voce*».

Il Conte fece uno sforzo sovraumano e con il poco fiato che gli rimaneva gridò: «Conscientia opprimor».

La voce di Karkon si sparse ovunque, i pesci e le meduse si allontanarono dalla cupola di Atlantide spaventati. Solo allora Nina sentì una forza immensa che le scorreva nelle vene.

«Si è pentito! Karkon si è pentito!» esultò.

Fiore andò accanto al Conte e sbigottita disse: «Conscientia Opprimor. Sei dunque oppresso dai tuoi sensi di colpa? L'hai ammesso. Finalmente!».

Il Conte sembrava proprio convinto.

L'Alchimia della Luce aveva dunque trionfato?

La fiamma si allargò formando un cerchio, gli occhi di Atlantide si mossero, le pupille gialle e nere si aprirono mostrando due buchi di luce. Il fuoco della Flamma Ferax si spense e il muro di mosaico azzurro si aprì proprio tra i due occhi mostrando una via d'uscita.

«Una porta!» esclamò Nina.

I ragazzini e Andora rimasero di stucco. Karkon si agitava dentro la rete e, approfittando del momento, riuscì a estrarre dalla tasca del mantello viola una carta: Got Malus.

Il più potente degli Alchitarocchi Maligni. La carta magica rimase a terra. Sembrava innocua, ma non era affatto così.

Nessuno però si era accorto di nulla. Ancora una volta il Magister Magicum non si era arreso. La sua cattiveria non era stata annullata. Karkon non si era affatto pentito!

Cesco, in preda alla curiosità, voleva sapere dove portava l'ingresso misterioso, per cui finì velocemente di aggiustare il braccio metallico: i sofisticati circuiti della rete nervosa di

Max 10-p1 si riattivarono. L'androide mosse le mani e i piedi, poi aprì gli occhi e respirò di nuovo.

«Dove xono? Coxa è xuccexxo?» chiese alzando la testa lucida dal pavimento.

«MAX! Amore mio!» Andora si precipitò da lui e lo abbracciò teneramente.

«Andora. Che bello riverderti» Max era commosso e, girando lentamente le orecchie a campana, le rivolse un grande sorriso.

Fiore e Dodo si complimentarono con Cesco e anche Roxy e Nina si unirono con una stretta di mano: il ragazzino aveva fatto proprio un ottimo lavoro aggiustando il braccio del buon androide.

«Max, eravamo molto preoccupati per te» disse Nina, porgendogli l'ultimo barattolo di marmellata di fragole rimasto.

«Grazie, Cexco. Mi hai xalvato la vita. Non lo dimenticherò mai» l'androide alzò il braccio aggiustato e lo mosse per far vedere che funzionava benissimo. Ingoiò quattro cucchiai di marmellata e immediatamente si sentì benissimo. Poi vide il corpo immobile di José poco lontano dall'altare Flamma Ferax.

«L'avete uccixo?» chiese agitatissimo.

«Sono stata io. Era diventato malvagio. Non potevo perdonarlo» spiegò Andora guardandolo fisso negli occhi.

L'espressione di Max si incupì. Alzando le spalle cominciò: «Hai fatto una coxa terribile. Anche xe José era diventato cattivo forxe...» ma fu interrotto da Andora.

«Ormai il Male lo aveva trasformato. E poi ti aveva strappato il braccio!» la donna di metallo prese per mano Max e gli indicò la grande preda: Karkon nella rete!

«Lui? Anche lui è morto?» domandò sempre più sconvolto il buon androide.

«No. E si è anche pentito» rispose Nina con soddisfazione.

«Pentito? Impoxxibile!» ribatté l'androide.

«È così. Fidati. Ora però dobbiamo dividerci» esclamò Andora creando un certo scompiglio.

«Dividerci? E perché?» chiesero in coro.

Andora si avvicinò a Max e guardando i ragazzini spiegò la sua idea: «Ora riporto Karkon a Venezia. Dev'essere condannato! È troppo facile farlo morire così. Anche se si è pentito deve pagare per l'eternità tutto il male che ha fatto».

Nina fu d'accordo e anche gli altri acconsentirono.

«Voi dovete terminate la missione consegnando il Quarto Arcano a Xorax. Ci rivedremo presto a Venezia» concluse Andora con la sua voce metallica.

La bambina della Sesta Luna le consegnò lo Jambir e la Sfera di Vetro: «Prendi questi oggetti magici. E mi raccomando, quando apparirai nell'Acqueo Profundis stai bene attenta che Karkon non scappi. Mettilo nel carrello e portalo su nel laboratorio della Villa. Con questa Sfera apri la porta e… buona fortuna!».

«Andrà tutto bene. Chiederò aiuto anche alle tue vere zie e ai bambini della Giudecca. Siamo sulla buona strada. Dobbiamo arrivare alla fine» Andora aveva un'espressione fiera. Guardò i quattro amici di Nina e sorridendo li rassicurò: «Penserò anche ai vostri genitori. Non vi preoccupate. Andrà tutto bene».

Dodo abbassò la testa, Fiore e Roxy si abbracciarono mentre Cesco strinse la mano alla donna che li stava aiutando.

Max tirò fuori dal borsone un tubo d'acciaio molto simile a quello che aveva usato quando erano partiti dall'Acqueo Profundis e si rivolse ad Andora:

«Ecco, con la xinixtra afferra il tubo e con la dextra tieni lo Jambir. Poi pronuncia quexta fraxe: *La Luce mi accompagnerà. Accendo il mio cuore e andrò a Venezia. L'Arcano dell'Acqua è in buone mani. Xorax xarà finalmente xalva. VOLARE PER VIVERE!*"».

Nina e Roxy esclamarono: «Ma è simile alla frase che hai pronunciato nell'Acqueo Profundis!».

«Exatto. È po' diverxa, ma funzionerà» disse Max rassicurando Andora, che si mise in posizione e controllò che Karkon stesse fermo.

«Xtai attenta. Abbiamo tante coxe da fare inxieme» disse Max prima di lasciarla partire.

«Già. Una vita di cose insieme» rispose la donna metallica, sbattendo le ciglia.

I ragazzini abbracciarono Andora che, con lo Jambir in una mano e il tubo nell'altra, pronunciò la frase magica. Lei e Karkon scomparvero immediatamente rapiti da un fascio di luce rossa. Accanto alla Flamma Ferax non rimase alcuna traccia.

Dodo allargò le braccia: «E co... co...come fac...ciamo a to...tornare a casa se... se...senza lo Jambir?» chiese allarmato.

Nina si girò e sorridendo rispose: «Ci pensarà il Gughi. Almeno lo spero».

«Il Gughi? Ma dov'è?» domandò Fiore.

«Non lo so. Ma senza dubbio verrà a prenderci» Nina era sicura. E anche Cesco annuì.

Roxy picchiettò sulla spalla di Nina: «E di quello cosa ne facciamo?» domandò indicando il cadavere di José.

«Lo lasciamo qui. Non ho nessuna intenzione di seppellirlo. Si sta decomponendo e nel giro di poche ore di lui non resterà più nulla» la risposta di Nina fu cinica e durissima.

Il corpo di José si trasformò velocemente in una poltiglia marrone: dell'insegnante spagnolo rimase solo una macchia scura che s'impresse sul pavimento. Poi prese una forma strana e sotto gli occhi dei giovani alchimisti accadde una cosa impressionante: la poltiglia marrone formò una parola latina, "Proditor!".

Fiore si coprì gli occhi e sussurrò: «Proditor! Traditore! Questa è la fine del professor José. Di lui rimane solo questa parola maledetta». Max e gli altri ragazzini chinarono il capo e rimasero in silenzio.

Nina aveva una tale rabbia che non riuscì nemmeno a piangere, strinse la Coppa della Shandà e guardando l'ingresso misterioso tra i due occhi di Atlantide fece cenno di entrare. Ma un'insidia pericolosissima stava per bloccare il nuovo viaggio verso la consegna del Quarto Arcano. Got Malus era lì, per terra, e nessuno si era accorto della sua presenza.

CAPITOLO NONO

La Rivoluzione Silenziosa e le uova di Quaskio

Un alone rosso vivo schiarì l'Acqueo Profundis. All'interno della luce, accanto al trono di vetro, si materializzò Andora e, accanto a lei, il corpo del Conte imprigionato nella rete.

Il laboratorio sotto la laguna era silenzioso, il grande schermo era spento anche se il computer funzionava regolarmente. Karkon rantolava e non si rese neppure conto di essere arrivato nel luogo più segreto di Nina e del professor Misha.

Andora si guardò intorno e ricordò quanto tempo aveva passato là sotto e come Max l'aveva curata amorevolmente. Girò la testa e fissò le vetrate, puntò gli occhi sul fondo marino e poi passò le mani sopra il tavolo. Tutto era come lo aveva lasciato mesi prima. Poi appoggiò lo Jambir sullo Strade Mundi e con forza trascinò la rete. Karkon era pesante ma bastava fare qualche passo e arrivare alla porta.

«Maledetto Conte! Ma quanto pesi!» disse faticando vistosamente.

Quando arrivò fuori dall'Acqueo Profundis la porta di roccia si chiuse alle sue spalle. Nessuno avrebbe più potuto entrare lì dentro: l'Anello di Fumo ce l'aveva solo Nina.

Andora avvicinò il carrello e con uno sforzo immane vi gettò dentro Karkon. Come un sacco di patate il corpo cascò nel carrello, l'androide alzò la leva e in un baleno il carrello partì raggiungendo il fondo del tunnel. A quel punto bisognava salire la scaletta e portare a spalle quel peso! Andora trovò il modo per muovere, con grande fatica, il Conte, che delirava e perdeva ancora molto sangue. Con la lingua di fuori la donna di metallo arrivò all'imboccatura della botola e finalmente tirò su la pesante rete.

L'orologio del laboratorio segnava le 23, 11 minuti e 45 secondi del 13 aprile. Da quando era partita con Karkon e José era passata soltanto una decina di ore. Andora guardò il tavolo degli esperimenti, i disegni e le mappe appese ai muri, le mille boccette e alambicchi e i cumuli di pietre preziose. Ripensò a Nina, all'avventura che stava vivendo e alle difficoltà che ancora doveva affrontare. Diede un calcio a Karkon, che emise un debole lamento.

Poi prese la Sfera di Vetro e l'incastrò nella conca della porta, aprendola di scatto. La luce azzurrina del laboratorio illuminò la Sala del Doge, che fino a quel momento era stata completamente buia. Nella penombra vide una scena raccapricciante: le due zie spagnole erano lì, bloccate dall'Accia Peciosa. Stanche e con i volti stravolti, appena videro l'androide sbucare dal laboratorio segreto si misero a urlare.

«Calme. State calme. Ora vi libero» disse con la solita voce metallica la donna accendendo finalmente la luce.

«ANDORA! MA È UGUALE A TE!» gridò la povera Carmen che sentì girare la testa.

«Sì... no... sì... è uguale a me. Ma lei non è cattiva!» farfugliò la vera Andora.

«Carmen, non spaventarti. Sono un androide costruito dal Conte Karkon Ca' d'Oro. Ma ora sono dalla vostra parte. Sto aiutando Nina. Capisci?» la falsa Andora pensò di essere stata chiara, ma Carmen fu presa da una crisi isterica. Cominciò a muovere le braccia e tentò di scappare, ma i piedi erano oramai cementati dall'Accia Peciosa.

«Calmati! Non agitarti! È peggio se ti muovi» cercò di spiegarle la sorella, ma Carmen non sentiva ragioni.

Allora la falsa Andora aprì del tutto la porta del laboratorio e mostrò Karkon avvolto nella rete: «Guardate! È lui il colpevole di tutto. È il Conte del Male. Dobbiamo portarlo in prigione».

Quando Carmen vide la scena spalancò la bocca in un urlo più forte di quelli precedenti. Anche sua sorella gridò e allora l'androide diede un pugno sul muro e con rabbia esclamò: «Ora basta! Dovete calmarvi. Per prima cosa troverò una sostanza alchemica che sciolga l'Accia Peciosa, poi mi aiuterete a portare Karkon dalle guardie. D'accordo?».

Le due sorelle, spaventate, finalmente si zittirono. In quel momento uno strano rumore proveniente dall'ultimo scaffale della libreria fece alzare lo sguardo alle tre donne. Un candelabro in ferro battuto si mosse facendo cadere ai piedi dell'androide un libro con la copertina gialla dal titolo: *La forza dell'Acido Pomposo* di Birian Birov.

La falsa Andora lo raccolse mentre le due sorelle l'assillavano chiedendo subito spiegazioni. Senza dare alcuna risposta, la donna di metallo iniziò a leggere le prime pagine. Poi esclamò: «La formula!».

«Che formula?» chiesero le zie spagnole.

«La formula dell'Acido Pomposo. Serve per sciogliere ogni sostanza magica creata con la pece. È la soluzione del problema. Capite!» rispose allegramente la falsa Andora.

«No. Veramente non ho capito» borbottò Carmen scuotendo la testa mentre la sorella invece diceva di sì.

«Ma è tantissimo tempo che non creo più sostanze alchemiche. Non sono stata progettata per questo» spiegò un po' preoccupata l'androide.

«Provaci. Devi farlo per noi» rispose immediatamente la vera Andora.

La donna di metallo strinse il libro ed entrò nuovamente nel laboratorio. Cercò tra le boccette e le ampolle gli ingredienti, mentre il Conte, sempre moribondo, di tanto in tanto

apriva gli occhi e rantolava. L'androide doveva fare presto. Prese l'ampolla 111, conteneva Succo di Barbabietola e ne versò 10 gocce in una ciotola, poi aggiunse due grammi di Polvere d'Oro e 7 gocce di Benza Pomponia, un liquido pericolosissimo. Mescolò per cinque minuti e dalla ciotola iniziò a uscire un filo di fumo rosso.

«Funzionerà!» esclamò fiduciosa.

Con la ciotola tra le mani uscì dal laboratorio e disse alle due sorelle: «State ferme. Adesso getterò l'Acido Pomposo sul pavimento. Credo che l'Accia Peciosa si scioglierà. Almeno lo spero». E così dicendo lanciò la sostanza alchemica.

Il fumo rosso avvolse la crosta dell'Accia Peciosa sciogliendola all'istante. I piedi di Andora e Carmen diventarono caldi e finalmente le due sorelle poterono muovere le gambe.

«Libere!» esclamarono abbracciandosi.

Poi, girandosi verso l'androide, tesero le mani e la donna di metallo chinò la testa: «Questa ci voleva. Ora spero che vi fidiate di me».

La vera Andora abbracciò il suo clone. E Carmen sorrise dicendo: «Sapevo che Nina era una bambina speciale, che l'alchimia era la sua passione. Ma non avrei mai immaginato di trovarmi in questa situazione».

«Nina sta bene, – disse l'androide – non dovete preoccuparvi per lei. Tornerà presto. E anche gli altri ragazzini stanno benone. Ma adesso non posso spiegarvi altro».

Andora e Carmen guardarono

negli occhi la donna pelata e poi sospirarono. In quel momento Karkon si mosse.

L'androide e le due sorelle tirarono la rete. «Forza, portiamolo in prigione» propose la vera Andora.

Ma la donna di metallo si bloccò: «Anche se manca poco a mezzanotte e il buio potrebbe aiutarci, io non posso certo farmi vedere dalle guardie. Non mi crederanno mai. Si vede che non sono umana. E poi – rivolgendosi alla vera Andora – come facciamo a spiegare che siamo identiche ma non siamo sorelle?».

Carmen non capiva più nulla, e iniziò a piangere. La vera Andora ebbe un'idea: «Io e Carmen consegneremo Karkon alle guardie. A noi crederanno!».

L'androide sorrise e aggiunse: «Perfetto! Allora io andrò a Palazzo Ca' d'Oro e prenderò Visciolo, Alvise e Barbessa. Loro si fidano di me e mi faranno entrare non sospettando nulla. Così metteremo tutti in prigione».

Le tre donne si strinsero la mano in segno di amicizia.

Insieme trascinarono la grossa rete con Karkon fino al cancello di Villa Espasia. Ma ebbero una sorpresa.

Al di là del ponte c'era una folla di bambini silenziosi. Erano più di trecento. Immobili e impettiti come tanti soldatini pronti a marciare guardarono le tre donne e non fiatarono. Tra loro si muovevano anche Adone e Platone, mogi.

Scoccò la mezzanotte. Il suono delle campane segnò l'inizio di una nuova fase della Rivoluzione Silenziosa. E le rondini erano ancora lì: sui tetti, sopra i lampioni, accanto alle finestre delle case. Con le loro ali appuntite svolazzavano creando vortici d'aria.

L'androide si fece avanti: «Sono Andora, quella della bara. Ricordate?» chiese ad alta voce.

Tutti i trecento bambini fecero di sì con la testa mentre Adone girava la testa come se stesse controllando che davvero tutti rispondessero.

Con fierezza l'androide mostrò la cattura del Conte Karkon Ca' d'Oro. Una boato si levò verso il cielo buio.

I bambini esultarono portando le mani verso l'alto. Ma la donna di metallo fece cenno di stare in silenzio, poiché la confusione avrebbe potuto svegliare i veneziani, anche se in realtà la faccenda non si era certo ancora conclusa. Solo Platone e Adone si avvicinarono alla rete e, annusando la grossa preda, ebbero una reazione spropositata: entrambi fecero la pipì sopra Karkon, che non mosse un dito.

L'esercito di bambini non fiatò e a quel punto l'androide disse: «La vostra Rivoluzione Silenziosa è importante. Accompagnate le due zie di Nina ai Piombi e consegnate il perfido Karkon. Fatelo per Nina. Fatelo per la vostra libertà di pensiero».

Un ragazzino si avvicinò: «Tu non sei umana!».

«Ho la pelle finta, sono senza capelli, al posto delle vene ho circuiti elettrici e cavi nei quali scorre una sostanza simile al sangue. Ma oggi più che mai mi sento umana. Sento il bene battere al posto del cuore. Abbiate fiducia in me. Non vi pentirete».

La vera Andora e Carmen trascinarono la rete con il corpo di Karkon giù dal ponte, inseguite da cane e gatto trionfanti. La folla di bambini fece spazio. Era la prima volta che vedevano il Conte ridotto così, rantolante, semimorto e sanguinante. L'androide iniziò a correre: «Fate come vi ho detto. Io vado a Palazzo Ca' d'Oro. Ci rivedremo tra un'ora ai Piombi».

I trecento bambini seguirono a passo lento le due zie che trascinavano la grande preda per calli e campielli deserti illuminati solo dai lampioni. Stormi di rondini seguirono svolazzando il folto gruppo dei rivoltosi.

Karkon si stava riprendendo un po' e, con gli occhi sbarrati, cercava di escogitare qualche manovra per fuggire: vide chiaramente volare sopra la sua testa centinaia e centinaia

di rondini. Si sentì soffocare, temeva di essere arrivato alla fine dei suoi
giorni. Quelle rondini rappresen-
tavano la liberazione dei pensieri e i bambini erano diventati i
suoi nemici più feroci. Poi pensò
che ad Atlantide le cose non sarebbe
affatto finite bene per Nina e i suoi amici.
L'Alchitarocco Got Malus presto avrebbe agito sferrando
un attacco violentissimo. Insomma, il Conte non si sentiva
sconfitto del tutto anche se stava provando una grande umi-
liazione, prigioniero di quella rete.

Mentre le due zie spagnole lo trascinavano per calli e campielli, la falsa Andora stava attuando il suo piano.

Quando fu davanti al portone di Palazzo Ca' d'Oro suonò
il campanello. Visciolo, che stava dormendo, ci mise un paio
di minuti prima di aprire lo spioncino e con l'occhio buono
guardò chi mai voleva entrare a quell'ora di notte.

«Andora!» esclamò sorpreso.

«Forza, aprimi. Ho fretta» rispose in maniera sbrigativa
l'androide.

Appena la falsa Andora fu entrata in cortile, chiese dov'e-
rano i due gemelli ma Visciolo la prese per un braccio e scuotendola esclamò: «Dov'è il Conte? Non eravate andati a Villa
Espasia per spargere l'Accia Peciosa?».

«Lasciami stare. Il Conte mi sta aspettando… davanti al
carcere» disse fissando la benda lercia del Guercio.

«Carcere? E cosa dovete fare?» chiese il servo mentre la
inseguiva su per le scale.

«Dobbiamo torturare Carlo e Ljuba» rispose la falsa Andora inventandosi una bugia stratosferica.

«Torturare? Oh che bello! Io posso accompagnarti?» Visciolo era curiosissimo.

«Va bene, ma ho bisogno anche di Alvise e Barbessa» la richiesta dell'androide cascò a pennello.

«D'accordo andiamo a prenderli, sono nelle loro camere» Visciolo l'accompagnò soddisfatto.

Ma quando Alvise e Barbessa videro Andora si agitarono moltissimo: «Ora bisogna torturare Carlo e Ljuba?» chiesero aggiustandosi la testa e infilando la maglietta con la K.

«Non ho tempo di spiegarvi nulla. Il Conte ci sta aspettando» ribadì l'androide.

«Ma il nuovo allievo è con il Conte? Avete usato l'Accia Peciosa?» chiesero scendendo le scale i due gemelli.

«José? Be'... sì... sì, è con Karkon. E l'Accia Peciosa ha funzionato benissimo» rispose frettolosamente la falsa Andora.

«Ma allora avete preso Nina?» domandò Barbessa aggiustandosi le trecce.

«Nina? Be', ancora no. Ma manca poco» chiuse il discorso l'androide.

Visciolo e i ragazzini non sospettavano nulla, anzi, pensavano che tutto stava procedendo bene. E così uscirono dal Palazzo convinti che l'androide karkoniano avesse detto la verità.

Di corsa attraversarono Piazza San Marco ma si resero immediatamente conto che c'era qualche cosa che non andava: gruppi di bambini erano seduti accanto alla colonna della statua del Leone Alato. Il felino di marmo era lì, immobile e privo di vita. Sopra l'imponente statua volavano decine di rondini.

Alvise guardò il Leone e rivolgendosi a Barbessa disse: «Strano che a quest'ora i bambini veneziani siano in giro. E poi il Leone mi sembra tranquillo. Non credo che Karkon sia riuscito a rianimarlo».

«Il Leone? Ma no, il Conte ha altro da fare. Però hai ragione, anche a me sembra molto strano che i bambini siano qui. E poi..che strano, ci sono centinaia di rondini» rispose Barbessa.

Visciolo camminava a fatica e guardava con il suo unico occhio i volti dei ragazzini veneziani. Erano impassibili.

Più si avvicinavano al carcere dei Piombi e più la folla di bambini aumentava. Andora prese per mano i due gemelli che, impauriti, non volevano più proseguire. Anche Visciolo si bloccò.

«Ma che succede?» chiese all'androide.

La falsa Andora non rispose e fece solo un sorriso ironico.

Alvise cercò di tornare indietro e anche Barbessa cominciò a dimenarsi tendando di staccare la sua mano da quella dell'androide. Ma la folla accerchiò il gruppetto fissando a brutto muso i due gemelli e Visciolo.

La donna di metallo fece un cenno e i bambini fecero spazio. Alvise e Barbessa andarono avanti camminando lentamente, mentre Visciolo cercò di scappare ma fu bloccato da dieci ragazzini che gli impedirono di tornare indietro. A creare ulteriore confusione ci pensarono anche le rondini che iniziarono a volare rasoterra.

Quando i due gemelli e il Guercio furono davanti al portone del carcere la falsa Andora gridò: «Prendeteli!».

Cinque ragazzini piuttosto robusti afferrarono Alvise, Barbessa e Visciolo che iniziarono a dare calci e morsi, urlando come pazzi. Quando videro Karkon per terra, avvolto nella rete e sanguinante rimasero impietriti.

«Mio signore!» gridò Visciolo inginocchiandosi.

«Maestro!» esclamarono impauriti Alvise e Barbessa.

Le due zie spagnole e la falsa Andora si fecero largo tra la folla, Carmen si avvicinò ai due gemelli e sferrò due ceffoni potenti. Visciolo alzò un braccio per difenderli, ma la vera

Andora si avvicinò e con disprezzo disse: «Fermo! Ora nessuno potrà più fare del male a Nina e a tutti i bambini del mondo!».

Karkon si mosse e borbottò poche parole. L'androide si accucciò e capì che voleva solo bere un sorso d'acqua.

«Bussate al carcere. Portateli dentro» disse la donna di metallo. «È meglio che non mi vedano altrimenti le cose si complicheranno».

L'androide tornò velocemente verso Palazzo Ca' d'Oro dicendo che doveva fare un'altra cosa molto importante.

Le zie spagnole bussarono e quando le guardie videro tutta quella confusione davanti al carcere avvisarono immediatamente i dieci consiglieri comunali e il presidente del Tribunale.

«Non possiamo certo mettere in cella il Conte Karkon! Attualmente è il nostro sindaco!» rispose la prima guardia.

«E chi se frega! È colpevole! Voleva uccidere Nina e i quattro ragazzini della Giudecca! Lo sapete bene che è un mascalzone!» gridò la vera Andora, mentre la folla dei ragazzi rimase in silenzio.

Pochi minuti dopo arrivarono di corsa i genitori di Dodo, Fiore, Roxy e Cesco. Avevano gli occhi lucidi. Appena videro le due zie di Nina chiesero subito notizie dei figli.

«Dove sono? Stanno bene?» la raffica di domande mandò in confusione le due sorelle, ma Andora si fece coraggio e spiegò che presto sarebbero tornati a casa.

«Ma come avete fatto a ridurre così Karkon?» chiese il papà di Cesco.

«È una lunga storia. Adesso state tranquilli. Non c'è più nulla da temere» rispose Carmen con un filo di voce.

I genitori di Dodo si avvicinarono al Conte: «Che ne hai fat…to di no… no…nostro fi…figlio?» chiese con rabbia il papà.

Karkon emise un rantolo e mosse una gamba.

Il sangue che perdeva dalla pancia aveva creato una pozzanghera che fece allarmare tutti i genitori.

«È ferito. Bisogna fare qualche cosa. Non possiamo lasciarlo qui» disse la madre di Fiore sull'orlo di uno svenimento.

Le guardie sciolsero il nodo della rete e liberarono lentamente il Conte sotto lo sguardo vigile di Platone e Adone. In quel momento giunsero trafelati i dieci consiglieri e il presidente del Tribunale.

«Che succede?» chiese il consigliere anziano guardando per terra, e quando vide Karkon moribondo urlò: «Conte? Ma chi l'ha ridotto così?».

Andora si fece avanti: «Voleva uccidere Nina. È ora di finirla con questa farsa. Il Conte Karkon Ca' d'Oro è un uomo malvagio».

«Ma come si permette? Guardi che la faccio arrestare!» esclamò il presidente del Tribunale.

«Arrestare me? Si sbaglia. È Karkon quello che dev'essere messo in galera!» sbottò Andora, e Carmen cercò di calmarla.

«E voi, cosa fate a quest'ora ancora in giro. Dovreste essere già a letto da un bel pezzo» gridò il presidente rivolgendosi alla folla di bambini i quali, come sempre, rimasero a bocca chiusa.

«Andatevene a casa!» aggiunse l'uomo con voce possente.

«Sì, adesso se ne andranno ma prima porti in carcere Karkon, i due gemelli e Visciolo» risposero con fermezza i genitori di Roxy.

«Ora basta! Andatevene tutti! Al Conte ci penseremo noi» il presidente e due consiglieri fecero cenno alle guardie di portare nella saletta del carcere il Conte, il guercio, Alvise e Barbessa.

Carmen e Andora stettero a fianco ai genitori dei quattro

amici di Nina e a quel punto il papà di Cesco chiese: «Ma siamo sicuri che li terranno in carcere? E poi, i nostri figli dove sono?».

«I vostri figli stanno bene. In verità io e mia sorella non sappiamo dove sono. Non abbiamo notizie certe ma Nina presto si farà viva. E poi, per il Conte e gli altri dobbiamo avere fiducia. I consiglieri comunali, le guardie e il presidente del Tribunale mica possono liberarli dopo tutta questa confusione» fu la risposta di Andora, che cercava di tranquillizzare tutti senza riuscirci troppo: le mamme erano troppo ansiose.

Carmen, timidamente, sussurrò una frase: «La verità sui ragazzi la sa solo la donna di metallo».

«Donna di metallo?» esclamarono sbigottiti i genitori.

Andora intervenne nuovamente guardando di traverso la sorella: «Be', sì, si chiama come me e mi assomiglia un po'. Ma adesso è troppo complicato spiegarvi…».

I genitori di Fiore la interruppero: «Complicato? Ma noi rivogliamo nostra figlia. E subito!».

«Sentite, Nina e vostri figli hanno smascherato il Conte. Ora non possono più correre alcun pericolo. Vedrete che torneranno prestissimo a casa». Carmen aveva finalmente rasserenato il clima con queste parole, anche se i genitori non erano del tutto tranquilli. Guardando il fiume di bambini che tornavano a passo lento alle loro case, capirono che a loro rimaneva un'unica cosa da fare: aspettare.

La notte trascorse veloce, ma nessuno riuscì a dormire. I bambini veneziani sognarono di processare Karkon mentre i genitori di Roxy, Fiore, Dodo e Cesco rimasero alzati pensando ai loro figli. Andora e Carmen, con a fianco cane e gatto, non si mossero dal carcere: volevano avere notizie su Carlo e Ljuba. La loro liberazione doveva avvenire al più presto.

L'agitazione e il nervosismo turbavano quella tiepida notte della primavera veneziana. Alle prime luci dell'alba una finestra del Palazzo Ca' d'Oro si aprì portando sollievo all'androide karkoniano: era ancora lì, con gli occhi stanchi e il viso segnato dalle troppe avventure.

La falsa Andora era finalmente riuscita a mettersi in contatto con Vladimir l'Ingannatore, l'androide russo che teneva in ostaggio i genitori di Nina. Con un sottile stratagemma aveva digitato il suo codice nel computer del Laboratorio K e spedito un messaggio urgentissimo fingendo di essere Karkon:

«*Vladimir, la missione spaziale dev'essere interrotta. Porta a Venezia i genitori di Nina. Usa il trasferimento lento, sai bene che Vera e Giacomo potrebbero non farcela. Loro non sono androidi e dunque il loro cuore potrebbe non reggere. Vieni a Palazzo, ti aspetto. Conte Karkon*».

Il messaggio, ovviamente, portando la firma di Karkon non fece sospettare nulla a Vladimir, che iniziò subito la procedura per il trasferimento magico-alchemico a Venezia.

Giacomo e Vera erano assopiti, il loro destino era nelle mani dell'androide russo e nessuno, al Ferk, aveva capito che cosa stesse succedendo. La navetta spaziale era pronta e i due scienziati avrebbero dovuto partire il 15 aprile. Medici, ricercatori, professori e astronomi erano in grande agitazione per la missione più importante del secolo. Tutti pensavano che Giacomo e Vera si trovassero nei loro alloggi a prepararsi per il grande evento e invece i genitori di Nina erano ostaggi di Vladimir, che si era intrufolato abilmente al Ferk fingendo di essere un centralinista.

E ci sarebbero volute almeno altre 24 ore prima che l'androide russo attivasse completamente il trasferimento a Venezia, la falsa Andora aveva dunque ancora tempo per avvisare le due zie spagnole. Stanchissima, con le gambe che le facevano male, uscì dal Palazzo e si recò nuovamente davanti al carcere dei Piombi.

Andora e Carmen erano ancora lì, sedute sulla base di una colonna circondate amorevolmente da centinaia di rondini. Quando l'androide spiegò loro che sarebbero arrivati Giacomo e Vera, le due zie si commossero e sperarono che tutto si risolvesse per il meglio.

Adone abbaiò e Platone miagolò fortissimo, ma furono subito zittiti. Mentre le tre donne stavano chiacchierando, dal portone del carcere uscirono i dieci consiglieri, con sufficiente trambusto da far spiccare il volo alle rondini, che sollevarono nuvole di polvere.

L'espressione dei consiglieri era seria, serissima. Cercarono di scacciare gli uccelli con ampi movimenti delle braccia, ma tutto senza dire nemmeno una parola. La falsa Andora si nascose dietro alla colonna per non farsi vedere e, quando gli uomini si furono finalmente allontanati, avvisò le due zie spagnole che sarebbe tornata a Palazzo.

«Devo mettermi al computer nel laboratorio K e preparare l'arrivo di Vladimir. Spero non si accorga subito dell'inganno. Quando capiranno di essere nel Palazzo di Karkon, Vera e Giacomo ne rimarranno sicuramente turbati».

«Vuoi che veniamo con te?» disse la vera Andora.

«No, voi state qui. È importante che vigiliate. Ci vedremo stanotte. Verrò in Villa e con me porterò i genitori di Nina. Saranno felici di rivedervi» spiegò l'androide.

«Ma Vladimir… chi è esattamente?» chiese candidamente Carmen, sempre più confusa.

«È un androide. Ma è meno sofisticato di me. Io sono l'ultimo modello creato dal Conte. Sono più forte e furba. Lo sconfiggerò, conosco i suoi lati deboli» spiegò la solita voce metallica della falsa Andora.

«Androide? Ma quanti ne ha costruiti Karkon?» domandò sempre più impaurita Carmen.

«Ora non c'è tempo per spiegarti. Stai tranquilla» e così

dicendo, la donna di metallo salutò le due sorelle e a passo veloce tornò a Palazzo Ca' d'Oro.

La tensione era sempre alta e le zie spagnole non riuscivano a placare l'ansia. Anche la falsa Andora era assai agitata: sapeva infatti che Nina e i ragazzi avrebbero dovuto faticare ancora per consegnare l'ultimo Arcano. Certo, a Venezia erano successe molte cose, i bambini erano nel pieno della Rivoluzione Silenziosa, mentre Karkon , i due gemelli e Visciolo erano chiusi ai Piombi ma…

Mancava Nina!

Mancavano i giovani alchimisti!

Mancava la consegna dell'Arcano dell'Acqua!

Nelle profondità degli abissi della misteriosa città di Atlantide, Nina e i suoi amici stavano iniziando una nuova e sconvolgente avventura. Il tunnel buio che si era aperto tra i due occhi gialli e neri della parete accanto all'altare della Flamma Ferax era pronto a ospitarli. Nina avrebbe tanto voluto poter consultare il Systema Magicum Universi, che certo li avrebbe aiutati con un'indicazione precisa, ma purtroppo il Libro Parlante non c'era più. Era scomparso nel laboratorio della Villa e Nina poteva fidarsi solo del suo intuito e della bravura dei suoi compagni.

I ragazzi impugnarono i loro scettri, Max riprese il borsone e se lo mise in spalla. Erano pronti a entrare quando un vento gelido uscì inaspettatamente dal tunnel e spense il fuoco dell'altare. A illuminare la parete di mosaico rimase soltanto la luce proveniente dal viale dei lampioni blu.

Nella penombra e con il cuore in gola, il gruppo dei coraggiosi entrò. Le pareti del tunnel erano asciutte e morbide, sembravano fatte di gommapiuma, mentre il pavimento era rigido e lucido. Alla fine della strana galleria s'intravedeva un cerchio blu nel quale, esattamente al centro, c'era un grosso punto bianco.

«Dove porterà questo tunnel?» chiese Roxy camminando lentamente.

Nina, senza girarsi, rispose: «Non lo so. Ma certamente troveremo il modo di consegnare la Coppa della Shandà e attivare il Quarto Arcano».

Nina controllò che la ciotola Sallia Nana avesse ancora le strisce dei numeri presi nello Zero Nebbioso e proseguì guardando sempre lo strano cerchio blu che aveva di fronte.

«Ancora qualche metro e poi scopriremo dove siamo finiti» aggiunse Cesco, accarezzando la vaschetta Tarto Giallo.

Ma dietro di loro, in agguato e silenzioso, l'Alchitarocco Maligno attendeva soltanto l'occasione giusta per trasformarsi e apparire in tutta la sua bruttezza. La carta scivolava lenta-

mente sul pavimento lucido, ogni suo movimento era nascosto dal buio e avvolto in un fruscio impercettibile.

Nina si accorse che la stella che aveva sulla mano era diventata improvvisamente nera. Il suo cuore cominciò a battere fortissimo, soprattutto perché non capiva a quale pericolo andava incontro.

"Karkon è nella rete. José è morto e anche LSL non c'è più. Cos'altro mi minaccia?" pensò senza dire nulla agli altri, che la seguivano. Strinse il Taldom e, come spesso aveva fatto nei momenti difficili, pronunciò a bassa voce il nome del nonno per farsi forza. Quando arrivò alla fine del tunnel aprì le braccia ed esclamò: «È un altro occhio!».

Il cerchio blu era infatti l'Occhio Segreto di Atlantide. La pupilla, bianca e perfettamente circolare, brillava come una piccola luna piena. I ragazzini guardarono l'occhio e persino Max, che era con i due oggetti parlanti, si stupì.

«Che coxa xignifica?» chiese ad alta voce.

Dodo prese la mano di Cesco e chinò la testa, intimorito.

In quel momento, dall'alto dell'Occhio Segreto sbucò il pesce di Xorax, Quaskio. Nina, sbalordita, esclamò: «Sei tu! Temevo che...».

«Che cosa?» chiese Cesco.

«Nulla. Non ti preoccupare. Forse sono stanca e ho cattivi presentimenti» rispose la bambina della Sesta Luna avvicinandosi al pesce xoraxiano.

Il Quaskio aprì la bocca in un gran sorriso e Roxy e Fiore lo coprirono di sorrisi e carezze. La sua pelle turchese era morbidissima e le pinne si muovevano allo stesso ritmo della coda. Piccolo e goffo, il pesce magico girò su se stesso un paio di volte e con le pinne anteriori indicò il centro bianco dell'Occhio Segreto.

«Dobbiamo entrare lì dentro?» chiese Nina.

Il Quaskio fece di sì con la testolina.

Max appoggiò il pesante borsone sul pavimento per guardare curioso il comportamento del pesciolino che camminava sostenendosi solo con le pinne, muovendosi come in una danza. Dopo ogni piroetta depositava delle minuscole uova luminose. I ragazzini rimasero in silenzio a osservare il balletto alchemico dello strano animale acquatico della Sesta Luna.

«Sono bellissime queste uova!» esclamò Roxy raccogliendone un paio.

Anche Dodo e Cesco ne presero una manciata. Max e Fiore si guardarono in faccia con aria interrogativa e infine decisero di raccoglierne altre.

«Sono uova magiche. Contengono pietre preziose che hanno proprietà alchemiche» spiegò Nina dando un buffetto sul muso del Quaskio.

«Proprietà alchemiche?» chiese Fiore premendo tra le dita un uovo.

«Sì. Ma non so ancora bene a cosa servono» rispose Nina prendendone una decina.

«Ma quanto può stare fuori dall'acqua il Quaskio?» la domanda di Roxy cascò a pennello.

«Credo che ci possa stare a lungo. L'ho visto più volte passeggiare assieme allo Sbacchio e al Tintinno quando sono andata su Xorax» Nina tranquillizzò il gruppo e Max, prendendo in braccio lo strano pesce, socchiuse gli occhi.

«Carixximo Quaxkio, che piacere rivederti. Xono xicuro che ci aiuterai. Xe c'è un pericolo tu fixchi. Vero?» il buon androide girò le orecchie a campana e il pesce mosse la coda divertito.

«Fischia? Il Quaskio emette un fischio avvisando che ci sono pericoli?» Cesco fu molto sorpreso dalle parole di Max.

«È vero. Fischia fortissimo» ammise Nina con soddisfazione.

Il pesce turchese saltò giù dalle mani di Max e si avvicinò

agli oggetti parlanti. Scherzò con loro facendo subito amicizia. La vaschetta Tarto Giallo alzò una zampina e strinse la pinna al Quaskio mentre la ciotola Sallia Nana si dondolò allegramente.

«Si… si…simpa…tici!» disse Dodo.

Ma quello non era certo il momento di giocare. E infatti il centro bianco dell'Occhio Segreto si aprì lentamente e un fascio di luce viola illuminò il gruppo. Contemporaneamente, tutte le uova del Quaskio si alzarono in volo fino all'altezza dell'occhio, posizionandosi esattamente attorno alla pupilla blu. I ragazzini rimasero immobili e solo il pesciolino spiccò un salto appoggiandosi sulla fessura dalla quale filtrava il fascio di luce. Le uova si schiusero tutte insieme, i gusci caddero sul pavimento e attorno all'occhio di Atlantide rimasero decine di pietre preziose coloratissime. Rubini, topazi, smeraldi, zaffiri e piccole gemme di goasil brillarono quasi accecando il gruppo dei giovani alchimisti. Lampi di luce azzurra e rossa, verde e gialla, blu e rosa illuminarono le espressioni estasiate dei ragazzini.

La pupilla bianca e blu si aprì ancora mostrando l'interno dell'occhio: uno spazio di luce viola. Sembrava un mare gommoso misto d'acqua e luce.

«Gu… gua…guardate, è me… me…mera…viglioso» disse Dodo rimanendo a bocca aperta.

Le pietre preziose iniziarono a girare intorno all'Occhio Segreto e più si muovevano e più si apriva la pupilla. Da lontano si udì la musica dell'Ottava Nota. Ancora una volta l'Armonia dell'Universo avvolse i pensieri dei giovani alchimisti che stavano raggiungendo la meta.

All'improvviso un odore nauseabondo distolse l'attenzione dei ragazzini. Nina guardò alle sue spalle: nel tunnel buio vide muoversi qualcosa. Qualcuno!

Riguardò la mano destra: la stella era nerissima.

«Attenzione! Siamo in pericolo» urlò la bambina della Sesta Luna.

Max e gli oggetti parlanti rimasero immobili mentre i ragazzi, con grande fatica, distolsero lo sguardo dalla scena meravigliosa delle pietre preziose per rivolgerlo verso il tunnel.

Il Quaskio, che era dentro l'Occhio Segreto oramai aperto quasi del tutto, si mise a fischiare in modo assordante tanto da coprire la dolce musica dell'Ottava Nota.

Il pericolo era lì. A pochi passi dai giovani alchimisti.

I cinque ragazzini impugnarono i loro scettri e in posizione d'attacco attesero che il nuovo nemico si facesse vedere.

E lui era pronto. Feroce. Pieno di rabbia.

Got Malus era l'ultimo Alchitarocco Maligno. Il più potente. Il più malvagio. Era la carta che incarnava il male puro. Assetato di sangue e vendetta si materializzò in un secondo.

«Il Diavolo!» urlò Fiore terrorizzata.

Ed era vero. Got Malus era mezzo uomo e mezzo caprone, con corna e zoccoli. Dalla sua bocca schifosa uscivano lingue di fuoco mentre la lunga coda pelosa sferzava l'aria.

Grande, orribile e cattivissimo l'ultima creatura creata da LSL e modificata da Karkon era pronta a uccidere.

CAPITOLO DECIMO

La potenza di Got Malus e il Flatus degli Abissi

Il fischio del Quaskio era insopportabile. Il pesce turchese tremava tutto e all'interno dell'Occhio Segreto agitava le pinne facendo segno ai giovani alchimisti di raggiungerlo. Max prese il borsone e rivolgendosi ai compagni urlò: «Venite, prexto. Entriamo nell'Occhio».

Ma Nina bloccò i quattro amici: «Vai tu, Max. Noi restiamo qui. Ora lancerò l'Alchitarocco Qui Amas e quel diavolo maledetto sarà sconfitto».

La bambina della Sesta Luna estrasse velocemente la carta magica gettandola in aria. Un profumo intensissimo si mescolò all'odore nauseabondo emanato da Got Malus.

Qui Amas apparve in tutta la sua bellezza. La donna era giovane, alta e bionda, i suoi capelli lunghi erano lisci e scendevano sino ai fianchi. Attorno a lei girava il piccolo pianeta rosa Venere. Con passo lieve avanzò verso l'Alchitarocco Maligno e il suo abito lungo di seta a veli rosa sfiorava il pavimento lucido del tunnel.

Qui Amas aveva un'epressione serena e in mano stringeva un grande giglio bianco profumatissimo. Nina e gli altri rimasero alle sue spalle. Pronti a intervenire.

L'uomo-bestia spalancò la sua enorme bocca bavosa, mentre sulla testa, attorno alle sue corna di caprone, girava una piccola sfera: era il pianeta Marte, rosso.

Con gli zoccoli battè sul pavimento e con un gesto rapido balzò verso Qui Amas. La donna allargò le braccia e con voce dolce e musicale disse: «Non ti temo. Io incarno la libertà, la bellezza, l'ordine e la purezza. Non posso temere ciò che non deve esistere».

Got Malus alzò la coda pelosa e frustò il volto della giovane donna, che rispose con un movimento del giglio capace di bloccare l'azione malefica.

Nina puntò il Taldom Lux pronta a colpire, ma Qui Amas si girò di scatto: «No! Non usare violenza contro chi la fa».

La giovane alchimista ritrasse lo scettro e stette in silenzio. Le parole dell'Alchitarocco Benigno la fecero riflettere.

La puzza di Got Malus diventava sempre più penetrante tanto che i ragazzini avevano giramenti di testa e conati di vomito. La vaschetta Tarto Giallo zampettò verso l'Occhio Segreto seguita dalla ciotola Sallia Nana che stava ben attenta a non perdere le strisce dei numeri del Quarto Arcano.

L'Alchitarocco Maligno alzò le sue mani mostruose, mostrò i denti e sputò fuoco, fino a raggiungere con le sue fiamme la vaschetta. Tarto Giallo s'incendiò all'istante e le sue urla si mescolarono al fischio del Quaskio. Nessuno poteva intervenire e così l'oggetto parlante bruciò miseramente.

Sallia Nana gridò disperata, vedendo morire l'amica vaschetta, finché Fiore e Roxy la presero e corsero verso Max, pronto a entrare nell'Occhio Segreto.

«Ci ucciderà tutti!» disse piangendo Fiore.

Qui Amas sollevò la mano sinistra, la pose all'altezza del cuore e subito gettò pezzi di Stagno Vagante. Immediatamente l'odore nauseabondo di Got Malus scomparve: nell'aria rimase solo la fragranza del giglio. La donna camminò verso il Diavolo e con voce suadente si rivolse a lui:

«Sai uccidere solo chi è indifeso. Colpisci me. Colpisci la verità, se ne hai coraggio».

Got Malus estrasse dieci fili elettrici e con gli occhi gialli pieni d'odio sbraitò: «Io incarno il Numeromago 3. Sono potente e ti annienterò».

I fili volarono come frecce verso l'Alchitarocco Benigno, che riuscì a farsi scudo con il giglio. Girò sei volte su se stessa in un vortice profumato che formò una tromba d'aria capace di travolgere l'Alchitarocco Maligno. Got Malus agitò le braccia e lanciò una manciata di Cenere Dormiente verso l'Occhio Segreto, scalciando con gli zoccoli. La luce viola della massa gommosa che era all'interno dell'Occhio si mosse creando instabili bolle d'aria. Il Quaskio traballò paurosamente.

«Nooooooo» urlò Nina correndo verso Max.

«La Cenere Dormiente risveglia la materia e i metalli! Se non fermiamo Got Malus, l'Occhio Segreto potrebbe sciogliersi» gridò Cesco agli altri, invitanodli a sparare.

Dodo era paralizzato dalla paura e solo Roxy riuscì a puntare il suo piccolo scettro, ma colpì soltanto il pavimento del tunnel. Il Quaskio e Max continuavano a muoversi in preda all'agitazione e Fiore, con la ciotola tra le mani, piangeva gridando a Nina di correre da loro. Ma la bambina della Sesta Luna non poteva lasciare Qui Amas da sola.

Got Malus si avventò contro la donna e con i fili elettrici l'avvolse in un abbraccio fulminante.

L'Alchitarocco Benigno cadde a terra. Sembrava svenuta. Nina, disobbedendo a Qui Amas, sparò tre raffiche di laser blu contro il Diavolo, che, invece di spaventarsi, scoppiò in una risata orribilmente sarcastica.

«Piccola strega! Io mi nutro di fuoco. E il tuo Taldom è per me un cibo prelibato» e così dicendo tirò una pedata alla giovane alchimista, colpendola alla testa con uno zoccolo.

La ragazzina sbatté contro il cerchio luminoso delle pietre magiche del Quaskio e un rivolo di sangue scese sulle sue guance. Il maledetto Alchitarocco l'aveva presa.

Qui Amas mosse le braccia e, scostandosi i capelli dal viso, si alzò con grazia. Got Malus era pronto a colpirla di nuovo, ma lei riuscì a sfregiargli il volto mostruoso con i petali del giglio. La purezza e la bellezza del fiore, a contatto con la pelle pelosa e ruvida dell'uomo-bestia, fu devastante: dalle ferite non uscì sangue rosso ma un liquido nero e fumoso. Il Diavolo sbavò e cercando di ripararsi il viso si accucciò, emettendo un verso bestiale.

«Sofferenza e pentimento. Dolore e sconfitta. Resta inginocchiato davanti a me e non alzarti mai più» proferì in modo deciso Qui Amas.

Inaspettatamente Got Malus agitò nuovamente la coda pelosa e in un momento avvolse il corpo dell'Alchitarocco Benigno: «Sei morta!».

La sua bocca schifosa si avvicinò al volto dolce di Qui Amas in modo veemente, ma subito il pianeta Venere rosa ingoiò Marte rosso e un lampo d'argento e oro illuminò il tunnel.

«Entrate subito nell'Occhio! Non c'è più tempo» gridò Qui Amas ai ragazzi.

Cesco prese per mano Dodo e insieme a Nina raggiunsero Fiore e Roxy, già accanto a Max e al Quaskio.

L'Occhio Segreto, per effetto della Cenere Dormiente lanciata dall'alchitarocco maligno, iniziò a chiudersi e quando tutti furono all'interno della pupilla videro Got Malus afferrare la testa di Qui Amas e morderla ferocemente. Nina lanciò un grido terrorizzato e proprio in quel momento la donna magica lanciò in aria il giglio bianco, che si trasformò in un'enorme campana di spine, pronta a posarsi sopra a Got Malus.

Il Diavolo era stato bloccato. Prigioniero di una trappola eterna. Qui Amas si alzò e muovendo il suo abito di veli di seta salutò i giovani coraggiosi, portando le mani verso l'alto: «Andate. Il Quarto Arcano vi aspetta. La libertà è all'orizzonte». E così dicendo scomparve trascinando con sé il malefico Alchitarocco.

L'Occhio Segreto si chiuse e il cerchio di pietre preziose illuminò per l'ultima volta il tunnel di Atlantide.

Nina abbracciò Cesco e stringendo la Coppa della Shandà disse: «Ce la faremo vero?». Il ragazzino le accarezzò i capelli e poi le pulì le guance sporche di sangue: «Dubiti di noi? Dubiti davvero?».

La bambina della Sesta Luna si toccò la ferita, guardò gli amici e con un respiro profondo si lasciò andare: «Sono stanca. Come tutti voi. Non vedo l'ora di consegnare il Quarto Arcano e tornare a casa. Voglio rivedere i miei genitori. Voglio riabbracciare Ljuba e Carlo».

Dodo si avvicinò: «A… a…anche noi vo…vogliamo tornare a ca… ca…casa».

Il Quaskio smise finalmente di fischiare e muovendo la coda si tuffò nella marea gommosa di luce viola.

Fiore si stava occupando della ciotola Sallia Nana, ancora scossa per la perdita di Tarto Giallo mentre Roxy, preso per mano Max, gli chiese: «Dove siamo esattamente? E dove sta andando il Quaskio?».

«Xiamo dentro l'Occhio Xegreto e il pexciolino turchexe ci indica la xtrada» rispose tranquillamente l'androide.

«Speriamo di non trovare più strani mostri» disse Fiore rivolgendosi a Nina.

«No. Di Alchitarocchi non ce ne sono più e la mia stella è tornata rossa» rispose Nina. Finalmente sorrideva di nuovo e, guardando il Quaskio che galleggiava nella strana sostanza violace, avanzò a piccoli passi.

«Andiamo!» esclamò la giovane alchimista tuffandosi senza paura.

Uno dopo l'altro tutti si gettarono accanto al pesce. La marea gommosa viola era fatta di acqua e luce. Il Quaskio guizzava felice e anche i ragazzini si trovarono subito a loro agio. Muovevano il corpo come se stessero… nuotando e insieme volando.

Attorno a loro c'era solo luce bagnata.

«Divertente! È proprio bello qui dentro» disse Roxy avanzando a bracciate veloci.

Max alzò gli occhi, girò le orecchie a campana e a voce alta esclamò: «Guardate là in alto, c'è una xtrana forma di metallo roxxo».

Nina osservò curiosa e il Quaskio agitò le pinne e la coda formando cerchi di luce solida che si sparsero tutti intorno.

La marea gommosa si diradò e la luce viola divenne sempre meno luminosa. Esattamente sopra la testa dei ragazzini apparve una grande costruzione rossa dalla forma allungata.

«Ma cos'è?» chiese Fiore sgranando gli occhi.

Nina e Cesco allungarono le mani per toccare la pancia della strana "cosa". Il Quaskio era davanti a loro e faceva segno di seguirlo.

Tutto il gruppo avanzò e nessuno ebbe il coraggio di dire una parola. Ciò che stavano vedendo era davvero straordinario: un bellissimo sottomarino di circa 20 metri.

Max cominciò a muovere gambe e braccia in maniera velocissima allontanandosi dal gruppo e lasciando Nina e gli altri stupiti: non capivano perché l'androide avesse così tanta fretta di raggiungere il sottomarino.

«Max, ma che fai?» gridò Nina.

«Venite, venite. È meravilgioxo» rispose agitatissimo l'androide, che era già arrivato sopra l'incredibile mezzo acquatico.

Sembrava quasi che Max lo conoscesse alla perfezione.

Cesco e Dodo si avviarono curiosi, mentre le tre ragazzine guardarono allibite le undici eliche di bronzo che spiccavano sulla coda del sottomarino.

«È grandioxo!» gridò ancora Max dal tetto, su cui stava passeggiando allegramente.

Nina lo raggiunse a grandi balzi, e, una volta salita anche lei, rimase a bocca aperta: il sottomarino era esattamente al confine tra la marea gommosa viola lucente e una barriera immensa di acqua solida. Un paesaggio davvero straordinario.

«Una barriera?» disse Cesco avvicinandosi a Max.

«È la fine dell'Univerxo Umano» ripose con calma l'androide.

«Ma cosa dici?» esordì Roxy che non capiva dov'erano arrivati.

«La fine dell'Universo?» aggiunse sbalordita Fiore.

«To… to…torniamo indietro. Qui fi… fi…finiamo nei gu… gu…guai di nuovo» borbottò Dodo, mentre d'istinto stringeva lo scettro e controllava il sacco con i Denti di Drago.

Nina osservò l'acqua solida: era di un colore indefinibile, con sfumature blu e verdi. Immobile e misteriosa, la barriera rappresentava l'ingresso verso lo spazio infinito.

Max si inginocchiò e sfiorò il tetto del sottomarino, rosso e lucidissimo. E solo in quel momento i ragazzi si accorsero che ai lati c'era un'enorme scritta d'argento:

«Flatus degli Abissi? Strano nome per un sottomarino. In latino vuol dire soffio, respiro. E con l'acqua non c'entra nulla» osservò Fiore traducendo all'istante.

«È un xottomarino particolare. Magico. Vedrete!» disse Max girando con le mani metalliche una strana manopola verde.

Il coperchio tondo al centro del tetto del Flatus si aprì e il Quaskio rimase a guardare muovendo solo la coda.

Max, prima di scendere dalla scaletta che portava nella pancia del sottomarino, vide un foglio viola sul primo gradino. Lo raccolse: era per Nina 5523312.

«È per te» le disse Max consegnando il foglio. La giovane alchimista lesse attentamente: era un biglietto di Eterea.

Stai arrivando al termine della missione. Insieme a Max e ai tuoi amici sei riuscita a giungere sino a qui. Ora devi fare una cosa importante. Prendi la Coppa della Shandà e appoggiala sul sottomarino, poi appoggia le strisce dei numeri della ciotola Sallia Nana sulla barriera che vedi davanti a te. Non preoccuparti, le strisce rimarranno in piedi e non scompariranno. Infine tira fuori dalla tasca la Scriptante, la penna magica che ti ha dato Sia Justitia, e scrivi nell'acqua il codice del Quarto Arcano e le parole Scinta Levia. Appena hai eseguito questa operazione, entra con i tuoi amici nel Flatus degli Abissi. Max saprà cosa fare.
Buon viaggio alchemico.

Nina eseguì le indicazioni della Grande Madre Alchimista tra gli sguardi attenti dei suoi amici. Quando tirò fuori la Scriptante si ricordò di girare il ricciolo d'oro come le aveva detto l'Alchitarocco Sia Justitia, per fare uscire da un'estremità dello strano oggetto un pennino d'oro. Guardando le strisce ritte sulla barriera scrisse sull'acqua solida il codice 6065511.

I numeri incisi nell'acqua divennero enormi, ingoiarono le strisce e la barriera tremò come fosse di gelatina. Nina, con timore, scrisse ancora: Scinta Levia.

Appena l'ultima vocale si fu impressa nella marea solida la Scriptante scivolò via dalla mano di Nina e come un proiettile si conficcò dentro l'acqua.

Nello stesso momento la Coppa della Shandà si sciolse e rimase sospeso in aria solo il suo contenuto: una piccola goccia di acqua bianca e blu. Una scia di luce viola accerchiò la goccia del Quarto Arcano e la trasportò dentro la barriera.

Ancora una volta i ragazzi avevano assistitio a un evento alchemico rarissimo: la liberazione dell'ultimo Arcano.

Max fece un cenno e scese velocemente la scaletta entrando definitivamente nel sottomarino, Nina lo seguì e con lei gli altri. Il coperchio si chiuse ermeticamente lasciando fuori il pesciolino turchese. I ragazzini, una volta scesi per la stretta scaletta, si ritrovarono nella sala macchine del Flatus. Dagli oblò videro il Quaskio che rideva e muoveva le pinne e con un guizzo entrò anche lui dentro la barriera e scomparve in un attimo.

Nina si preoccupò, ma Max la tranquillizzò subito: «Anche noi adexxo entreremo nell'acqua xolida. Laxceremo l'Univerxo Umano per entrare nell'Univerxo Alchemico che tu già conoxci. Vero?».

«Vuoi dire che entreremo in quella specie di acqua e ci ritroveremo a volare verso Xorax?» chiese Nina che non stava più nella pelle.

«Exatto! Ma ora tu e gli altri dovete xtare xeduti e fermi. Il Flatux lo guiderò io» spiegò velocemente Max.

«Va bene. Faremo come vuoi tu» rispose Nina guardando i suoi amici.

I ragazzini si sedettero su una lunga panca di legno nero dove erano fissate alcune cinghie.

«Legate le cinture di xicurezza e non fiatate» ordinò Max che si muoveva con agilità tra i comandi del Flatus.

Fiore tenne in braccio la ciotola Sallia Nana che era totalmente impaurita.

«Mi xervono i Denti di Drago» aggiunse improvvisamente.

Dodo allungò il sacco all'androide dicendo: «Ma lo sai gui... gui...dare davvero questo co..coso?».

«Certo! L'abbiamo coxtruito noi androidi» rispose gongolando Max.

«Questo sottomarino l'avete costruito su Xorax?» chiese sbalordito Cesco.

«Xì. E adexxo preparatevi: la Xexta Luna ci axpetta» Max era euforico.

«ANDIAMO SULLA SESTA LUNA?» esclamarono in coro Dodo, Cesco, Fiore e Roxy.

«Exatto!» a quel punto Max premette due bottoni della parete destra del sottomarino e, come d'incanto, dal pavimento salì uno stranissimo timone tutto d'oro. L'androide calò una leva e dal soffitto del Flatus scese un periscopio di rame.

Poi mise i Denti di Drago in undici piccole buche del pavimento. Ciascuna buca corrispondeva una delle undici eliche e i Denti servivano a farle muovere. Piccole nuvole di vapore rosso uscirono da due bocchettoni laterali e a quel punto Max annunciò: «Partenza!».

Il sottomarino partì e con il muso entrò nell'acqua solida: in una frazione di secondo il Flatus degli Abissi abbandonò l'Universo Umano ed entrò nell'Universo Alchemico.

I ragazzini guardarono fuori dagli oblò e videro ammassi di acqua, nuvole, scie di luce e miriadi di piccoli frammenti di stelle.

Il Flatus correva velocissimo, le pareti tremavano e la sala macchine sembrava sul punto di scoppiare da un momento all'altro.

Max controllava il timone con una mano e con l'altra teneva il periscopio: «Ora per noi il tempo non exixterà. Xolo xulla Terra i minuti, le ore e i giorni paxxeranno».

«Ma come? Avevi detto che per il Quarto Arcano era necessario che il tempo scorresse regolarmente anche per noi» lo interruppe Nina.

«Fino ad Atlantide è xtato coxì. Ora tu hai la Coppa della Xhandà e dobbiamo conxegnare l'Arcano dell'Acqua in un punto precixo dell'Univerxo Alchemico. E tu xai bene che qui il tempo non exixte» spiegò seriamente Max 10-p1.

«Già. Il nonno Misha ha sempre ragione. Il tempo serve ma non esiste. È una regola dell'alchimia. È la regola di Xorax» disse Nina guardando fuori dall'oblò.

«Ma sulla Terra i giorni passeranno. Siamo sicuri di tornare a Venezia in tempo? Insomma, Karkon l'avranno messo in prigione?» alle domande di Roxy si aggiunse quella di Cesco.

«E i nostri genitori cosa penseranno non vedendoci tornare?» chiese con un'espressione preoccupata che impaurì ancora di più Dodo.

«Su Xo…rax tutto è di lu… lu…luce. Noi non po… pos…siamo andarci» balbettò l'amico dai capelli rossi.

«Avete gli scettri magici. E insieme siamo arrivati sino a qui. A questo punto credo proprio che Eterea vorrà conoscervi» disse Nina sorridendo.

«Torneremo a Venezia prexto e tutto xarà rixolto. Non vi preoccupate» l'androide tirò due volte la leva e improvvisamente il Flatus rallentò la corsa.

«Che succede? Siamo già arrivati?» chiese Fiore.

«Xiamo arrivati nel punto giuxto» disse l'androide visibilmente felice.

Il coperchio del sottomarino si aprì di scatto e i ragazzini si tolsero le cinture di sicurezza gridando: «USCIAMO!».

Max li bloccò: «Tutto ciò che xuccederà lì fuori xarà per voi un'experienza irripetibile. Non abbiate paura. Ora il Quarto Arcano è stato conxegnato».

Dodo si grattò in testa, Cesco aggiustò gli occhiali, Roxy starnutì e Fiore accarezzò la ciotola che ancora piangeva per la perdita dell'amica vaschetta. Nina salì per prima la scaletta e quando fu sul tetto rosso del Flatus respirò profondamente: «Per tutte le cioccolate del mondo! Siamo al centro dell'Universo Alchemico!».

Fuori, nell'aria densa ma leggera, in mezzo all'acqua mescolata alla luce, tra materia ed energia, la meraviglia dell'Universo Alchemico era davanti agli occhi dei cinque ragazzini. Migliaia e migliaia di rondini giunsero garrendo e il loro canto stridulo si sparse nello spazio infinito.

«Le rondini! Ma com'è possibile?» Cesco non credeva ai suoi occhi. Gli uccelli della Terra arrivavano in massa e volavano felici in quella parte dell'Universo dove regnavano solo magia e alchimia.

«L'Arcano dell'Acqua è xtato liberato e ora le rondini portano i penxieri dei bambini xu Xorax. La Xexta Luna è xalva!» gridò Max muovendo vorticosamente le orecchie a campana.

«Ce l'abbiamo fatta!!!» Roxy esultò e abbracciò Nina.

Dodo prese la mano di Max e si commosse, mentre l'androide indicava, guardando in alto: «Ecco, arrivano. Arrivano anche le balene!».

Alzarono tutti la testa e in mezzo alle migliaia di rondini videro sbucare cinque enormi balene. Nuotavano… volavano, nell'atmosfera densa d'acqua e nuvole.

«BALENE VOLANTI?» esclamò Cesco togliendo e rimettendo gli occhiali.

«Mai vista una cosa simile!» Fiore non riusciva a rendersi conto che quella era davvero la realtà.

Nina alzò il Taldom Lux e con gli occhi lucidi disse: «Siete bellissime».

Le cinque balene si avvicinarono al Flatus e i ragazzini riconobbero Megara, la Grande Balena Bianca che avevano incontrato prima di arrivare ad Atlantide. Il poderoso cetaceo aveva coinvolto quattro sue fidatissime balenottere rosa.

Megara mosse la testa e spruzzò in alto un getto d'acqua fluorescente, a cui Max rispose con un inchino in segno di saluto: «Io e Nina xaliremo in groppa a Megara. Per voi quattro c'è una balena ciaxcuno. Vedrete come xarà fantaxtico volare-nuotare nell'Univerxo Alchemico» disse l'androide balzando sul muso della dolcissima Balena Bianca.

Il canto delle rondini rese ancor più felice quel viaggio fantastico che i giovani alchimisti stavano per compiere. Nina saltò su Megara e si strinse a Max, Cesco diede una spinta al pauroso di Dodo che temeva di cadere nel vuoto, il ragazzino dai capelli rossi abbracciò la sua balenottera che lo guardò con affetto e dalla contentezza spruzzò alto un getto d'acqua dal centro della testa.

Le cinque balene erano pronte e, quando Nina alzò il Taldom Lux, anche gli altri impugnarono i loro scettri.

«Sesta Luna, stiamo arrivando!» gridò la nipote del professor Misha, spalancando i suoi grandi occhi azzurri.

Le balene mossero le enormi code e nuotarono volando assieme alle rondini.

Tra miriadi di stelle, pianeti grandi e piccoli, comete d'argento e fiumi di meteore, il galoppo delle balene e il volo delle rondini si perse nell'immensità dell'infinito. Mille lune schiarivano il passaggio e mille soli illuminavano il percorso, mentre lampi di luce provenienti dalle galassie fendevano l'orizzonte dell'Universo Alchemico.

Fiore si teneva stretta alla sua balena, mentre la ciotola Sallia Nana saltellava cercando di stare in equilibrio. Le correnti d'aria formavano onde gigantesche che sembravano quelle di un oceano. Roxy rideva e l'aria fresca le scompigliava i ricci capelli biondi. Cesco teneva premuti sul viso gli occhiali per paura di perderli mentre guardava estasiato lo scenario che aveva di fronte. E Dodo? Era come ipnotizzato, fissava stelle e galassie e nei suoi occhi c'era solo l'incanto della bellezza dell'universo.

Nina volava con le braccia alzate, come per accogliere tutto il Bene della Galassia di Alchimidia, le comete e i misteriosi pianeti che giravano lenti e sembravano donarle una forza mai provata prima. Nel suo cuore sentiva un amore grandissimo per suo nonno che le aveva insegnato il valore della vita: il valore della conquista delle cose.

Max aveva il volto radioso, anche perché non vedeva l'ora di rincontrare i suoi vecchi amici androidi, gli xoraxiani e soprattutto il professor Misha.

«Guardate laggiù: – gridò Nina indicando un alone di luce verde smeraldo – quella è Xorax!»

Balene e rondini puntarono verso la Sesta Luna, mentre la musica dell'Ottava Nota cominciò a risuonare limpida. Una scia di polvere di diamanti indicava la strada da seguire e, quando il gruppo fu vicino a Xorax, lo spettacolo di luce e colori si impresse nei loro cuori. A splendere nello spazio luminoso non c'era un unico sole, ma tre. La Sesta Luna brillava come un gioiello. Un tuffo, un volo, un salto della fantasia, con gli occhi chiusi e le bocche sorridenti, il gruppo dei coraggiosi alchimisti entrò nel pianeta dell'alchimia dove spazio e tempo sono unica cosa.

Come d'incanto, le balene si ritrovarono a galleggiare in uno stranissimo mare blu mentre le rondini, con le ali spianate, volteggiavano nell'aria carica di luce verde e rosa.

Quando i ragazzini e Max riaprirono gli occhi ebbero un'unica sensazione: la voce non serviva. Le parole non avevano suono. Gli unici rumori che si sentivano erano il canto delle rondini, lo sciacquio del misterioso mare blu e la musica dell'Ottava Nota.

Su Xorax era la telepatia l'unica forma di comunicazione: Nina e Max furono gli unici a non sentirsi a disagio perché già sapevano come fare.

Contava solo una cosa: il pensiero.

Solo le parole pensate avevano un senso, solo l'energia delle mente era importante.

Dodo per la prima volta capì che poteva rivolgere i suoi pensieri agli altri senza balbettare, Fiore incominciò a ridere e Roxy ancor di più. Cesco fissò Nina e Max e non riuscì a esprimere nulla tanto era il suo sgomento. La ciotola Sallia Nana rimase muta, come oggetto magico creato da LSL non

avrebbe mai potuto entrare in comunicazione con gli esseri di luce anche se, per tutto il viaggio, era stata buona e aveva aiutato i giovani alchimisti.

Nina si guardò intorno senza riuscire a orientarsi. Nel mare di Xorax non c'era mai stata, aveva visto solo il laghetto dove nuotava solitamente il Quaskio. E in quel momento capì: forse quello non era affatto un mare ma proprio il lago!

«Allora siamo vicini alla foresta di Koranna!» pensò agitando il Taldom.

Ed era così. Le balene stavano galleggiando proprio sul lago blu della misteriosissima e proibita foresta della Sesta Luna.

Il pensiero di Nina fu percepito da tutti e Dodo, con gli occhi spalancati pensò: «Koranna! Ma allora siamo proprio sulla Sesta Luna!».

«Sì Dodo. Ci siamo!» rispose Nina con entusiasmo.

«E dov'è Eterea? E il professor Misha?» chiese a raffica Roxy.

«E Tadino De Giorgis e Birov…» anche Fiore non stava più nella pelle.

Max intervenne quietando i ragazzini e Dodo si accorse subito che l'androide mandava i suoi pensieri sempre usando la x al posto della s: «Tranquilli. Non è ancora il momento di vedere nexxuno. Quexto è l'ingrexxo della misterioxa Forexta di Koranna e bixogna xtare calmi».

«Ma perché io non balbetto con il pensiero e tu invece hai sempre il solito difetto di pronuncia?» chiese il bambino dai capelli rossi.

Max fece il broncio: «Il mio non è un difetto. Io parlo e penso così!». Dodo abbassò la testa e quasi si vergognò della sua battuta.

Nina e gli altri risero, Cesco diede una spintarella a Dodo il quale diventò rosso come un pomodoro.

«Allora, che si fa adesso?» chiese Roxy accarezzando la sua balenottera.

Nina stava per rispondere quando Cesco iniziò ad agitarsi indicando un grosso tronco d'albero che galleggiava solitario. Megara lo vide e muovendo la coda avanzò veloce, Max si sporse e vide che sul tronco c'era una lettera. Per Nina.

La bambina della Sesta Luna aprì la busta e, con il cuore che le batteva fortissimo, scoprì che era di Eterea.

Rileggi il Documento del Drago Fiammeggiante e fai quello che devi. Lo Yin e lo Yang creano l'armonia. Solo così Xorax potrà accogliere te, Max e i quattro giovani alchimisti.

Eterea era stata come al solito un po' enigmatica nella spiegazione. Nina si concentrò al massimo e ripensò alle altre lezioni di filosofia alchemica della Grande Madre Alchimista e anche alle lettere di nonno Misha. Ogni messaggio conteneva sempre concetti importanti e anche questa volta era necessario ragionare con molta attenzione.

Tirò fuori dalla tasca dei pantaloni il Documento del Drago Fiammeggiante scritto su carta di riso e lo rilesse con calma. I ragazzini e Max la osservavano con curiosità attendendo un suo cenno.

Nina alzò la testa dal foglio e guardando tutti lanciò il suo pensiero telepatico: «Eterea mi ha detto di rileggere il Documento del Drago. Qui c'è scritto che l'unione degli opposti crea l'equilibrio della vita. Vi ricordate lo Yin e lo Yang?».

I quattro ragazzi fecero di sì con la testa e Max girò le orecchie a campana.

«Bene, – continuò Nina arrotolando il Documento – ora dobbiamo trovare gli opposti».

«Gli opposti di che?» disse Cesco mandando istintivamente il pensiero telepaticamente a Nina.

«Non lo so. È questo il problema» fu la risposta immediata della bambina della Sesta Luna.

«Guarda attorno a te. Che coxa vedi?» intervenne Max che voleva aiutarla.

«Vedo… voi, l'acqua, le balene e le rondini» disse Nina allargando le braccia.

«Exatto. I contrari xono qui» rispose Max facendo il misterioso.

«Ma che dici?» reagì prontamente Roxy senza accorgersi neppure del fatto che il suo pensiero l'avevano sentito tutti.

«Quali contrari?» aggiunse Fiore saltellando in groppa alla sua balena.

«Noi abbiamo volato-nuotato. Abbiamo attraverxato aria

e acqua inxieme. Non ti xembrano due coxe contrarie?» il discorso di Max illuminò i ragazzini.

«Già, è vero!» pensarono tutti insieme.

«Quindi, aria e acqua sono contrari e... anche balene e rondini allora possono essere animali "opposti". Le balene vivono in acqua e le rondini in aria» disse sorridendo Nina.

Megara agitò la sua enorme coda per segnalare a Nina che aveva detto proprio la cosa giusta. Uno stormo di rondini volteggiarono tra i ragazzi e l'acqua del lago di Koranna iniziò a incresparsi leggermente.

«Giuxto!» esclamò Max applaudendo.

Nina alzò il Taldom Lux e due rondini vi si appoggiarono sopra. Di seguito anche gli altri giovani alchimisti fecero lo stesso e sopra i loro scettri si posarono altre rondini. La bambina della Sesta Luna mise il Taldom con i due uccellini sulla testa di Megara e la Grande Balena Bianca aprì l'enorme bocca, lanciò in aria uno zampillo d'acqua e iniziò a produrre uno strano suono.

Quando i quattro amici fecero lo stesso gesto, in un secondo il coro delle cinque balene si sparse nell'aria verde e rosa della Foresta di Koranna. Un'alchimia meravigliosa si stava compiendo davanti agli occhi dei giovani coraggiosi e Max, sorridente, si alzò in piedi portando le braccia verso l'alto dove centinaia di rondini volavano libere. Cesco era immobile, come gli altri. Stava per succedere una cosa davvero straordinaria: le balene avevano unito le loro voci in un solo coro.

Il grande evento era lì, davanti ai loro occhi: Xorax li stava accogliendo.

CAPITOLO UNDICESIMO
Il canto delle balene
e la Foresta di Koranna

Il melodioso canto delle balene si sparse come profumo impregnando ogni cosa. Gli enormi alberi della foresta di Koranna che circondavano il lago s'illuminarono di colpo e il bagliore era talmente forte che i ragazzi si sentivano trapassare la pelle dalla forza della luce. Centinaia di rondini si raggrupparono nel cielo verde e rosa creando un cerchio enorme all'interno del quale si formarono le due parole cinesi: Yin e Yang. L'armonia degli opposti regnava nell'atmosfera di Xorax così come aveva chiesto Eterea. I giovani alchimisti erano sbalorditi, nulla avrebbe potuto distoglierli da quella scena così surreale.

Quando le parole cinesi furono scomparse, spuntarono, uno dietro l'altro, i nomi dei quattro A0rcani che avevano liberato i pensieri dei bambini della Terra.

Il primo fu Atanor: l'interno del cerchio creato dalle rondini si riempì di fuoco.

Il secondo fu Hauà: l'aria densa e trasparente agitò il cerchio.

Il terzo fu Humus: un blocco di terra verde smeraldo galleggiò in alto mentre le rondini rimanevano una accanto all'altra mantenendo la forma del cerchio magico.

Infine apparve il nome del Quarto Arcano, Shandà, e un manto di acqua fluorescente rimase sospeso nel cielo xoraxiano.

Tutto era risolto. La missione era compiuta. I quattro Arcani bloccati dal maligno Karkon erano tornati sulla Sesta Luna e l'Alchimia della Luce aveva ripreso il suo infinito ed eterno cammino. Lacrime di gioia scesero sui volti dei ragazzini e Max danzò sul dorso di Megara che mosse lentamente la sua enorme coda.

Le balene continuarono a cantare e, quando le rondini ruppero il cerchio volando gioiose, partì una musica soave e potente: l'Ottava Nota finalmente risuonò nell'Universo Alchemico. In fondo, verso la fine del lago della foresta, migliaia di piccole luci si accesero una dopo l'altra. Le balene iniziarono a nuotare al ritmo della musica muovendo le enormi code a destra e a sinistra. Quando ebbero raggiunto la sponda, i cinque ragazzini e Max videro una cosa straordinaria: le piccole luci nient'altro erano che i musicisti di Xorax. La grandissima orchestra diretta da tre direttori suonava l'Ottava Nota. I musicisti erano tutti concentrati e la potente sinfonia avvolse l'intero Pianeta. Arpe, violini, flauti e pianoforti erano lì, davanti agli occhi increduli dei nuovi visitatori della Sesta Luna.

Nina guardò Cesco e gli sorrise. Lui si teneva fermi gli occhiali e, con stupore, allargò le braccia come per cogliere tutto l'amore di quella musica così meravigliosa. Roxy, abbracciata alla sua balena respirò profondamente e sul volto di Fiore scesero lacrime di gioia. Dodo battè le mani e con coraggio si alzò in piedi stando in equilibrio sulla balenottera che cantava senza fermarsi mai.

Un filo di vento tiepido accarezzò i capelli di Nina e in quel momento la grande orchestra smise di suonare. Sulla sponda apparve una figura filiforme alta circa tre metri: era Eterea, la Grande Madre Alchimista. Di fronte a lei, sospesi nell'aria, fluttuavano i tre cubi magici dell'Ottava Nota. Eterea li raccolse tra le mani e con i suoi grandi occhi azzurri guardò Nina e iniziò il dialogo telepatico.

Benvenuta Nina 5523312, sei giunta a noi
con i tuoi amici e questo è un giorno di gioia immensa.
Tutta Xorax è in festa e la Foresta di Koranna
ti ha svelato il passaggio segreto
che porta dalla Terra all'Universo Alchemico.
Dopo l'Isola di Pasqua, l'Antico Egitto,
le meraviglie del popolo Maya
e l'incanto della misteriosa Atlantide sei giunta qui.
La Sesta Luna è salva.
I pensieri dei bambini della Terra sono liberi.
Tu sei riuscita a conquistare
il bene più difficile che esista: la libertà.
Vieni accanto a me, devo darti un regalo importante.

Eterea chinò la testa e Nina si avvicinò timorosa mentre i suoi amici se ne stavano in silenzio a osservavare quella strana creatura fatta solo di energia luminosa. Era la prima volta che avevano di fronte la Grande Madre Alchimista: l'avevano sempre vista solo nel grande schermo dell'Acqueo Profundis, per tutto il tempo in cui aveva dato loro preziosi consigli.

Eterea accolse la ragazzina tremante. L'abbraccio fu intenso. Nina sentì di essere avvolta solo da una luce amorevole. La Grande Madre Alchimista consegnò alla giovane nipote del professor Misha i tre cubi e un preziosissimo foglio d'oro. Poi disse:

> *I tre cubi suoneranno per te l'Ottava Nota*
> *quando lo vorrai.*
> *Ora, davanti a noi, davanti a tutti gli xoraxiani*
> *e ai tuoi amici leggi con la mente ciò che è scritto*
> *in questo foglio d'oro. Sono le Sette Regole della Pax:*
> *la Pax è il fondamento della Libertà.*
> *Solo quando lo leggerai davanti ai bambini*
> *della Terra tutto il Male svanirà e finalmente regnerà*
> *l'Achimia della Luce: il Bene Supremo.*
> *I bambini di tutto il Mondo saranno dunque*
> *le sentinelle della Pace.*

Nina fece qualche passo, con timore afferrò i cubi e li mise in tasca, poi, con delicatezza prese il foglio d'oro e, girandosi verso i suoi amici, lesse silenziosamente le frasi che arrivarono immediatamente alla mente di tutti i presenti.

IL FOGLIO D'ORO DELLA SESTA LUNA

LE SETTE REGOLE DELLA PAX

1 – LE LEGGI DEGLI UOMINI SI BASERANNO SUL RISPETTO E SULLA FANTASIA.

2 – NESSUNO POTRÀ BLOCCARE LE IDEE CHE PORTANO ALLA PACE.

3 – I BAMBINI SONO E SARANNO SEMPRE I DETENTORI DELLA LIBERTÀ.

4 – ACQUA , TERRA, FUOCO E ARIA NUTRIRANNO L'ESISTENZA UMANA.

5 – IL VENTO DELLA FANTASIA NON SARÀ PIÙ IMPRIGIONATO PERCHÉ NESSUNO SAPRÀ MAI DOVE NASCE E DOVE MUORE IL SOFFIO DELLA VITA CHE DA SEMPRE SI ESPANDE NELL'UNIVERSO.

6 – L'OCCHIO SEGRETO DI ATLANTIDE RIMARRÀ APERTO PERCHÉ IL FLUSSO MAGICO DELL'ARMONIA CONTINUI A TENERE LA SERENITÀ.

7 – RONDINI E BALENE VOLERANNO E NUOTERANNO PER IL BENE DELLA TERRA.

NON È AMMESSA LA FALSITÀ.
LA VERITÀ È SOLO NELLA PAX.

NOI, ABITANTI DI XORAX SIAMO IL SEMPRE.
SIAMO IL TUTTO CHE CANCELLA IL NULLA.
NOI SIAMO I DETENTORI DELLA LIBERTÀ E DELLA FANTASIA.
SOLO I BAMBINI DELLA TERRA POTRANNO GARANTIRE L'ARMONIA DELL'UNIVERSO.
E SE IL MALE DOVESSE AVANZARE ANCORA L'ALCHIMIA DELLA LUCE SARÀ PRONTA A COMBATTERE NUOVAMENTE.

Eterea, Grande Madre Alchimista di Xorax

Nina finì di leggere l'importante documento sulla Pax e subito i quattro amici scesero dalle balene e per la prima volta misero piede sul suolo della Foresta di Koranna. Con passo lieve raggiunsero Nina e proseguirono fino a trovarsi davanti a Eterea. La Grande Madre Alchimista si levò in cielo e fluttuò gioiosamente nell'aria. Migliaia di xoraxiani spuntarono da dietro gli alberi emanando una luce azzurra e verde. Fiore prese per mano Roxy, Cesco abbracciò Nina e Dodo. Max saltellò verso un gruppo di xoraxiani pregandoli di raggiungere i giovani alchimisti.

Quando gli esseri di luce furono a un passo dai ragazzini gettarono intorno i profumatissimi petali dei fiori di misyl. Eterea accarezzò il dolce muso di Megara e l'acqua del lago diventò argentea. Le balene salutarono con un coro e s'immersero scomparendo in un attimo. Le rondini si raggrupparono in cielo e volarono insieme verso il Mirabilis Fantasio.

I ragazzini si guardarono intorno mentre la luce di uno strepitoso arcobaleno s'irradiava verso Eterea. Con il naso all'insù videro i tre soli e le cinque lune che splendevano nel cielo denso di mistero della Sesta Luna. Lo spettacolo era davvero straordinario, mai prima di allora i quattro amici veneziani avevano assistito al brillare di soli e lune insieme. Nina era fiera di averli portati sino a lì, di aver vissuto con loro un'incredibile avventura piena di rischi e pericoli. L'azzurro manto stellato, la terra verde smeraldo, le luci fluorescenti e i sorrisi degli xoraxiani erano il giusto compenso dopo tante fatiche e sofferenze.

La Grande Madre Alchimista fece un cenno a Nina che la seguì senza più timore assieme agli altri.

I cinque giovani e Max uscirono dalla Foresta di Koranna ed entrarono nel baluginante pianeta alchemico. Le colline di diamanti e smeraldi, di rubini e goasil brillavano ovunque. Strane costruzioni di luce solida rendevano il paesaggio ancora più incantato.

Cesco toccò la spalla a Nina e con il pensiero le chiese: «Adesso dove andiamo? Vedremo tuo nonno Misha?».

«Spero di sì. Non vedo l'ora di abbracciarlo» rispose emozionata la ragazzina.

Dodo si sentiva felice e osservava tutto con estrema curiosità raccogliendo pietre preziose e fiori di misyl. Roxy accarezzò le piante di Fustalla ricordando che, proprio mangiando quelle foglie, aveva spiccato il volo per raggiungere la Torre di Toledo dov'era imprigionata la vera zia Andora. Fiore aprì la bocca come per gridare dalla contentezza e iniziò a correre verso lo Sbacchio. Il grosso pulcino giallo di Xorax fece due balzi e rotolò per terra assieme alla ragazzina. Ondula si posò sulla testa di Cesco e il Quaskio zampettò verso Dodo, che teneva la ciotola Sallia Nana, completamente stordita da ciò che stava accadendo. Il Tintinno arrivò facendo il solito rumore e con le sue piumette viola e azzurre fece il solletico a Nina.

Eterea fluttuava tra i ragazzini e gli animali magici come se stesse giocando. D'un tratto si fermò e alzando le mani provocò una scia di luce rossa. Gli amici si bloccarono chiudendo gli occhi per il bagliore accecante.

Quando li riaprirono ebbero una grandissima sorpresa: il professor Michajl Mesinskj, Birian Birov e Tadino De Giorgis erano lì. Lucenti e bellissimi.

Il primo a parlare telepaticamente fu proprio nonno Misha, i suoi occhi azzurri erano lucidi dall'emozione:

«Moja Ninotchka, carissimi ragazzini. Venite accanto a me, voglio stringervi. Voglio ringraziarvi. Siete stati bravissimi e coraggiosi».

Nina si tuffò tra le braccia del nonno. Sentì un calore infinito. Cesco e Dodo allungarono le mani per toccare la lunga barba bianca del professore, ma sentirono soltanto un lieve solletico. Si resero conto che Misha era proprio tutto di luce e non aveva corpo. Fiore osservò Birian Birov, che le fece l'occhiolino. Tadino De Giorgis accarezzò i capelli ricci e biondi di Roxy e sorrise dolcemente.

«Nonno, ce l'abbiamo fatta. Ora puoi tornare a casa. Vero?» Nina aveva il cuore in gola e sperava tanto in un sì.

«Mia cara Nina, lo sai bene che non posso. La mia vita ora è qui. Ma non devi piangere. Voi tornerete a Xorax ogni volta che lo desiderate» rispose nonno Misha.

«Anche noi diventeremo di luce?» chiese spedito Dodo.

«No. Spero che ciò succeda il più tardi possibile» disse seccamente Tadino De Giorgis che non si aspettava questo tipo di domanda.

«Perché?» chiesero curiose Fiore e Roxy.

«Perché gli Alchimisti Buoni diventano di luce solo quando muoiono. E voi certo avete ancora una vita lunga da vivere» la risposta precisa di Tadino lasciò di stucco i ragazzini.

«Ma poi diventeremo di luce o no?» chiese con insistenza Roxy.

«Di questo parleremo tra un po'» disse con calma nonno Misha accarezzandosi la barba.

Birian Birov si avvicinò a Cesco e gli strinse la mano:

«Devo farti i miei complimenti. Sei proprio un giovane alchimista di grandi qualità. Credo proprio che di strada ne farai parecchia».

Il ragazzino sgranò gli occhi e con aria compiaciuta si girò verso Nina che lo guardava orgogliosa.

In quel momento la ciotola Sallia Nana, in braccio a Dodo, ebbe un sussulto e il ragazzino dai capelli rossi la tranquillizzò.

Tadino De Giorgis, sfiorandola appena, seriamente cominciò a parlare: «Di formule alchemiche e magie ne inventerete ancora, ma penso proprio che questa ciotola vi sarà per sempre amica, anche se l'ha costruita un essere malvagio.

Il Marchese Loris Sibilo Loredan per fortuna non esiste più. E anche questo è merito vostro».

«Non avremmo mai immaginato che LSL si trasformasse in Serpente Piumato. Ora, per fortuna, i guai sono terminati. Anche il Conte Karkon Ca' d'Oro è sistemato» aggiunse Cesco dandosi un tono importante.

«Il Conte Karkon… già… già…» dissero Birian Birov e Tadino De Giorgis facendo strane facce.

Il professor Misha lasciò che i ragazzini parlassero con i due grandi alchimisti, prese per mano la nipotina e si allontanò di qualche passo. Voleva parlare da solo con lei.

«Vieni Ninotchka, passeggia con me» disse il nonno avviandosi verso il Mirabilis Fantasio. «Ecco, vedi, lì dentro si studiano nuove formule alchemiche. Adesso che i pensieri dei bambini sono liberi e i quattro Arcani sono stato sbloccati la vita sulla Sesta Luna e sulla Terra sarà certamente meno rischiosa».

Gli occhi azzurri di nonno Misha guardarono quelli di Nina. Uno sguardo pieno d'amore e gentilezza.

«Ma è possibile visitare il Mirabilis Fantasio?» chiese curiosissima.

«No. Assolutamente no! Nel Mirabilis Fantasio possono entrare solo gli alchimisti e i maghi buoni trasformati in luce. Capisci?» il nonno era turbato ma doveva spiegare molto bene a Nina perché lei e i suoi amici non potevano entrare nel grande laboratorio xoraxiano.

«Cioè sono morti!» esclamò senza timore la ragazzina.

«Esatto. Solo quando si è morti e il corpo si è trasformato in luce si può vivere a Xorax e lavorare nel Mirabilis Fantasio» spiegò in modo chiaro il nonno.

«Capisco. Allora è per questo che non mi hai mai detto la "frase finale" quella che tu hai pronunciato quando Karkon ti colpì a Villa Espasia. Con quella frase ti sei trasformato in luce e hai abbandonato il tuo corpo privo di vita sulla Terra. Lo sai che sono andata anche sulla tua tomba. Sapevo che non eri proprio morto ma mi faceva tanta impressione vedere la tua foto e sapere che il tuo corpo era lì sotto» Nina parlò spedita e cercò di stringere la mano di luce del nonno anche se sentiva solo un lieve pizzicore.

«Hai capito tutto, mia cara Nina. È proprio così. Tra poco Eterea dirà a te e ai tuoi amici il contenuto della "frase finale". Ora lo dovete sapere: siete alchimisti a tutti gli effetti. Se per caso dovesse succedere qualche cosa a uno di voi saprete cosa pronunciare in caso di grave pericolo di morte» il professor Misha diede un bacio sulla fronte alla nipotina e sospirò.

Nina a quel punto disse solo un nome: «José».

Il nonno si fermò: «Già, José. Una delusione vero?».

«Sì. Grandissima» rispose la nipotina.

«Ti ricordi, l'avevo spiegato nella Lettera sul Destino» aggiunse Misha.

«Ma non avevo capito. Non sapevo che José sarebbe passato dalla parte di Karkon. Ora ho imparato, nonno. Proprio non mi aspettavo di essere tradita dal professore spagnolo» Nina alzò le spalle e sbuffò.

«Il tradimento arriva proprio quando non te lo aspetti» le rispose il nonno.

La ragazzina abbassò la testa e chiese: «Quando tornerò a Venezia cosa dovrò fare? Sai, sono molto stanca e anche i miei amici desiderano riposare. Lo capisci vero?».

«Certo che lo capisco – rispose il nonno – e vedrai che avrai il tempo di giocare. Di vivere la tua giovane età. Ma sei un'alchimista. Una bravissima alchimista. Non dimenticarlo».

Nina si fermò davanti al portone immenso del Mirabilis Fantasio, osservò il grande stemma che era identico allo Jambir. La luce solida delle colonne e dei muri dell'edificio alchemico era splendida.

«Vorrei tanto una cosa» disse la ragazzina.

«Cosa?» chiese il vecchio professore.

«Stare finalmente con mamma e papà. Desidero vivere con loro a Villa Espasia. Lo credi possibile?» il viso di Nina si fece triste.

«Certo! Credo proprio che ti stiano già aspettando» il sorriso di nonno Misha tranquillizzò la nipotina.

«Sono già a Venezia? Ma allora sanno tutto... sanno anche di Karkon, di zia Andora, del suo clone... e di Carlo e Ljuba?» Nina si agitò tantissimo.

«Calma, calma. La situazione è sotto controllo. Prima di tornare sulla Terra devi assistere a un'importante cerimonia» la frenò il professor Misha.

«Cerimonia? Che cerimonia?» chiese stupita.

«Quella organizzata per i tuoi quattro amici. Vedrai, sarà bellissima» e così dicendo il nonno la prese in braccio stringendola con affetto. Nina sentì il suo corpo pervaso da lievi scosse elettriche e meravigliata guardò il cielo stellato, le lune e i tre soli. Respirò l'aria profumata di Xorax e provò un senso di grande gioia.

Quando riappoggiò i piedi per terra si accorse che erano arrivati tutti gli altri. In un baleno apparvero gli xoraxiani, gli animali magici ed Eterea.

Davanti al portone del Mirabilis Fantasio si radunò uno stormo di rondini, e uno a uno gli uccellini si poggiarono sulle colonne del grande laboratorio alchemico xoraxiano. Nonno Misha alzò la mano destra mostrando a tutti la stella rossa, il segno alchemico che Nina aveva ereditato e puntò l'indice sul portone del Mirabilis Fantasio. Una luce argentea schizzò dalla fessura, apparvero quattro strani oggetti sospesi per aria. Il portone si chiuse immediatamente e si udì un canto melodioso.

Il Gughi, il magico uccello della Sesta Luna, arrivò volando dolcemente, con il becco afferrò i quattro oggetti e li consegnò a Eterea. Erano le parti mancanti dei Taldom dei ragazzini. Quattro piccole teste d'oro raffiguranti proprio il Gughi.

Eterea si avvicinò a Dodo, Cesco, Roxy e Fiore che erano totalmente sbigottiti e si rivolse a loro telepaticamente in tono dolce e soave:

Chiudete gli occhi e alzate i vostri scettri.

I quattro amici eseguirono e in un istante le quattro teste d'oro, volando, si appoggiarono sulle punte dei Taldom. Un lampo nero e verde fece tremare gli scettri e, quando i ragazzini aprirono nuovamente gli occhi, si accorsero che in pugno avevano un vero Taldom Lux.

Identico a quello di Nina. Uguale a quello che avevano tutti gli xoraxiani.

Fiore lo strinse al petto, Dodo lo guardò esterrefatto, Cesco lo roteò ammirandolo in tutte le sue parti e Roxy cercò di premere gli occhi di goasil per provare a sparare.

Eterea la bloccò immediatamente:

No! Sulla Sesta Luna non si spara!
Cara Roxy devi imparare a usare
questo scettro in modo alchemico.
Serve per combattere ma anche per creare formule
magiche. Rende invisibili
ed è utile in moltissime circocostanze.

Roxy diventò rossa di vergogna e si scusò. Fiore la guardò malissimo, Dodo rimase immobile, Cesco fece uno sbuffo. Nina, a fianco di Tadino De Giorgis, scosse la testa e sorrise.

A quel punto intervenne nonno Misha, che consegnò a Eterea quattro pergamene di rame avvolte da un nastro blu. La Grande Madre Alchimista chiamò uno ad uno i ragazzini assegnando loro un codice e consegnando la preziosa pergamena.

Consegno a voi il codice personale
e in nome del Consiglio dei Maghi Buoni
vi nomino Alchimisti della Sesta Luna.
In queste pergamene è scritto un decalogo
che dovrete rispettare.
Da oggi in poi i vostri nomi saranno
sempre accompagnati da un codice:
Cesco 9009111,

Dodo 9009112,
Fiore 9009113,
Roxy 9009114.
Leggete insieme i dieci principi ai quali dovrete
attenervi con rigore.

Appena Eterea finì di elencare i dieci principi contenuti nelle pergamene fece un cenno e chiamò per primo Cesco 9009111, che s'inginocchiò e, tenendo stretto il Taldom Lux, prese la pergamena di rame e ringraziò. Eterea mise la mano sulla sua testa e gli comuncò la frase finale. Cesco rimase immobile, deglutì e socchiuse gli occhi. Poi chinò la testa e indietreggiando ritornò al suo posto. Poi fu la volta di Dodo 9009112, che per l'emozione inciampò su una piccola pietra di rubino e finì con il naso per terra davanti a Eterea. La donna di luce lo aiutò ad alzarsi e gli consegnò la preziosa pergamena comunicandogli la segretissima frase finale. Con aria timorosa si presentò Fiore 9009113 che mandò baci a tutti i presenti e con educazione ascoltò la voce soave della Grande Madre Alchimista che le trasmetteva la frase finale. L'ultima fu Roxy 9009114 che appena ebbe in mano la pergamena alzò il Taldom Lux verso il cielo stellato facendo un gran sorriso. Anche lei, quando seppe la frase finale, divenne seria e con passo lieve se ne tornò accanto agli altri tre amici.

Uno alla volta tolsero il nastro blu e srotolarono la pergamena di rame e lessero con la mente l'importante documento:

GIURAMENTO DEGLI ALCHIMISTI DELLA SESTA LUNA

1 – USERÒ L'ALCHIMIA DELLA LUCE SOLO PER IL BENE

2 – DIFENDERÒ LA LIBERTÀ DEI PENSIERI DI TUTTI I BAMBINI DELLA TERRA

3 – CERCHERÒ FORMULE E INCANTESIMI PER LA GIOIA DELL'UNIVERSO ALCHEMICO

4 – NON TRADIRÒ MAI UN ALTRO ALCHIMISTA DI XORAX

5 – MANTERRÒ I SEGRETI DELLA SESTA LUNA

6 – AMERÒ GLI ANIMALI E LE PIANTE DELLA TERRA

7 – SALVERÒ IL GUGHI, LO SBACCHIO, ONDULA, TINTINNO E QUASKIO IN CASO DI PERICOLO

8 – RISCHIERÒ LA MIA VITA PER AIUTARE I MIEI COMPAGNI ALCHIMISTI

9 – LOTTERÒ CONTRO IL MALE E L'ALCHIMIA DEL BUIO

10 – NON SVELERÒ MAI LA "FRASE FINALE" A NESSUNO E LA PRONUNCERÒ SOLAMENTE NEL MOMENTO IN CUI SONO CERTO DI PERDERE LA VITA

Ora sapevano. Sapevano tutto. Cesco, Dodo, Fiore e Roxy erano dunque entrati a far parte del misterioso pianeta Xorax. Erano gli Alchimisti della Sesta Luna.

Migliaia di xoraxiani applaudirono e dal cielo scesero petali di misyl misti a polvere di stelle. Lo Sbacchio e il Tintinno danzarono e saltellarono mentre Ondula volava assieme alle rondini e il Quaskio zampettava allegramente con la ciotola Sallia Nana.

Eterea guardò Nina e la ragazzina alzò il suo Taldom in segno di vittoria. La Grande Madre Alchimista fece tre giri su se stessa e quando tornò accanto a Nina consegnò una cosa preziosissima che la giovane alchimista pensava di non rivedere mai più: il Systema Magicum Universi.

Il grosso Libro Parlante tornò dunque nelle mani di Nina, che iniziò a tremare dall'emozione.

«Per tutte le cioccolate del mondo! Libro, sei di nuovo mio!» esultò la giovane alchimista.

Nonno Misha, Tadino De Giorgis e Birian Birov si strinsero attorno ai cinque ragazzini e scostandosi ai lati fecero largo a un gruppo di persone: gli androidi xoraxiani.

Lucidi, di metallo argenteo, tutti con le orecchie a campana e lo sguardo dolce, gli androidi marciarono verso gli alchimisti. In testa, davanti a tutti, c'era lui: Max-10p1. Con orgoglio, il simpatico amico di metallo strinse la mano ai nuovi nominati e con fierezza baciò sulla guancia Nina, mettendosi poi accanto al professor Misha.

«Quexti xono gli androidi della Xexta Luna. Lavorano nel Mirabilix Fantaxio e quando vorrete verranno in voxtro aiuto» disse telepaticamente Max ai giovani alchimisti.

Nina lo abbracciò forte e poi, con aria spaventata, chiese: «Ma tu torni con noi sulla Terra. Vero?».

«Exatto. Non poxxo certo laxciarvi da xoli» fu la risposta di Max.

Nina si girò per guardare nonno Misha ma… non lo vide più. Era scomparso assieme a tutti gli altri. Neppure Eterea, gli androidi, gli animali magici della Sesta Luna c'erano più. Soltanto il Gughi era morbidamente appoggiato al suolo verde smeraldo di Xorax. Aveva le quattro ali aperte e, portando il becco verso l'alto, cantò. Una nube brillante avvolse i cinque ragazzini e Max. D'un tratto il vento si alzò e Nina capì: era giunto il momento di tornare a casa.

Alzò il Taldom e fece cenno agli altri di salire sulle ali del magico uccello d'oro.

Gocce d'acqua tiepida e scie di comete s'intrecciarono con la musica dell'Ottava Nota. Come d'incanto il Gughi si levò in volo portando gli avventurosi amici verso il pulsante Universo Alchemico. La marea gommosa mista di acqua e aria muoveva stelle e pianeti, galassie e meteoriti. Lampi di luce blu, rosa e viola tempestavano il cielo denso di piccoli fuochi luminescenti. I ragazzini guardarono lo spettacolo magico e la felicità entrò dritta nei loro cuori. L'avventura stava per terminare, dopo aver visitato la Sesta Luna ora era necessario tornare a Venezia e condannare Karkon.

I bambini della Terra erano già lì, pronti a iniziare il processo. Attendevano fiduciosi il ritorno dei giovani alchimisti.

CAPITOLO DODICESIMO
La sentenza dei bambini

Andora, l'androide karkoniano, stava seduta nel Laboratorio K di Palazzo Ca' d'Oro e attendeva fiduciosa l'arrivo di Vera e Giacomo. Non aveva assolutamente paura di affrontare Vladimir l'Ingannatore, sapeva perfettamente cosa fare per fermarlo. Questa volta sarebbe stato lui a cadere nell'inganno!

Improvvisamente dal soffitto scese una luce grigia, all'interno della quale roteavano i corpi dei genitori di Nina e del malefico Vladimir. Appena la luce scomparve Andora si trovò di fronte all'androide russo, mentre Vera e Giacomo finirono stesi a terra, immobili e addormentati.

«Cara Andora, che piacere rivederti» la salutò il biondo Vladimir, agitando il gancio che aveva al posto della mano destra.

«Già, anche a me fa piacere rivederti. Vedo che hai portato con te i genitori di Nina. Il trasferimento alchemico da Mosca a qui è stato dunque più veloce del previsto» disse Andora alzandosi dalla sedia e tenendo sempre gli occhi puntati sul gancio, pericoloso strumento che all'occorrenza schizzava Sangue Mendace.

«Esatto. Me lo ha chiesto il Conte. Ma lui dov'è?» chiese sospettoso Vladimir guardandosi intorno.

Andora prese la bottiglia di Vintabro Azzurro che Karkon aveva messo in un angolo del Laboratorio K e disse: «Vieni, ti accompagno. È in una stanza e ti sta aspettando. Vuole ringraziarti anche per aver trovato il Vintabro. In verità ora non serve più, ma il Conte non si è dimenticato delle tue fatiche».

Andora aveva un piano diabolico: usare il prezioso liquido alchemico che proprio Vladimir aveva trovato nella tundra siberiana per farlo fuori.

Quando i due furono davanti alla porta della Stanza della Voce della Persuasione, la donna di metallo lo fece entrare.

Nel buio, la pelle bianca di Vladimir brillò come se fosse d'argento. L'androide capì immediatamente che c'era qualcosa che non andava.

«Ma qui non c'è nessuno! Dove mi hai portato?» chiese allarmato.

«Ora non potrai più fare del male» gridò Andora aprendo la bottiglia di Vintabro Azzurro e spargendo il velenosissimo liquido ricco di zolfo creato da LSL. E proprio lo zolfo era per Vladimir una sostanza letale, lo aveva scritto anche Nina nel suo Primo Trattato sugli Androidi.

Un fumo acido si levò da terra e i meccanismi del robot russo iniziarono a scomporsi: ganci e ruote, con cui era costruito il suo corpo, si sbriciolarono velocemente e il suo codice alchemico 1542 si sciolse come acqua. Gli occhi azzurri di Vladimir divennero rossi e dalla sua bocca uscì una schiuma nera. Alzò il braccio destro e puntò il gancio verso Andora ma non riuscì a schizzare il Sangue Mendace. Il fumo avvolse il suo volto e lo deturpò: «MALEDET-TAAAAA...» riuscì a gridare mentre Andora usciva velocemente dalla porta.

Appena fu fuori si appoggiò con le spalle al muro e, respirando con affanno, socchiuse gli occhi: "Anche questa è fatta! Ora non ci sono più pericoli".

Le urla di Vladimir si udirono in tutto il Palazzo, ma nessuno ormai poteva più salvarlo.

La donna di metallo ritornò nel Laboratorio K, prese due foglie di Salvia Vivace e le mise sotto il naso di Giacomo e Vera i quali si risvegliarono lentamente. Stesi sul pavimento umido e con gli occhi spalancati, videro il soffitto di travi marce e le pareti nere, e sentirono un odore poco gradevole. Andora gli si avvicinò e, sperando di non spaventarli con il suo aspetto, cominciò: «Sono un'amica di Nina. Non sono cattiva. Vi sto aiutando».

Giacomo si alzò di scatto con la testa dolorante e guardandosi intorno sbigottito chiese: «Dove siamo?».

Vera fece lo stesso e, con gli occhi fissi sulla strana donna che le stava di fronte, gridò: «Ma sei un androide! Assomigli ad Andora, la sorella di mia madre Espasia!».

«Davvero? Be'… sarà un caso. Comunque sono un androide creato dal Conte Karkon. Siamo a Palazzo Ca' d'Oro, a Venezia. Ma ora vi porto da vostra figlia» cercò di chiarire Andora che non voleva assolutamente dare altre spiegazioni.

«Stai lontana da noi!» esclamò Giacomo abbracciando la moglie.

«Dovete seguirmi. Vi porto a Villa Espasia» disse ancora l'androide.

«Ma che storia è questa?! Noi eravamo a Mosca…al Ferk. Come abbiamo fatto ad arrivare fino a qui?» sbraitò Giacomo.

«È una lunga storia. Vi spiegherà tutto Nina» insisté Andora.

«Nina? È successo qualche cosa alla nostra bambina?» disse con voce rotta dal pianto Vera.

«No, sta benissimo. E presto la riabbraccerete. Però dovete fidarvi di me. Per strada vi racconterò quello che è successo. Venite» e così dicendo Andora uscì dal Laboratorio K seguita dalla coppia.

«Mi sembra una follia! Non ci sarà di mezzo l'alchimia, vero?» Giacomo era davvero nervoso.

«Nina ha combinato qualche cosa di grave?» chiese ansiosa la mamma.

«Nina ha fatto una cosa straordinaria. La ringrazierete. Tutti la dovranno ringraziare» rispose camminando in fretta Andora.

«Parli per enigmi. Non capisco nulla. Spiegati» disse il padre di Nina prendendo per un braccio l'androide e bloccandola.

«Vostra figlia ha sconfitto Karkon. La spiegazione vi basta?» rispose irritata Andora.

Vera guardò in faccia Giacomo e chinò la testa: «Allora è nei guai. Ha usato l'alchimia. Sapevo che non bisognava lasciarla sola».

«Non dite sciocchezze. Nina è giovane, ma è una grande alchimista. Il professor Misha sarà senz'altro fiero di lei. Ora non fate troppe domande, non capirete. Dovete solo accetare la realtà. E vi assicuro che è bellissima» l'androide aprì il portone del Palazzo e s'incammino insieme ai due scettici verso Villa Espasia.

Erano le ore 16 del 2 giugno. La fine di Karkon era vicina.

Nina e i suoi amici stavano arrivando a Venezia e tutto sembrava pronto per la condanna definitiva del Magister Magicum. Il volo felice tra le stelle e i pianeti stava per terminare e i giovani alchimisti erano alla fine del viaggio. Il Gughi si lanciò tra le nuvole e in un attimo i ragazzini e Max si ritrovarono dentro un cono di luce rossa. Un vento potente li scaraventò verso il basso e un vortice di colori li travolse. Il canto del magico uccello della Sesta Luna tacque e il gruppo degli avventurosi alchimisti si ritrovò per terra.

Sul pavimento dell'Acqueo Profundis.

Il primo ad alzarsi, un po' ammaccato, fu Max-10p1. «A caxa! Xiamo a caxa!» esultò girando le orecchie a campana.

Roxy aprì gli occhi e vide davanti a sé il trono di vetro, Fiore alzò il Taldom e lo puntò verso il grande schermo pronta a reagire a qualsiasi attacco. Cesco si aggiustò gli occhiali e aiutò Nina ad alzarsi. Intanto Dodo, rimasto steso a occhi chiusi, disse: «Spe...ro di non bal... bal...bettare più».

Non appena ebbe finito di parlare, si rese conto che non era più sulla Sesta Luna dove i pensieri non s'inceppavano. Tutti si misero a ridere. Il ragazzino dai capelli rossi si alzò in piedi e stringendo la ciotola Sallia Nana esclamò: «Chi se ne fre...frega. Ora so...sono un alchimista!».

La ciotola dondolò e di scatto gridò: «Finalmente posso parlare! La Sesta Luna è meravigliosa ma...il pensiero telepatico non fa per me!».

Tutti si misero a ridere e sui loro volti stanchi apparve finalmente la luce della felicità. La forza del Bene li univa. Insieme avrebbero affrontato ogni pericolo, ogni rischio: nulla avrebbe più potuto fermarli.

Max si rimise al computer e controllò che tutto fosse in regola: «Voi andate. Xo che dovete fare molte coxe. Mi raccomando, appena vedete la mia Andora ditele che io la xto aspettando».

Nina aprì il portone dell'Acqueo Profundis, salì sul carrello assieme agli altri, in fretta arrivarono alla scaletta e salirono correndo fino al Laboratorio della Villa.

Appena ne ebbe varcata la porta, la bambina della Sesta Luna appoggiò il Systema Magicum Universi al solito posto, sul tavolo degli esperimenti. Accarezzò la copertina nera e oro e si girò di scatto.

«Bisogna andare subito alle carceri. Sicuramente Karkon sarà stato portato lì» ma appena finì di parlare il Libro si aprì.

Sempre di fretta vuoi tutto fare
ma questo vecchio Libro dovrai ascoltare.

«Libro! Oh caro Libro mio! Sono felice che tu sia ancora qui con me» rispose subito Nina avvicinandosi al foglio liquido.

Mai più ti abbandonerò
la mia saggezza sempre donerò.
Preparati alla sentenza
Karkon sta perdendo la pazienza.

«Già, la sentenza. Ljuba e Carlo sono già liberi?» chiese timorosa la bambina della Sesta Luna.

Liberi finalmente saranno
quando tutti in carcere canteranno.
Ora andate e sorridete
il Male non più affronterete.

In quel momento un rumore proveniente dalla porta distolse i ragazzini. Il Libro si chiuse e tutti puntarono il Taldom pronti a sparare. La porta si aprì e sulla soglia apparve Andora. Sì, l'androide aveva aperto con la Sfera di Vetro che Nina le aveva consegnato quando erano ad Atlantide.

«Nina! Ragazzi! Siete arrivati!» esultò la donna di metallo.

«Andora. Che bello rivederti» dissero abbassando i Taldom.

L'androide prese per mano Nina e l'accompagnò nella Sala degli Aranci. Davanti al quadro di nonna Espasia c'erano due persone: Giacomo e Vera.

«Mamma! Papà!» gridò correndo Nina.

L'abbraccio fu travolgente. Madre, padre e figlia si tennero stretti. Baci e carezze, lacrime e dolci parole. La famiglia si era riunita dopo tanti guai.

«Come stai? Va tutto bene?» chiese la mamma.

«Benissimo. Davvero bene» rispose Nina tirando fuori dalla tasca il cubo d'argento che mesi prima le aveva donato.

«Ti ha portato fortuna?» domando asciugandosi le lacrime Vera.

«Sì. Tanta fortuna» Nina baciò il papà e poi si alzò per andare verso i suoi amici.

«Ora raccontaci cos'è successo. Questa donna di metallo ci ha raccontato una storia stravagante. Ci devi delle spiegazioni» affermò Giacomo sedendosi sul divano colmo di colorati cuscini.

«Spiegarvi? È un po' difficile» rispose Nina guardando gli altri. «Voi sapete che nonno era un alchimista e io ho preso la sua strada. Il Conte Karkon è un malefico mago e andava fermato. I miei amici mi hanno aiutato. È stata dura, durissima» la bambina della Sesta Luna non sapeva come altro spiegare l'avventura che aveva vissuto nell'ultimo anno. Ma Vera e Giacomo, da esperti scienziati, storsero il naso. Troppe cose erano ancora avvolte nel mistero.

«E questa androide che ci fa tra noi?» domandò ancora il papà.

«Be', è un'amica» rispose Nina senza batter ciglio.

«Amica? Questa è una follia!» ribattè Vera.

«Folle è non avere fantasia. Te lo assicuro, mamma. So bene che voi siete scienziati e cercate la vita extraterrestre ma vi assicuro che sulla Terra c'è ancora tanto da capire. L'alchimia non è uno scherzo. E nonno Misha lo diceva sempre» Nina divenne seria e i suoi genitori rimasero a bocca aperta.

«Ora dobbiamo andare alle carceri. Vi prego, credete alle mie parole» Nina prese per mano i genitori e si avviò verso il portone della Villa.

Cesco, Dodo, Roxy e Fiore tirarono un sospiro di sollievo e dissero ad Andora che Max la stava aspettando giù, nell'Acqueo Profundis. La donna di metallo sorrise. Per lei iniziava una nuova vita. Un'esistenza piena d'amore e serenità con il suo adorabile androide xoraxiano.

Erano le 18,30 quando davanti al carcere dei Piombi si riunì una folla immensa composta solo da bambini. Erano arrivati da varie parti del mondo. La Rivoluzione Silenziosa aveva fatto il suo corso e ora che i pensieri erano liberi e le rondini erano tornate a volare felici nel cielo tutti i ragazzini della Terra erano pronti a condannare il malefico Conte.

Le zie Andora e Carmen erano ancora lì, sedute e stanchissime. Con loro c'erano i genitori dei quattro giovani alchimisti che attendevano nervosamente l'arrivo dei loro figli. Gruppi di ragazzini erano fermi sul ponte accanto al carcere, altri avevano occupato gran parte della riva e altri ancora stavano arrivando con navi e barche. Non si udivano grida, non c'era confusione. Solo un lieve brusio ammantava l'aria e l'atmosfera che si respirava era ricca di tensione.

Quando i cinque amici, con Vera e Giacomo, scesero dal vaporetto la folla si levò in un solo coro: «VITTORIA!».

Dodo, Cesco, Fiore e Roxy salutarono calorosamente tutti i bambini e fecero cenno di stare tranquilli. Poi corsero incontro ai loro genitori che non stavano più nella pelle. Carezze e abbracci, lacrime e sorrisi durarono alcuni minuti mentre centianaia di ragazzini applaudivano fragorosamente.

«Ma dove siete stati? Che cosa avete combinato?» chiesero le madri accarezzando i volti dei giovani alchimisti. Il padre di Cesco appoggiò le mani sulle spalle del figlio e preoccupato chiese: «Hai la felpa tutta stracciata e sporca. Ti senti bene?».

Il ragazzino tolse gli occhiali e si strinse al papà rassicurandolo. Fiore e Roxy mangiarono due gelati che aveva comperato la madre di Dodo. In fretta e furia spiegarono che non c'era tempo per raccontare quello che avevano vissuto. I genitori sentivano che la folla voleva giustizia. Volevano Karkon!

Nina fu assalita allegramente dalle mille feste di Adone e Platone, mentre le due zie spagnole presero Vera e Giacomo e li fecero sedere sulla base della colonna vicina alla riva.

L'emozione si poteva sentire sulla pelle: tutti attendevano l'apertura del portone delle carceri.

La bambina della Sesta Luna alzò il Taldom Lux e con voce tonante urlò: «Aprite! Siamo venuti a liberare Ljuba e Carlo».

I genitori rimasero in silenzio. Esterrefatti. Guardarono i loro figli e si resero conto che erano davvero speciali.

La prima e la seconda guardia aprirono finalmente il portone dei Piombi e il brusio della folla si fece più cupo. I cinque ragazzini entrarono e, prima che il portone si chiudesse alle loro spalle, Cesco si girò e disse ad alta voce: «La fine di Karkon è vicina!».

Un boato di voci ridenti scosse Venezia. I bambini alzarono le braccia in segno di vittoria.

Quando Nina entrò nel carcere vide i dieci consiglieri vestiti di viola schierati a fianco di Karkon, Visciolo, Alvise e Barbessa. Il Conte era seduto su una sedia di ferro e si teneva stretto il mantello, con la testa china. Non sembrava affatto

pericoloso. Tutta la sua malvagità era come scomparsa.

I due gemelli con la K piangevano a dirotto e Visciolo continuava a toccarsi la benda dell'occhio lamentandosi in continuazione.

I ragazzini guardarono i loro nemici e mai avrebbero pensato di vederli ridotti così.

Ma non ebbero pietà. Non potevano averla dopo tutto quello che avevano subito.

Roxy affrontò per prima i dieci consiglieri dicendo: «Fate largo. Prima di pensare a questi sciagurati dobbiamo liberare la tata Ljuba e il giardiniere Carlo».

Il Presidente del Tribunale tossì e poi, scostandosi a sinistra, fece spazio ai due innocenti che erano alle sue spalle. La tata russa stava piuttosto male, era piena di lividi e non riusciva a camminare molto bene.

Carlo era curvo, i suoi occhi erano lucidi e gonfi.

«NINA!» dissero con la poca voce che rimaneva loro.

I ragazzini e la bambina della Sesta Luna li abbracciarono teneramente. Dodo prese un fazzoletto e pulì il volto della dolce Meringa che si soffiò il naso piangendo a dirotto.

Nina la riempì di baci e l'aiutò a camminare lentamente, mentre Cesco e Roxy davano una mano al giardiniere. Quando furono davanti a Karkon, Fiore alzò la mano destra e indicandolo disse: «Guardate il Conte. Non ha il coraggio neppure di alzare gli occhi».

Carlo gli sputò addosso e persino Ljuba, accostandosi con fatica, prese coraggio e disse: «Verme! Verme schifoso!».

A quel punto il Presidente del Tribunale si rivolse a Nina: «Signorina De Nobili, il Conte Karkon, i gemelli e Visciolo hanno confessato. Sono indubbiamente colpevoli. Ma ci sono cose che non spiegano. Parlano di magie, di incantesimi e diavolerie varie. Forse sono pazzi».

«Egregio Presidente, non sono per nulla pazzi! Incarnano

il Male ed è giusto che paghino. Ma questa volta non sarete voi adulti a decidere» disse Nina con tono deciso.

«Come? In che senso non saremo noi adulti a decidere? La giustizia ha le sue leggi. E vanno rispettate. Ci sono i giudici, i tribunali…» il Presidente fu interrotto bruscamente.

«Noi ragazzini siamo stati le vittime principali dell'odio e dell'orrore di Karkon e di LSL!» disse la bambina della Sesta Luna.

«Il sindaco Loris Sibilo Loredan? Ma che c'entra lui in tutta questa storia. È morto!» gridarono i dieci consiglieri.

«Zitti voi! Siete solo dei servi sciocchi!» reagì Nina.

«Ma come ti permetti piccola peste…» esordì l'anziano consigliere.

«Guardate! Ecco cosa hanno fatto il Conte e il sindaco!» Nina tirò fuori dalla tasca della salopette gli Appunti di Karkon. Nel prezioso documento era scritto come e quando il Conte aveva iniziato i suoi malefici. Non solo, ma c'erano anche i segreti della Numeromagia e Meccageometria e un elenco lunghissimo di formule alchemiche pericolosissime. Il Presidente fece per prendere gli Appunti, ma Nina ritrasse la mano: «No, lei non può proprio leggere tutto. Non è consentito!».

«Da chi non è consentito?» chiese sempre più sorpreso il Presidente.

«Io e miei amici non lo consentiamo! Deve fidarsi di noi. E poi, guardi, c'è un altro documento che dimostra la malvagità del Conte Ca' d'Oro» e così dicendo Nina mostrò anche il Quaderno Rosso, che Karkon aveva perso ad Atlantide. Le ultime malvagità e l'inganno

organizzato da LSL, il segreto dell'Isola Clemente e la strage dei gatti erano ormai pubbliche.

La bambina della Sesta Luna sfogliò alcune pagine e fece leggere solo alcune frasi al Presidente. Parole terribili che convinsero della cattiveria infinita di Karkon e LSL.

Visciolo s'inginocchiò: «Vi prego, non fateci del male».

Alvise e Barbessa gridarono piangendo che non volevano stare in prigione.

«Fa...falsi. Siete fa... fa...falsi!» disse Dodo con un'espressione seria.

«Basta, basta. Calmatevi. Sentiamo quello che ha da dire Nina» affermò il Presidente del Tribunale.

Nina si mise davanti a Karkon, lo afferrò per il pizzetto e gli sollevò la testa.

«Egregi signori, questo losco individuo merita la condanna più dura. E saremo noi bambini a decidere! Solo noi possiamo farlo» la ragazzina guardò in faccia i dieci consiglieri e non abbassò lo sguardo.

«Ma non è possibile. È una richiesta assurda!» rispose prontamente il Presidente.

Allora intervenne Cesco che alzando il Taldom Lux affermò: «Voi adulti non avete saputo difendere la libertà. Non avete capito nulla! Per questa ragione decideremo noi che fine dovranno fare il Conte Karkon e i suoi seguaci. Il discorso è terminato! Ora aprite il portone, dobbiamo portare a casa Ljuba e Carlo. O volete che rimangano ancora qui, nelle celle umide e buie di questo carcere?».

Il Presidente fece un cenno, i dieci consiglieri si agitarono ma stettero in silenzio.

Roxy e Fiore guardarono fiere le guardie che aprirono all'istante il portone dei Piombi.

Un applauso e mille grida di gioia salutarono l'uscita dei giovani alchimisti che sorreggevano i due innocenti. Un canto melodioso si udì nell'aria: erano i carcerati che inneggiavano alla libertà. Come aveva detto il Libro Parlante il coro salutò la tata e il giardiniere. Il papà di Dodo e la madre di Cesco aiutarono Ljuba a salire sul vaporetto mentre Vera e Giacomo si occupavano del giardiniere.

I genitori dei ragazzini si avviarono verso Villa Espasia lasciando i loro figli assieme alla folla dei bambini.

Nina salì sulla base della colonna, al suo fianco i quattro giovani alchimisti che coccolavano Platone e Adone visibilmente euforici.

«Ascoltatemi attentamente, – disse Nina alzando la voce – domani pomeriggio, alle 15 in punto, in Piazza San Marco, processeremo il Conte Karkon Ca' d'Oro e i suoi seguaci. Per decidere la condanna ho bisogno di sapere la vostra opinione. Entro la mezzanotte fatemi avere le vostre richieste a Villa Espasia. Riflettete bene. La condanna non dovrà essere una vendetta, ma un esempio. Gli adulti impareranno da noi cosa vuol dire fare giustizia».

Migliaia e migliaia di bambini esultarono. Finalmente la loro voce contava, i loro pensieri erano importanti. E gli adulti lo avrebbero capito. Nina accarezzò i suoi due animali e a passo veloce raggiunse l'imbarcadero. Prima di salire sul vaporetto si girò e disse ai quattro amici: «Noi ci vediamo domani mattina alle 10 a Villa Espasia. Stanotte dormiremo finalmente nei nostri letti. Dobbiamo essere riposati per la sentenza».

Cesco la guardò con amore e le mandò un bacio e lei gliene spedì un altro. Fiore e Roxy, ridendo maliziose, la salutarono agitando i loro Taldom. Dodo le urlò: «Sei una ve..ve..vera amica».

I quattro ragazzini tornarono nelle loro case.

Quella sera a Venezia non si sentì un rumore. Le migliaia di bambini che stazionavano tra calli e campielli erano intenti a scrivere le loro idee. Tutti meditavano su quale fine fosse più giusta per il Magister Magicum.

Quando Nina, Adone e Platone entrarono a Villa Espasia trovarono la casa illuminata.

Vera era ai fornelli assieme a Carmen mentre Giacomo e Andora stavano preparando la tavola nella Sala dell'Angolo delle Rose con il prezioso servizio di piatti in porcellana russa. Ljuba e Carlo erano seduti comodamente nella Sala degli Aranci e chiacchieravano in santa pace sorseggiando un buon bicchiere di vino frizzante.

Era la prima volta che Nina vedeva Ljuba riposare.

«Cara Ninotchka, appena starò meglio ti cucinerò i miei soliti piatti» disse la dolce Meringa accarezzando il visino della ragazzina.

«Certo Ljuba, ma ora stai tranquilla. C'è la mamma in cucina e sono certa che stasera la cena sarà squisita lo stesso».

«C'è una cosa che io e Carlo dobbiamo chiederti» disse Ljuba.

Nina attese la domanda con apprensione.

«Ma il professor José dov'è finito?» la domanda di Carlo gelò Nina.

«Dunque, il professor José... se n'è andato. Ma non so dove» la risposta della ragazzina non fu convincente. Carmen fece per aprire bocca ma Andora la bloccò. Non potevano certo dire che José aveva tradito Nina.

«Strano che se ne sia andato. Sembrava così affezionato a te, Nina» disse Ljuba.

«Era diventato troppo nervoso. Strano. Non ne sentiremo

per niente la mancanza» fu la secca risposta della giovane alchimista.

Nina guardò suo padre e lui sorrise senza dire una parola. Giacomo non aveva sospettato nulla. Vera, che se ne stava in cucina, scolò la pasta fischiettando. Andora e Carmen cercarono di cambiare discorso e si misero a parlare con Carlo dei fiori che erano sbocciati nel parco e che avevano bisogno di essere curati dopo la sua lunga assenza.

Tutto a Villa Espasia sembrava tornato alla normalità. La bambina della Sesta Luna si stese sul divano e fissò il quadro della nonna. Il cuore era agitato. Ancora poche ore e poi Karkon sarebbe stato condannato.

«Nina, ma dov'è finita quella donna di metallo?» chiese curiosa Vera.

«Non so» rispose nuovamente imbarazzata la ragazzina.

«Secondo me è in compagnia di quello strano tipo che venne a cena da noi vestito da Babbo Natale. Ve lo ricordate?» disse Andora sorridendo.

Nina fece una strana faccia e Carmen abbassò la testa.

«Già, che buffi amici hai, Nina. Sto ancora cercando di capire come io e tua madre siamo arrivati a Venezia senza neppure accorgecene. Al Ferk ci staranno cercando come pazzi» aggiunse Giacomo.

«Non tornerete a Mosca, vero?» domandò allarmata Nina.

«No. Resteremo qui. Te lo abbiamo promesso. Vivere in questa Villa è certamente più avventuroso che andare nello spazio» disse Vera guardando il marito.

La famiglia si mise a tavola e nessuno ebbe il coraggio di chiedere più nulla a Nina, poiché appariva troppo tesa. Era una sera davvero particolare e non solo per gli avvenimenti a cui pensava la giovane alchimista. Prima di andare a dormire, Vera e Giacomo baciarono la loro figlia con tutto l'amore possibile. La mamma stava per cominciare a parlare, quando il campanello della Villa suonò.

Erano le 22 precise del 2 giugno. Nina ebbe un sussulto. La sua mente fu attraversata da un lampo: «Ore 22 del 2 giugno... una data importante». La ragazzina sudò freddo, Vera la guardò e pianse.

«Mamma... ma... è il 2 giugno. Nonno Misha è morto esattamente un anno fa!».

«Sì cara. Non volevo ricordartelo, eri troppo agitata per la sentenza di domani» disse con un filo di voce Vera.

Giacomo sospirò e andò ad aprire la porta. Nina guardò istintivamente la stella sulla mano: era rossa. Non c'era pericolo. Carmen la strinse a sé: «Ricordo molto bene cosa successe un anno fa. Eravamo insieme a Madrid. Fu terribile. Il giorno dopo sei venuta qui a Venezia e da allora sono successe tante altre cose».

La dolce Ljuba iniziò a piangere a dirotto e si appoggiò sulla spalla di Carlo. Nina sentì il sangue ribollire, ma quando Giacomo aprì la porta, la ragazzina si quietò. Era un gruppo di ragazzini: «Questi dieci pacchi sono per Nina De Nobili. È urgente» dissero prima di andarsene.

La bambina della Sesta Luna corse dal padre che l'aiutò a scartare i pacchi: dentro si trovavano migliaia di biglietti scritti dai bambini.

«Ma sei stanca, vai a dormire. Li leggerai domani» disse Giacomo cercando di convincerla.

Nina scosse la testa: «No! Non posso! Li leggerò uno a uno».

Seduta sul grande tappeto dell'atrio, con foglietti sparsi ovunque, la ragazzina iniziò il lungo lavoro.

Vera, dall'alto della scala a chiocciola, si rivolse a sua figlia: «Ti manca tanto nonno Misha?».

«No. È dentro il mio cuore. Sempre. E ci parlo quando voglio» rispose Nina guardando sua madre.

«Sarà fiero di te. Ne sono sicura» aggiunse Vera.

La bambina della Sesta Luna alzò la mano destra e mostrò la voglia di fragola fatta a stella dicendo: «Sono un'alchimista. E tutto il Bene del nonno l'ho ereditato. Per questo Karkon la pagherà salata. Odiava il nonno. E odia me e i miei amici. Odia tutti gli alchimisti buoni».

Giacomo scosse la testa e prese per mano Vera. Carmen cercò di dire qualche cosa, ma Andora la fulminò con un'occhiata.

«Ma ci sono troppe cose che i genitori di Nina non sanno. E noi invece le sappiamo...» sussurrò Carmen.

«Zitta. Non rovinare tutto, sorella cara, proprio ora che sta andando a gonfie vele» rispose piano Andora.

Ljuba si ritirò in camera sua e Carlo uscì dalla Villa dando la buona notte a Nina, che rimase seduta sul tappeto in mezzo a montagne di biglietti. I bambini del mondo attendevano la sentenza. Una condanna che avrebbe reso giustizia anche a Nina e alla sua famiglia per l'omicidio di nonno Misha.

Alle 6,30 del mattino la giovane alchimista entrò nel laboratorio della Villa. Si sedette sullo sgabello e appoggiò la mano con la stella sul Systema Magicum Universi. Il foglio liquido emanò la solita luce verde fluorescente.

«Libro, quale consiglio puoi darmi? I bambini del mondo vogliono una pena severissima per Karkon e molti chiedono che sia tenuto in cella per tutta la vita. Ma io non so cosa fare» Nina era turbata: sentiva su di sé una responsabilità davvero imponente.

Il Conte del Male deve pagare
e per l'eternità immobile stare.
Ma tenerlo in cella a fare niente
non è cosa intelligente.
Quando arrivano i quattro nuovi alchimisti

gettate su di me i biglietti visti.
Un aiuto vi darò
e la sentenza scriverò.

«Già. Immobile per l'eternità!» esclamò Nina alzandosi
dallo sgabello.

Una luce intensa brillò nei suoi occhi. Uscì di corsa dal laboratorio, entrò in cucina dove trovò Ljuba e la mamma, in-
tente a preparare la colazione.

La ragazzina afferrò un paio di biscotti al cioccolato e salì
in camera sua. S'immerse nella vasca e se ne stette a mollo
per un'oretta. Finalmente si rilassò. Ricordò le meraviglie
della Sesta Luna, le balene e le rondini, la grande orchestra
e il giuramento dei suoi amici. Sentì di essere davvero felice.
E con quella forza dentro l'anima si vestì di colori sgargianti.
Indossò una bellissima salopette turchese e una canotta rosa
fucsia, si guardò allo specchio e sorrise.

Scese la scala a chiocciola, baciò mamma e papà, fece uno
sberleffo alle zie spagnole e attese l'arrivo dei suoi amici dicendo: «Oggi è un grande giorno: è il 3 giugno!».

Alle 10 in punto suonarono alla porta. Cesco, Dodo, Fiore
e Roxy si presentarono con splendidi sorrisi. Quando furono
entrati nel laboratorio, Nina interpellò il Systema Magicum
Universi.

«Libro, siamo tutti qui. Abbiamo gli scatoloni con i biglietti
dei bambini» disse eccitata Nina.

Gettate dentro di me i foglietti
e non abbiate sospetti.
I liberi pensieri si sommeranno
e la sentenza giusta daranno.

Con energia i cinque ragazzini sollevarono gli scatoloni e le migliaia di letterine furono inghiottite dal foglio liquido. La luce del laboratorio diventò rossa. Un rumore fastidioso uscì dal pentolone che stava sul fuoco. Dodo si accucciò accanto alla Piramide Dragon, Fiore si appoggiò al muro e Roxy strinse il Taldom. Cesco, immobile, e Nina osservavano la scena.

Dal pentolone uscì un grande Tamburo Viola con incisa una stella rossa. Contemporaneamente dal Libro emerse una sottilissima Pergamena Blu.

Il tamburo suonerà
ogni volta che il Male tornerà.
Tutti lo udiranno
e insieme interverranno.
E in questa Pergamena leggera
scritta c'è la condanna severa.

La Pergamena si posò sul tavolo degli esperimenti e il Tamburo rimase sospeso sopra il pentolone. I giovani alchimisti si guardarono sorpresi. Il Libro ricominciò a parlare.

Prendete il Vaso con la Voce
anche se il monaco più non nuoce.
La Persuasione bloccata resterà
e in bella mostra rimarrà.
Poi la Polvere Gelsomina
mettete nella ciotola che cammina.
Quando in Piazza sarete
i vostri Taldom unirete.
Cinque scie di fuoco s'intrecceranno
e le statue di marmo cammineranno.

«Le statue di marmo cammineranno? Ma che significa?» chiesero i ragazzini.

Il foglio liquido divenne nero e una fiamma verde s'innalzò fino al soffitto.

Le statue della Piazza si muoveranno
e una fitta nebbia creeranno.
Solo la folla dei bambini
vedrà quest'alchimia senza confini.
Ma c'è un'altra cosa che devo dire
ora davanti a me Cesco e Dodo devono venire.

I due alchimisti eseguirono l'ordine e, dritti sulla schiena, si misero proprio davanti al Systema Magicum Universi.

Palazzo Ca' d'Oro sarà vostro tesoro.
Insieme trasformerete
le stanze buie in stanze quiete.
L'Alchimia della Luce regnerà
per coloro che amano la verità.
Formule ed esperimenti
vi faranno contenti.
Questo il compito deciso
e già vedo il vostro sorriso.

«Libro, ma è una cosa bellissima! Grazie, grazie!» esultarono i due ragazzini saltellando davanti al Systema Magicum Universi.

Dodo e Cesco avevano dunque ricevuto un compito assai importante.

Si diedero la mano e mostrarono il Rubino dell'Amicizia Duratura in segno di sodalizio.

Non ho finito di parlare,
un'altra cosa c'è da fare.
Davanti a me Roxy e Fiore
vengano pure senza timore.

Nina si fece da parte e le due ragazzine si misero davanti al Libro e curiose attesero di sapere.

Coraggiosa l'una e romantica l'altra
siete una coppia davvero scaltra.
Insieme curerete l'Isola Clemente
portando felicità permanente.
Se siete contente
fate un cenno oppure niente.

Fiore abbracciò il Libro e Roxy urlò a squarciagola: «È meraviglioso!».

L'Isola Clemente, dimora del defunto LSL, sarebbe dunque diventata un piccolo paradiso pieno di gatti, libri e giochi alchemici.

Ora calmatevi immediatamente,
la confusione non serve a niente.
Di più non posso spiegare
andate e datevi da fare.

La luce del laboratorio tornò azzurra.

I quattro alchimisti guardarono Nina: «E tu? Che farai?».

La bambina della Sesta Luna allargò le braccia: «Vivrò qui. Villa Espasia è la mia casa. E poi c'è Max che mi aiuterà sempre. Ma non dovete preoccuparvi. Mica ci perderemo di vista. Saremo sempre insieme. Anzi, saremo più forti di prima senza Karkon».

Fiore e Roxy baciarono l'amica e presero il Tamburo Viola, Dodo cercò tra le ampolle la Polvere Gelsomina e la versò dentro la ciotola Sallia Nana che fu felice di partecipare alla creazione di una nuova formula alchemica.

Cesco prese il Vaso della Verità contente la Voce della Persuasione che era rimasto in un angolo mentre Nina afferrò con delicatezza la sottile Pergamena Blu cercando di non rovinarla.

«Andiamo nell'Acqueo Profundis, dobbiamo raccontare tutto a Max» e così dicendo Nina pronunciò Quos Bi Los e la botola si aprì. La discesa nel sotterraneo fu velocissima e con il carrello raggiunsero l'ingresso del laboratorio sotto la laguna. Appena entrarono videro una scena assai romantica. Max-10p1 era abbracciato ad Andora. Davanti alle vetrate guardavano il paesaggio marino: alghe, pesci e meduse danzavano per loro.

«Hello, ragazzi! Che fate qui?» chiese il buon androide.

«Siamo venuti a vedere come state» disse deciso Cesco.

«Benixximo. Xiamo felici» Max accarezzò la testa pelata di Andora e fece l'occhiolino.

La donna di metallo si girò lentamente e sorrise: «Siete pronti per la condanna a Karkon?».

«Prontissimi» risposero in coro.

«Allora io e Max possiamo rimanere qui. Tranquilli. Abbiamo già fatto tanto, non credete?» disse Andora.

«Sì. È vero. Vi lasciamo tranquilli. Ne avete tutti i diritti. Ma volevamo dirvi che il Systema Magicum Universi ha comunicato una cosa assai importante» rispose Nina.

«Coxa?» domandò curioso Max.

Cesco e Dodo risposero che si sarebbero occupati di Palazzo Ca' d'Oro e Fiore e Roxy dell'Isola Clemente.

«Fantastico!» esultò l'androide e anche Andora si complimentò, dicendo ai ragazzi che se, avevano bisogno, lei sarebbe stata felice di aiutarli.

I cinque alchimisti salutarono calorosamente la coppia di metallo e uscirono dall'Acqueo Profundis. Mancavano solo poche ore alla sentenza. Quando risalirono in Villa mangiarono ottimi manicaretti preparati da Carmen e deliziosi dolci di Ljuba. Con il Tamburo Viola, la Pergamena Blu e il vaso con la Voce e la ciotola colma di Polvere Gelsomina uscirono seguiti da Adone e Platone. Né Vera né Giacomo chiesero nulla. Tutti rimasero in silenzio a guardare fuori dalla finestra mentre i ragazzini attraversavano il ponte di ferro della Villa.

Camminavano segnando il passo. Seri e misteriosi, si avviarono verso il grande evento. Erano riusciti a liberare la Terra dal Male e questo dava loro una forza d'animo immensa.

Mancavano solo cinque minuti alle 15 e Piazza San Marco era già stracolma. Migliaia di bambini di tutto il mondo se ne stavano seduti in silenzio quando videro arrivare i dieci consiglieri vestiti di viola con in testa il Presidente del Tribunale. Dietro, trascinati dalle guardie, c'erano Karkon, Visciolo, Alvise e Barbessa. Uno squillo di trombe squarciò l'aria e il Presidente esclamò: «Comunico che al più presto saranno indette libere elezioni per eleggere il nuovo sindaco di Venezia. Le ultime e clamorose vicende ci hanno fatto riflettere. Ora consegno a voi bambini i quattro prigionieri. A voi la sentenza».

Il sole splendeva alto, colombi e rondini volavano attorno a Piazza San Marco creando giochi di cerchi nel cielo. Le centinaia di statue che incorniciavano i tetti dei palazzi della Piazza sembravano più belle del solito. Tra loro c'era il Leone Alato con la sua criniera di marmo e lo sguardo fiero che attendeva la giusta condanna del Magister Magicum.

Nina alzò il Taldom Lux e lo puntò verso la Statua del Leone e gridò: «Oggi a Venezia sarà deciso il destino del Conte Karkon Ca' d'Oro, malefico mago che ha imbrogliato tutti. Ha portato morte e dolore. Con il sindaco Loris Sibilo Loredan ha cercato di imprigionare i pensieri di noi bambini. Ma non c'è riuscito! Noi siamo stati più forti! Più intelligenti! Ha vinto la Libertà!».

Un boato si levò dalla Piazza: «Condanniamolo!».

«Ho letto i vostri biglietti. E sarà fatta giustizia» gridò ancora Nina.

Cesco, Dodo, Roxy e Fiore alzarono i loro Taldom e insieme urlarono: «Sì, condanniamolo per l'eternità».

Karkon non alzò mai la testa e fissò per tutto il tempo il pavimento della Piazza. Visciolo si teneva le mani sul volto mentre Alvise e Barbessa continuavano a piangere.

A quel punto Roxy mostrò il Tamburo Viola e un rullo potente fece tremare la Piazza: «Ogni volta che questo tamburo suonerà sapremo che il Male è in agguato. Tutti insieme controlleremo che ciò non avvenga mai più. Io e l'alchimista Fiore cureremo l'isola Clemente. La trasformeremo in un luogo meraviglioso dove tutti voi potretete venire».

Un urlo di gioia scosse la Piazza e Fiore s'inchinò per ringraziare.

Roxy mise il Tamburo Blu accanto a Visciolo che non disse una parola. Dodo andò vicino ad Alvise e Barbessa, la ragazzina

androide si toccò le trecce e fece un lieve sorriso al giovane alchimista come per intenerirlo ma lui girò le spalle e rivolgendosi alla folla gridò: «Questi due andro...dro...droidi hanno
cuo..cuori di gatto. Hanno ucciso e pic..chiato. Da ora in poi non
fa..fa..faranno più del ma..male a ness..suno. Io e l'alchi...mista
Cesco trasfo..fo..formeremo Palazzo Ca' d'Oro. Dive..ve..ven-
terà la ca..ca..casa degli inca..ca..cantesimi del Bene».

La folla applaudì e i due gemelli con la K s'inginocchia-
rono chiedendo inutilmente perdono.

A quel punto Nina srotolò la Pergamena Blu e lesse con
tono deciso:

Noi, bambini del mondo,
riuniti in questa grande piazza
annunciamo che la Libertà di Pensiero
non è più a rischio.
Mai nessuno potrà impedire
che la fantasia regni sovrana.
E per questo

CONDANNIAMO

IL CONTE KARKON
E I SUOI SEGUACI
COLPEVOLI DI AVER PERSEGUITO IL MALE
USANDO PERFIDIA E ODIO.
AL PRIMO GESTO DI RIBELLIONE
TUTTI E QUATTRO SARANNO
GETTATI NEL NULLA.
IN QUELLA PARTE DELL'UNIVERSO
DOVE LA VITA NON È POSSIBILE.

L'ennesimio boato si alzò dalla Piazza. I bambini si misero in piedi e agitarono le mani: «SIAMO LIBERI. SIAMO LIBERI DI PENSARE».

Cesco, con il vaso della Voce, si avvicinò a Karkon e gli urlò in faccia: «Il monaco è prigioniero. Tieni questo oggetto tra le mani. Ogni volta che un bambino lo vedrà si ricorderà del Male che non c'è più».

Karkon alzò lievemente la testa, fissò con i suoi occhi indiavolati il ragazzino e prendendo il vaso sussurrò: «Me la pagherete».

«No! Tu pagherai! Pagherai per l'eternità» rispose Cesco mostrandogli il Taldom Lux che brillava al sole.

I cinque alchimisti alzarono al cielo gli scettri della Sesta Luna e schiacciarono gli occhi di goasil. Contemporaneamente i becchi dei Gughi si aprirono sparando le lingue di fuoco, che

si unirono nell'aria. Una nebbia improvvisa avvolse interamente Piazza San Marco: solo la folla dei bambini vide la forza dell'alchimia del Bene, perché agli adulti era stato vietato l'accesso alla Piazza.

Centinaia di statue scesero dai tetti dei palazzi e camminando pesantemente tra i gruppi di ragazzini divertiti raggiunsero Karkon e i suoi seguaci. Il Leone Alato si mosse e volò sbattendo le pesantissime ali di marmo posandosi proprio di fronte al Conte.

Una fortissima scossa di terremoto fece tremare la Piazza. Le statue alzarono le braccia e soffiarono verso i quattro malefici nemici, che tentavano di scappare. Ma la forza alchemica delle statue li raggiunse e li trasformò in pietra. I loro corpi rimasero immobili. Gli occhi svuotati e le bocche semiaperte.

Karkon, Visciolo, Alvise e Barbessa erano diventati di gelido marmo. Il Conte stringeva tra le mani il vaso contenete la Voce della Persuasione ormai anch'esso diventato di pietra. Le pieghe del mantello di Karkon non nascondevano i suoi piedi deformi, così come il volto di Visciolo, levigato dalla pietra, portava in evidenza la benda e la smisurata bocca. Alvise e Barbessa rimasero fissi in un'espressione di odio e sofferenza. Gelidi, marmorei e assolutamente innocui i quattro nemici erano lì, pietrificati per l'eternità al centro di Piazza San Marco.

La nebbia via via si diradò e le statue veneziane che avevano permesso la realizzazione della condanna ritornarono sui tetti prendendo tutte il loro posto. Il Leone Alato volò nuovamente sulla sua storica colonna e finalmente riposò tranquillo.

I bambini, in piedi, applaudivano e inneggiavano alla vittoria contro il Male.

I cinque alchimisti riabbassarono i Taldom e, allargando le braccia, saltarono dalla gioia. Dodo rise e appoggiò la ciotola Sallia Nana a terra: la Polvere Gelsomina si sparse nell'aria e milioni di piccole sfere profumate galleggiarono intorno ai bambini. Stelle filanti, coriandoli e palloncini colorati invasero Venezia.

La sentenza era stata proclamata e la festa poteva iniziare.

Nina gridò fortissimo: «Prigionieri della pietra. Karkon e i suoi seguaci sono diventati le Statue del Male. Questa è la condanna definitiva. E se dovessero risvegliarsi il Nulla li inghiottirà in un istante».

La festa impazzava e i bambini ora invadevano Venezia con i loro canti, le danze e i giochi. Intanto gli adulti se ne stavano chiusi in casa a guardare con timore la forza della libertà sprigionata dai giovani di ogni parte del mondo.

Per tutti c'erano zucchero filato, caramelle, cioccolata, coni di panna montata. L'euforia era totale. Gruppi di ragazzini si presero per mano cantando allegramente in un girotondo attorno alle Statue del Male.

Cesco si fece largo tra la folla, ma non vedeva più Nina.

La cercò sgomitando a destra e a sinistra. La confusione era talmente tanta che anche gridando il suo nome non ebbe nessuna risposta. La sera calò veloce, ma le corse dei bambini tra calli e campielli non terminarono. Esausto, il ragazzo ritornò a Villa Espasia sperando che almeno i suoi amici fossero già arrivati, ma si sbagliava. Dodo era già a Palazzo Ca' d'Oro assieme a un gruppo di scalmanati bambini che non vedevano l'ora di trasformare le orribili e tetre stanze in luoghi colorati e allegri. Fiore e Roxy avevano preso una barca e attraversato la laguna, per approdare all'Isola Clemente, controllare la situazione e iniziare l'opera di bonifica.

Cesco era confuso, entrò nel parco della Villa, le luci delle grandi finestre illuminavano gli alberi e le aiuole. Girò lo sguardo e vide Nina appoggiata al muretto che dava sulla laguna. Strinse il Taldom, si avvicinò lentamente e sorprendendola l'abbracciò. Nina ebbe un sussulto ma appena sentì la voce di Cesco sorrise.

Il ragazzino fissò il cielo stellato e disse: «Lassù è stato proprio bello. Spero di ritornarci presto».

La bambina della Sesta Luna spalancò i suoi grandi occhi e lo guardò con dolcezza, poi ammirò il cielo e con il cuore che batteva forte rispose: «Mai nulla potrà più spegnere la luce di Xorax. Siamo liberi. I pensieri di tutti i bambini del mondo riempiono il firmamento e tutto l'universo. Sono felice di vivere».

«Anch'io – aggiunse Cesco – non avrei mai immaginato di avere un'esperienza così grande e incredibile. Da quando ti ho incontrata, tutto l'impossibile è diventato possibile. La vita è proprio strana».

Nina sorrise ancora, la luna piena si specchiò nei suoi occhi che diventarono come due oceani turchini.

Posò lo sguardo sulla sua mano destra, osservò la stella rossa che aveva sul palmo e disse: «La vita? Già, la vita è proprio una fantastica storia».

Cesco la strinse forte a sé e sussurrò: «Sì, fantastica come te».

Indice

A tutti i bambini
che volano sulle balene
e nuotano con le rondini verso la Libertà

Vi ringrazio per aver viaggiato con Nina
in quei luoghi magici che la fantasia dona
senza chiedere nulla in cambio.
Un'alchimia che mi auguro vi accompagni nel futuro
perché solo la vostra creatività e i vostri pensieri
potranno rendere il mondo reale
migliore di quello che ora c'è.

Vi ringrazio per avermi fatto sentire il vostro affetto
con lettere ed e-mail che hanno permesso la vicinanza
di cuori forti e anime sensibili.

Vi ringrazio perché siete Voi a rendere i miei libri
fonte di gioia e speranza.

E mi raccomando, ricordate sempre
che serve «Volare per vivere».

Moony